KB182873

고통받는 이의 자리에서, 죽어가는 이의 자리에서
이라크 전쟁의 오만과 잔혹성을 목도하고 증언하려 했던 임영신은
이후 평화를 찾는 순례의 장도에 오릅니다.

평화란 무엇인가?
곳곳에 흩어져 있는 수많은 전쟁의 상처를
그는 강물처럼 조용히 찾아갑니다.
그 강물 같은 순례를 통하여 그가 최종적으로 이른 곳은
사람이었습니다.
사람과의 만남이었습니다.

분노가 아닌 '만남과 사랑' 이 평화의 실체임을 증거합니다.
이것은 평화에 대한 최고의 헌사라 해도 좋습니다.
좋은 전쟁은 없으며,
더구나 평화를 만들기 위한 전쟁이 있을 수 없기 때문입니다.

"평화로 가는 길은 없습니다. 평화가 바로 길입니다."
임영신이 여행 내내 품었던 말
이 말을 이제 책을 읽으실 여러분께 드립니다.

– 성공회대 교수 신영복

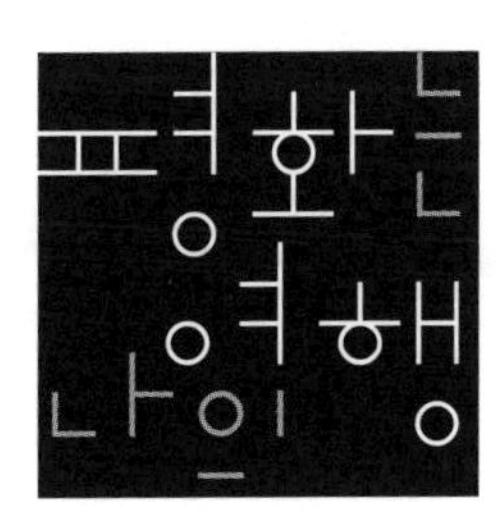

평화는 노래
평화는 자유
평화는
⋮
나의
여행

평화는 나의 여행

임영신 지음

차 례

평화는 나의 여행

2부 피스보트 평화를 여행하는 배

3 부 평화여행 슬픔의 경계 희망의 경계에 서서

느티나무 아래서…

– 신영복 선생님께

선생님

학교에 와 있는 날이면
식당에서든 운동장에서든 선생님을 우연히 마주칠까
마음이 설레던 날들이 있었습니다.
그러나 정작 먼발치에서라도 선생님을 뵙게 되면
다가가 인사를 건네기는커녕
멀리서 목례를 하고 에둘러 다른 길로 가곤 했지요.
선생님이 계시다는 까닭으로
성공회 대학에 마음의 뿌리를 둔지 어느새 8년,
그러나 가까이 뵙고 삶에 대해 여쭙는 일도
강의실에서 성실한 학생으로 제자가 되는 일도 다하지 못한 채
많은 일들이, 시간들이 저를 지나갔습니다.

그 사이

저는 여러 곳으로 여행을 다녀왔습니다.

여행에서 돌아와 짐을 풀고 학교 안 느티나무 아래에 다다를 때면

그늘에 앉아 선생님 책을 읽으며 지나온 여정을, 삶을 돌아보곤 했습니다.

다시 이라크 행을 앞두고 있던 어느 봄날,

학교 식당에서 마주친 제게 선생님께서 문득 말씀을 건네셨습니다.

“곧 다시 간다면서요?”

“예.” 하고 대답을 하고서는

다른 말은 자세히 드리지도 못한 채

느티나무 아래로 달려와 한참을 앉아있었습니다.

“그렇구나… 선생님께서 내 들고남을 지켜보고 계셨구나….”

그러나 이내 흥건히 젖어드는 것은 감사함보다는 부끄러움이었습니다.

무감어수, 감어인 無鑒於水 鑒於人

물에 얼굴을 비추어 보지 말고 사람에게 비추어 보라는
옛사람들의 경책을 새겨주시던 선생님.
그런 선생님께 비추어질 제 모습이
너무 송구하고 남루했던 까닭이었습니다.

"관찰보다는 애정이, 애정보다는 실천적 연대가,
실천적 연대보다는 입장의 동일함이 더욱 중요합니다.
입장의 동일함, 그것은 관계의 최고 형태입니다."
선생님의 그 가르침이
제겐 참 오래도록 소중한 나침반이 되고 있습니다.
어쩌면 제가 이라크에 갔던 건 그 말씀 때문이었는지도 모르겠습니다.
이라크전이 시작되기 얼마 전,
이라크를 향한 평화의 여행을 떠나며 저는 벗들에게 이런 편지를 썼습니다.
죽이는 자가 아니라 죽어가는 자의 눈으로,
전쟁을 일으키는 남성이 아니라
상처입고 희생당하는 여자와 아이의 눈으로,
이 전쟁을 기록하고 싶다고….
평화의 증인이 되고 싶다고….
그러나 선생님,
저는 아직 선생님께서 가르쳐 주신
그 참된 관계에는 다다르지 못한 듯합니다.

2003년 3월 17일.

폭격이 시작되기 이틀 전의 일이었습니다.

그날 아침, 차를 마시다가

위험을 무릅쓰고 이라크 평화팀의 길잡이를 해주신

수아드 아주머니에게 비자 연장서류를 내밀었습니다.

수아드는 놀라 제게 물었지요.

"왜 이라크에 남으려 하지요?"

저는 벗들에게 이야기했던 그 대답을 수아드에게 들려주었습니다.

하지만 수아드는 제게 되물었습니다.

"당신이 정말 이라크 사람의 눈으로 전쟁을 기록할 수 있다고

생각하나요?"

열흘 남짓한 이라크에서의 여행,

그것으로 나는 과연 이라크 사람의 눈을 가졌다고 말할 수 있는 것인지….

스스로에게 한 번도 물어본 적 없는 그 당혹스런 물음 앞에서

저는 고개를 숙인 채 아무 답도 하지 못했습니다.

고개 숙인 저에게 수아드가 말했습니다.

"당신이 이라크 사람의 눈으로 이 전쟁을 기록할 수 있다면

내가 당신의 눈으로 이 전쟁을 기록할 수 있다는 생각은 왜 안 하지요?

평화의 증인이 필요하다면 내가 되겠어요.

당신은 당신의 아이들에게 돌아가세요."

그리고는 전쟁이 임박한 바그다드 거리로 저를 데려갔지요.

장난감 가게의 닫힌 문을 두드려
제 아이들을 위한 선물을 고르기 시작했습니다.
장난감 자동차와 분홍빛 소꿉놀이.
"이라크의 엄마가 사주었다고 꼭 이야기해 주세요."

그 밤, 수아드는 제 등을 떠밀어
국경을 넘는 마지막 버스에 저를 태웠습니다.
전쟁 전야의 밤 9시,
떠나는 저희를 배웅하겠다고 침묵 속의 거리로
이라크 친구들이 나와 주었습니다.
아띠르는 물론, 몸이 아파 일을 쉬고 있다던 카심도
이라크 민병대에 잡혔던 저와 임종진 기자를 구해주었던
사바 아저씨도 나오셨습니다.
사바는 제게 종이봉투 하나를 건네었습니다.
열어보니 봉투엔 빵이 가득 담겨있습니다.
며칠 전 모술의 산간지역에 갔을 때,
제가 한국의 누룽지와 비슷하다며 하루종일 맛있게 먹었던
동그랗고 바삭바삭한 마른 빵이었습니다.
산 속이나 사막에서 한 번에 많이 만들어
비상식량으로 쓴다는 빵… 모두들 전쟁을 앞두고
물이며 식량을 사재기하고 있는 긴박한 상황 속에서

사바는 제가 맛있게 먹었던 일을 기억하고 그 빵을,
곧 비상식량이 될지도 모를 빵을 덜어온 것입니다.
밤길에, 위험한데 왜 나왔느냐고 타박하듯 묻자
사바는 서툰 영어로 답했습니다.
"그냥… 그냥 안녕이라고 말하고 싶어서 왔어."
안녕… 안녕히….
그러나 저는 그 밤, 사바에게 끝내 안녕이라는 인사를 건넬 수 없었습니다.
아무도 다음을, 다시 만나자는 말을 입에 담을 수 없던 밤
버스는 그들을 두고 움직이기 시작했습니다.
제 손엔 사바의 빵뿐 아니라
수아드의 딸들이 온 집안을 뒤져 가져온 이라크 옷과 손목시계,
아이들에게 줄 인형들로 그득했습니다.

남아있는 이들은 오래도록 손을 흔들었을 것입니다.
그러나 버스는 참았던 울음들로 흔들리고 흔들리며
1천 킬로미터의 먼 광야를 건넜습니다.
국경을 넘어, 전쟁을 넘어, 광야를 넘어, 울음으로 건넌 길이었습니다.
마지막 이라크 땅, 국경 근처에서 우리는 또렷이 들었습니다.
48시간 안에 이라크를 떠나지 않으면 누구도
안전을 보장할 수 없다는 부시의 선전포고를…
그렇게 전쟁이 시작되는 소리를….

그 흔들리는 버스 안에서 저는 묻고 또 물었습니다.
입장의 동일함, 그것은 어떻게 다다를 수 있는 것인지….

여행에서 돌아온 제게 많은 사람들이 물었습니다.
왜 이라크에 갔느냐고.
두 아이를 두고서, 남편을 두고서….
이렇게 묶은 글들이 그 대답이 될까요….
전쟁을 위해 일하는 이들이 있어 전쟁이 일어나듯
평화를 위해 일하고 싶었습니다.
그리고 자신의 이익을 위해 다른 이는 죽어도 좋다는
전쟁에 대한 분노 때문이었습니다.
하지만 선생님…
만약 지금, 다시 왜 평화여행을 하느냐고 묻는다면
저는 이렇게 말씀드리고 싶어요.
사랑 때문이라고. 죽음 앞에 선 사람들이 제게 부어준 커다란 사랑….

전쟁은 지나갔지만 평화는 오지 않았습니다.
학교엔 다시 개강을 맞은 학생들이 연두빛 얼굴로 오가고
느티나무가 드리워주었던 깊은 그늘은 낙엽으로 떨어지겠지요.
그리고 선생님은 여느 학기처럼
다시 학생들에게 고전강독을, 사람됨을 가르치실 테지요.

그때 할 수만 있다면 저는, 다시 선생님의 강의실에 들고 싶습니다.
그 강의실에 들어가, 처음 배우는 어린 학생처럼
선생님께 이렇게 여쭙고 싶습니다.

선생님, 평화란 무엇입니까?
어찌하면 평화에 다다를 수 있을까요?
선생님….

2006년, 느티나무 아래에서 가을을 기다리며
임영신 드림

나 이제 내가 되었네

나 이제 내가 되었네
여러 해, 여러 곳을 돌아다니느라
시간이 많이 걸렸네
나는 이리 저리 흔들리고 녹아 없어져
다른 사람의 얼굴을 하고 있었네
나 이제 내가 되었네
– 메이사튼

내가 누구인지,
내가 하고 싶은 것이 무엇인지 묻지 않은 채
해야 할 일들만을 바라보며 살던 날들이
길고 오래였습니다.
그 물음 앞에 서려면 놓아야 하는 것이 너무 많았으므로,
떠나야 할 자리가 너무 크고 무거웠으므로.

두 아이를, 남편을,
평생 아프지 않은 날이 없었던 어머니를 떠난다는 것이
그리 쉬운 일은 아니었다고 지금은 말해도 좋을 듯합니다.
그것이 전쟁이 아니었다면
그토록 선명한 거짓이 아니었다면
저 역시 그 자리를 그토록 간단없이 떨치며
길을 떠나지는 못했을 것입니다.
삶은 떠난 후에 비로소 가벼워지고
놓은 후에 자유로워진다는 것을
길이 저에게 가르쳐 주었습니다.

이라크, 전쟁, 평화
그런 크고 무거운 단어들에
제 생의 무게 중심을 얹으며

길 위에 집을 지어온 날들….
이라크에서 돌아오는 것으로
제 여행은 끝이 난 줄 알았습니다.
그러나 집에 돌아와 문을 닫는다고 여행이 끝나는 것이 아님을
천천히 배워가고 있습니다.
이라크에서 베이루트로
베이루트에서 독일 라벤스부르그 수용소로
버마국경지역에서 분쟁의 섬 민다나오로…
길은 끝없이 새로운 길을 낳으며
저를 가본 적 없는 새로운 생으로 이끌어 가고 있습니다.

이 여행이 얼마나 길어질런지 저도 알 길이 없습니다.
평화의 길을 얼마나 열어갈 수 있을지 또한 알지 못합니다.
그러나 이미 제 곁에는
엄마와 함께 하는 평화의 여행을 꿈꾸며 자라나는
세 아이들이 있습니다.
평화를 위해 일하는 사람으로 저는 너무 거칠고 날이 서 있다고,
하여 제가 지나온 길마다 상처뿐이라고 주저앉을 때면
"우리는 강함에 의해서만 진실을 발견하는 것이 아니라
약함에 의해서도 진실을 발견하게 된다."고
저를 일으켜 세워주는 남편이 있습니다.

먼 여정,
견디는 것 외엔 아무것도 할 수 없었던 길 위의 고단함을
함께 해 준 소중한 벗들이 있습니다.

여전히
이스라엘은 레바논의 백향목 숲에 총을 겨누고
고립장벽은 팔레스타인에 깊은 그림자를 드리우고 있습니다.
전쟁이 저토록 선연히 그곳에 있다면 평화는 어디에 있는 것일까요.
전쟁이 저토록 힘센 이들의 손에 쥐어져 있다면
평화는, 약하디 약한 우리들의 걸음으로 다다를 수 있는 것인가요.
그런 물음들 속에서 마음이 막막해질 때면
저는 필리핀 민다나오에서 만났던 한 사람,
토토의 말을 혼자 되뇌어 봅니다.
전쟁에 맞서는 유일한 길은 평화로운 관계를 많이 맺어가는 것 뿐이라고.
평화는 사람과 사람 사이의 평화로운 관계 아니겠느냐고.
그리고 제 여행가방을 뒤적여 평화의 기억들을 헤아려봅니다.

바스라에서 모술에서 키르쿡에서 두혹에서
우리가 함께 노을 지는 저녁강을 산책했던 날들을
우리가 함께 강가의 연극을 보고 별을 헤아리던 밤들을
우리가 함께 심장의 인사를 건네며 친구가 되어가던 날들을

우리가 함께 전쟁에 반대하며 평화를 외치던 거리들을
우리가 함께 울었던 낮과 밤들을
우리가 함께 한없이 웃던 빛나는 순간들을….
그리하여 우리가 서로의 심장에 지닌
이 소중한 그리움들을….

어떤 여정은 곧은 직선으로 뻗어있고 어떤 여정은 빙빙 에두르는 길이다.
어떤 여행은 영웅적이고 어떤 여행은 두려움과 혼란 투성이다.
하지만 모든 여행은 정확하게 따르기만 한다면
모두를 소명으로 이끌어준다.
– 삶이 내게 말을 걸어올 때, 파크 J. 파머

2006년 9월, 평화가 강물처럼
영신 드림

| 1부 | 이라크

폭탄이 쏟아진다 해도 차를 마실 거예요

선생님, 우리가 도와줘야 돼요!

이틀 전 설핏 내비쳤던 이라크 행으로 남편의 얼굴에 수심이 드리워집니다. 한 번도 제 일에 반대해 본 적 없는 가장 큰 지지자인 그에게 제가 또 한 번 크고 무거운 돌을 던진 것인지도 모르겠습니다. 다음날 아침 함께 집을 나서는 길, 그가 묻습니다.

"왜 꼭 이라크에 가려고 해요?"

이라크 반전평화운동에 참여하려는 제게 어찌 긴 이유와 근거들이 없을까요. 허나 그가 제게 묻고 있는 것이 그것이 아님을 알기에 그리 쉬이 대답하지 못하는 것이지요. 한참을 서 있다가 입술을 열어 한 마디를 건네었습니다.

"생각하는 대로 살아가고 싶어요…."

'생각하는 대로 살지 않으면, 사는 대로 생각하게 된다.'

가난한 삶이지만 바르게 살자며 신혼집에 들여놓았던 그 한 문장, 그도 그 기억에 다다른 것인지 한참을 말없이 바라보았습니다. 무거운 이야기로 시작된 아침, 말없이 돌아서는 그의 뒷모습. 그에게 너무 무거운 짐을 준 것은 아닌가 가슴이 아려 몸만 영어학원에 앉아있을 뿐, 좀처럼 집중을 하기가 어려웠습니다. 그로부터 문자 메시지가 왔습니다.

"이라크, 다녀오세요.

내가 아직도 당신에게 포기하지 못한 것이 남아있나 봅니다."

그렇게 이라크 행을 준비하고 있습니다. 하지만 아직 아이들에게 줄 대답은 준비하지 못했습니다.

지난 10년간 미국의 경제봉쇄로 50만 명의 아이들이 간단한 약이 없어 죽어갔다는 이야기를, 그곳에 수많은 사람들이 죽음을 앞두고 있어 전쟁이 일어나지 않도록 우리가 함께 막아 주어야 한다는 이야기를, 평화가 전쟁보다 힘이 세다는 이야기를 들려주고 또 들려주건만 아이들의 물음은 그치지 않습니다.

"엄마, 미국이 이라크 괴롭힌다며. 엄마 미국사람 친구 있잖아요. 그럼 그 아저씨한테 가서 미국이 이라크하고 전쟁하지 말라고 말하면 되잖아요. 꼭 엄마가 가야 해요?"

어찌 모를까요. 이라크의 전쟁보다 엄마의 부재가 아이들에겐 더 크고 깊은 상처라는 것을. 허나 평화를 준비하고 평화를 위해 일하지 않으면 평화 속에 살 수 없다는 것을, 우리가 평화의 힘을 나누지 않으면 우리의 평화마저 빼앗긴다는 것을, 군대와 전쟁에 의해 유지되는 평화는 거짓 평화라는 것을, 아이들에게 삶으로 말해주고 싶은 것입니다.

어떤 비장함이나 결심이 아니라 그저 평화를 찾아 여행을 떠나는 것뿐이라고 아이들에게 날마다 눈빛 맞추며 이야기해주고 있습니다. 너희들도 조금 크면 이 여행에 함께 할 수 있다고….

유치원 새 학기 시작을 앞두고 아이와 함께 유치원에 초대받았습니다. 아이들과 선생님이 어떻게 지내는지 어떤 선생님이 아이들과 일 년을 함께 하는지 인사를 나누는 자리입니다.

모든 일정을 접고 두 아이의 손을 잡고 유치원에 갔습니다. 연신 뒤에 있는 엄마를 보며 선생님과 함께 노래도 하고 동화도 듣는 아이의 뒷 모습…. 엄마가 제 뒤에 있다는 것만으로 아이 속에 가득히 차오르는 어떤 빛이 제게 고스란히 전해왔습니다.

그러다가 선생님이 무언가를 꺼냅니다.

"선생님이 오늘 특별한 선물을 준비했어요."

저금통이었습니다. 새 학기를 시작하며 나눔을 가르쳐주려는 모양이었습니다. 용돈을 타면 혼자 과자 사 먹지 말고 이 저금통에 저금하자고, 우리 주변엔 아파도 병원에 못 가는 아이들이, 가난한 친구들이 많이 있다고 선생님은 말씀하십니다. 그때 갑자기 늘봄이가 소리를 쳤습니다.

"선생님, 이라크두요! 이라크 어린이들도 지금 너무 힘들대요. 그래서 우리가 도와줘야 돼요."

같이 왔던 부모님들이 웃음을 터뜨립니다.

아이의 입술에서 이라크라는 뉴스 속의 말이 터져 나오니 선생님도 아이들도 아이를 쳐다봅니다. 그 속에서 아이는 갑자기 저를 쳐다보더니 씩 웃습니다. 저만이 자기의 이야기를 이해하고 있다는 것을 안다는 듯한 그 자랑스러운 웃음, 그 웃음이 제게 반짝이며 깃듭니다.

어제 SBS에서 방영된 〈일촉즉발, 이라크를 가다〉라는 다큐멘터리를 보았습니다. 걸프전 당시 아이들과 여자들이 피했던 대피소, 국제법상 폭격이 금지되어 있는 그 죽음의 대피소에서 살아남은 한 남자와 함께 카메라가 그곳에 들어섰습니다. 당시 400여 명이 있었다는 대피소의 벽에는 아직도 그을음과 함께 사람들의 살점이 덕지덕지 붙어있었습니다. 심지어 눈의 자국까지….

기적같이 살아남은 여덟 사람 가운데 19살이었던 그 청년이 이제 30대 중반의 장년이 되어 그곳을 다시 찾았습니다. 그리고 그가 다시 전쟁을 맞이하고 있습니다.

전쟁의 가장 큰 피해자는 늘 여자와 아이들입니다. 1991년 걸프전 이후 경제봉쇄로 여성들은 영양결핍과 빈혈에 시달리고 이라크 아이들의 25%가 2.5kg 미만의 저체중아로 태어나고 있습니다. 이렇게 태어난 아이들도 달마다 5~6천 명씩 죽어가고 있습니다. 지난 10년간 수십만 명의 아이들이 간단한 약이 없어 죽어갔고, 걸프전 폭격의 결과로 암과 백혈병, 기형으로 무거운 생을 살아가고 있습니다. 그들의 교육은 이미 파괴되었고, 그들의 삶은 미래마저 빼앗아가려는 전쟁의 전야에 있습니다.

만나는 이들마다 제게 아이들은 어떻게 하고 그곳에 가느냐고 묻습니다. 저는 어쩌면 제 아이들을 위해 그곳에 가는지도 모르겠습니다. 평화를 어떻게 지키는지 가르쳐 주지 않는다면 그 아이들 또한 평화로운 땅에 살 수 없다는 것을 알기 때문인 것입니다.

3년여 제 빠듯한 살림에서 쪼개어 드리는 바튼 생활비로 어머니는 그 가난한 살림을 이끌어 오셨습니다. 다음 주 제가 떠나고 나면 두 아이를 돌보

평화를 준비하고
평화를 위해 일하지 않으면
평화 속에서 살 수 없다는 것을
아이들에게 삶으로 알려주고 있습니다.

는 과중한 일상, 집안 살림, 한복 짓는 일로 더욱 무거운 삶의 짐을 지실 어머니. 그 어머니가 제게 이라크 행 여비를 보태십니다.

십만 원. 어머니에겐 참으로 크고 큰 돈일 터인데 불현듯 이라크에 간다는 아직도 철없는 딸에게 어머니는 타박대신 여비를 보태어 주십니다. 조심하라고, 허나 해야 하는 일은 해야 하지 않겠느냐고, 삶이란 위험을 피한다고 안전한 것이 아니니 꿈을 쫓아가야 할 길이거든 서슴없이 떠나라고 제 등을 힘껏 밀어주십니다.

어머니가 주신 그 돈을 차마 제 여비로 다 쓸 수가 없어 어머니와 함께 청계천에 갔습니다. 제가 없는 동안 밤마다 아이들에게 책을 읽어주셔야 할 어머니, 또 엄마가 없는 밤을 책과 함께 잠들어야 할 두 아이를 위해 빗속에서 한참 동안 헌책들을 골랐습니다.

아이들은 그 헌책 더미 위에 올라앉기도 하고 집에 있는 책과 똑같은 책을 발견하면 환호성을 지르기도 하며 신이 나서 놉니다. 전집 한 번 사줘보지 않은 엄마로부터 처음으로 백 권에 이르는 엄청난 책 선물을 받아보며 그것이 때가 묻었든 조금 찢어져 있든 하냥 넘치는 신명입니다. 책의 먼지를 닦으랴, 조르는 아이들에게 책을 읽어주랴 그렇듯 분주한 저녁을 보내었습니다.

"한 달이라고 했니? 하루에 세 권씩 이 책 다 읽고 나면 오겠구나."

날마다 너댓 권씩 책을 읽는 아이들이니 그 책들을 다 읽으면 엄마가 돌아온다고 어머니는 가르쳐주실 요량인 듯합니다. 어머니에게 한권 한권마다 아이들에게 짧은 편지를 써서 책을 펼칠 때마다 그 편지를 읽으며 제 온기를 느낄 수 있게 해야겠다고, 한 줄의 짧은 편지로라도 아이들의 일상 속에 깃들어야겠다고 이야기하는 저를 어머니는 가만히 쳐다보십니다.

그 편지를 쓸 만큼의 시간에 제게 남아있지 않다는 것을 어머니도 저도 알고 있는 것이지요.

이라크 행을 결정한 뒤 여비를 마련하기 위해 처음으로 벗들에게 계좌번호를 동봉한 편지를 보내었습니다. 안부를 전하는 편지에 계좌번호를 쓴다는 일이 어디 그리 쉬운 일이던가요. 이라크로 향한다는 안부와 함께 제 여행을 위해 다리가 되어달라는 청을 전한지 3일.

이메일을 통해 답신을 열어볼 때마다 통장 계좌를 확인할 때마다 제 마음은 그만 오랫동안 기다리던 첫사랑의 편지를 받은 것 마냥 한참을 출렁이곤 합니다. 통장에 찍혀있는 그 가난한 벗들의 이름이 제 속에 깊이 젖어듭니다.

그들이 한 달에 받는 월급이 얼마인지, 그들이 얼마나 가난하고 소박한 삶으로 운동을 지속해 나가는지를 알기에 그 이름과 숫자들이 어떤 사랑의 고백보다 깊고 크게 제 깊은 곳을 흔들어 놓고 있습니다.

말씀을 펼치듯 이메일을 열어봅니다. 편지를 펼치듯 통장을 펼칩니다. 글의 행간뿐 아니라 돈의 행간을 읽으며 제 부족한 여행을 준비하고 있습니다. 많은 것을 꾸리는 것보다 불필요한 것을 덜어내는 것이 가장 좋은 여행의 짐이라 했던가요. 그대들 마음에 내 영혼을 비추어 보며 제 속의 삿된 것을 덜어내고 있습니다.

제게 부어주시는 사랑이 이렇듯 너무 크고 깊습니다.

저는 아직 여행을 떠나지 않았습니다.

그러나 제 길은 이미 시작되고 있습니다.

알리바바의 지혜로운 하인처럼

저 여기 이렇게 이라크와 국경을 마주한 요르단에 있습니다. 로마시대의 원형극장, 비잔틴의 유적들, 어떤 색도 섞일 수 없는 백색의 이 도시는 겉으로는 어떤 동요도 드러내지 않습니다. 그러나 시시각각 바그다드로부터 돌아오는 휴먼쉴드(전쟁을 막기 위해 스스로 인간방패로 자원한 사람들)와 평화운동가들이 전하는 이라크 소식은 전쟁을 바람보다 빨리 전하고 있습니다.

많은 사람들이 추방되기도 하였습니다. 허나 아직도 이라크의 가정에는 학교에는 고아원에는 수많은 사람들이 이 전쟁을 이라크 사람들과 함께 하기 위해 평화의 증인으로 머물고 있습니다.

요르단에 머무는 동안 우연히 멕시코에서 온 민족해방군 싸빠띠스따들, 일본에서 온 평화활동가들, 군인이었다는 미국인… 수많은 사람들을 만났습니다. 이 위험한 시절 그 먼 곳에서 날아와 애를 태우며 이라크 행을 기다리는 그들 속에서 한 번도 만져 본 적 없는 어떤 희망을 봅니다. 크고 깊은 눈을 지닌 팔레스타인 사람들, 이라크를 도망쳐 온 사람들, 시장의 가난한 이웃들 얼굴에서 힘과 용기를 얻습니다.

아직도 많은 사람들이 이라크 행 비자를 얻기 위해 가슴을 태우며 이 도시에 머물고 있습니다. 한국 평화팀 역시 비자를 얻을 길이 없어 애를 태우다가 오늘 오후 2시에 겨우 6명만이 비자를 얻었습니다. 나머지 5명은 언제 나올지 모를 비자를 또 기다려야 합니다. 오늘 저녁 8시, 바그다드를 향해 출발합니다.

왜 이라크로 들어가려 하느냐고 이라크 대사관 영사가 제게 물었습니다. 이라크 안에 세계가 있다고 이라크가 파괴되는 것은 이 세계가 파괴되는 것이라고 대답했습니다. 우리는 이라크에 가서 그것을 말하고 싶습니다.

봄아, 시원아
지난 밤에는 봄이와 시원이가 엄마 꿈에 찾아왔어.
엄마가 꼭 껴안아 주고 입을 맞추었더니
너희들도 엄마를 꼭 안아주었어.
밤마다 엄마 냄새 맡는다며 엄마 침대에서 자고 있다는 이야기
매일 매일 엄마 위해 기도한다는 이야기 할머니께 들었단다.
오늘 엄마는 바그다드로 떠난단다.
그곳에서는 전화하는 일도 이렇게 편지를 보내는 일도 쉽지 않을 거야.
너희들도 기억하지?
엄마랑 같이 봤던 『알리바바와 40인의 도둑』 그림책에 나오는
야자나무 많은 바그다드….

이라크의 아이들은 그림으로 보던 것보다
훨씬 눈이 크고 너무 아름다워.
아마 봄이와 시원이가 만났다면 금방 친구가 됐을 텐데….
지금 바그다드는 그림책 속처럼 평화롭고 아름답지만
40인의 도적이 알리바바를 잡으러 오던 그 저녁처럼 위험하단다.
곧 있으면 전쟁이 시작될지도 모르거든.
이곳저곳에서 많은 군인들이 모여들고 있어. 이라크 근처로.
하지만 엄마처럼, 공항에서 봤던 엄마 친구들처럼
전쟁을 막기 위해 이곳으로 모이고 있는
착하고 힘센 이모와 삼촌들도 많단다.
엄마는 오늘 그 이모 삼촌들이랑 같이
전쟁을 막기 위해 이라크에 갈 거야.

봄아 시원아, 기억나니?
알리바바의 지혜로운 하인이
도둑들이 알리바바의 집에 표시해둔 가위표를 발견하고
온 집마다 돌아다니며 가위표를 그려두던 일이….
그래서 알리바바는 한 번 위기를 넘겼었지.
할 수만 있다면 엄마도 알리바바의 지혜로운 하인처럼
미국이 이라크 사람들의 집과 땅에 들어오지 못하도록
바그다드의 집들, 그 대문 대문마다

밤새도록 가위표를 그려놓고 싶구나.
우리의 손길로 이 위험을 피할 수 있다면
우리의 마음으로 이 전쟁을 막을 수 있다면
밤새도록이라도 바그다드의 온 집을 찾아다니고 싶구나.

봄, 시원
너희들도 그곳에서 엄마와 함께 마음으로 가위표를 그려주렴.
바그다드에 사는 너희의 친구들을 위해.
바그다드에 머물 엄마를 위해.
너희들이 그려주는 마음의 가위표가
전쟁 대신 평화를 가져다 줄 수도 있을 거야.
1천 3백만 명이나 되는 착한 마음을 가진 세계의 사람들이
거리에 나와 전쟁은 안 된다고 외치고 있으니까
엄마가 없는 동안 너희들도 거리에 나가
전쟁반대, 평화실현을 외치며 촛불을 켜고 있으니까
밤마다 엄마 곁에서 잠을 자고야 마는 너희들이,
이라크 친구들에게 엄마를 양보했으니까….

내 생에 가장 소중한 보물, 내게 가장 아름다운 사람
봄아, 시원아
사랑한다.

날마다 아이들이 죽는 어린이 병원

바그다드.

그곳에 도착하던 첫날을 평생 잊을 수 있을까요. 바그다드는 너무 평온하고 아름답습니다. 관광객으로 위장해 들어간 우리를 마중나온 첫 이라크 사람, 가이드 수아드 아주머니가 인사를 건넵니다.

"앗살라 말라이쿰… 당신에게 평화를… 이란 뜻이에요. 이라크에선 만날 때마다 이렇게 인사해요."

평화의 도시라는 뜻을 지녔다는 바그다드. 전쟁은 바깥세상의 일인 양 바그다드의 도심에는 알리바바의 하녀가 40개의 항아리에 기름을 붓고 있는 모양의 아름다운 분수가 물을 뿜고 있고, 시장과 카페에는 사람들이 차를 마시고, 물건을 팔고, 결혼 파티를 하고 있습니다.

집집마다 야자나무 한 그루씩을 심은 바그다드의 아름다운 집과 넓고 깨끗한 도로와 거리들, 거리 곳곳에 있는 아름다운 모스크와 조각들…. 걸프전의 폐허, 사담 후세인의 독재, 다가오고 있는 전쟁, 어두운 두려움으로 가득찬 이라크를 향해 마음의 짐을 꾸렸던 저는 그만 이곳의 평화에, 이곳의 아름다움에 잠시 마음의 길을 잃고 맙니다.

티그리스 강변에서는 저녁마다 2천 년 전통의 이라크 서사극을 공연하고 있다는 수아드의 말에 강으로 산책을 나섰습니다. 저녁 상가에 노을 대신 횃불이 피어오르면 저 쪽에서 말을 탄 배우가 나타나고, 모여있던 사람들은 어디가 무대이고 어디가 객석이랄 것도 없이 극의 일부가 되어 7천 년 이라크의 역사를, 그들의 아름다웠던 문명을 되새기며 노래하고 춤추는 것이지요.

그 아름다운 저녁 강의 풍경에, 웅장한 공연에 망연해질 즈음, 잠시 하늘을 올려다보던 수아드의 눈가가 젖어듭니다.

"티그리스가 참 아름답지요? 이 땅과 강은 이렇게 평화롭고 고요하지만 저 하늘은 그렇지 않아요. 하늘을 한 번 보세요. 저기 밝은 별이 보이나요? 저건 별이 아니에요. 지금 우리가 서 있는 이곳을 감시하고 있는 미군의 정찰위성이에요."

우리가 다만 여행을 위해 이곳에 온 게 아니라는 걸 알고 있는 수아드는 우리에게 보이는 것 너머의 이라크를 보여주고 싶은 모양입니다. 저녁 강, 타는 횃불, 배우들의 목소리를 뒤로 하며 인간방패로 들어온 외국인들이 모두 모여있는 팔레스타인 호텔로 향합니다.

항상 따라 다니는 비밀경찰, 호텔 로비에 나와 있는 정부 사람들… 이 모든 것들을 뒤로 하고 바그다드에서의 첫 밤을 맞습니다. 호텔 창문 밖으로 한없이 펼쳐진 거대한 도시 바그다드의 야경이 사무치도록 아름답습니다.

이라크에서 일어난 전쟁 가운데 가장 격렬하고 지독했다는 격전지, 전쟁이 무엇인지 보고 싶으면 바스라로 가라고 했던 말을 떠올리며 우리는 이라크 남단의 바스라를 향하고 있습니다.

바그다드 공항에서 출발한 비행기는 한 시간여 만에 어느새 바스라에 도착합니다. 서울에서 부산 정도의 거리에 있는 남쪽의 항구도시 바스라는 시아파 사람들이 주를 이루고 있는 인구 100만의 이라크 제 3의 도시입니다. 중동에서 가장 번화한 항구 도시로 한때는 150만이 넘기도 했으나, 경제제재로 항구 중심의 교역이 죽자 사람들이 썰물처럼 빠져나가고 있다 합니다. 이젠 이곳이 도시였던 적이 있을까 싶을 만치 황량하고 가난한 낮은 지붕의 집들이 황야처럼 펼쳐진 바스라. 도시 곳곳에 검정과 초록, 흰색의 시아파 깃발들이 펄럭이고 있습니다.

티그리스 강 하구, 강가의 한 호텔에 여장을 풀었습니다. 창을 열면 티그리스 강이, 강 건너 끝없이 펼쳐진 야자나무 숲이 아스라합니다.

바스라에서 가장 먼저 찾아간 곳은 바스라 어린이병원이었습니다. 걸프전에 사용된 열화우라늄탄으로 많은 아이들이 기형아로 태어났고, 미국의 경제제재는 정상적으로 태어난 아이들마저 영양실조로 만들었습니다. 이곳에는 200명이 넘는 아이들이 입원해 있습니다. 고통의 그늘이 드리운 듯 공기마저 서늘하게 감도는 낡고 오래된 병원 내부에는 어디서도 생명이 소생되어 가는 기운을 찾을 길이 없습니다.

빛이 바래버린 남루한 가운을 입은 20대 후반의 젊은 의사가 병원을 안내해 주었습니다. 그의 남루한 가운만큼 병원의 모든 시설들은 낡고 낙후되어 있었습니다. 깨끗한 침대시트 하나 찾아보기 어려운 병실들, 흰 옷 입은 간호사 대신 검은 아바야를 입은 엄마들이 아이의 머리맡을 지키고 있는 어두

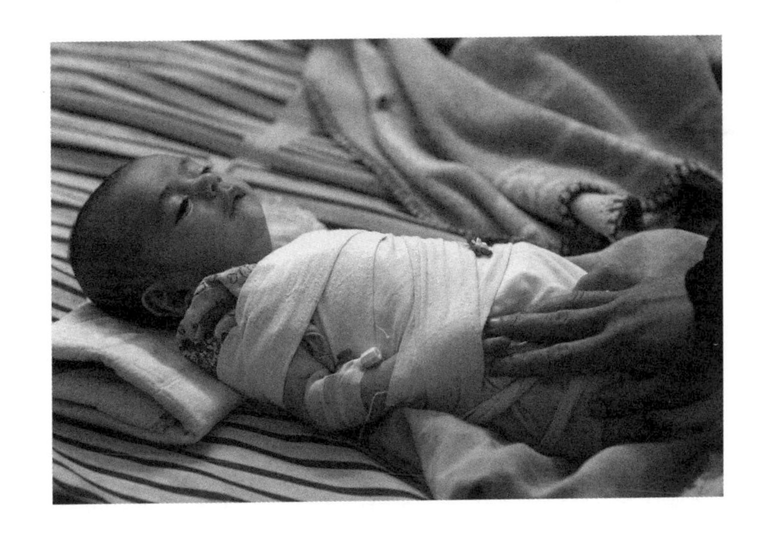

울 곳으로 평화가 오진 않습니다.
그러나 타인의 고통에 울 수 있을 때
평화는 시작됩니다.

컴컴한 병실마다 백혈병, 암, 소아마비, 선천성 기형, 이런 병명을 안고 시들어가는 아이들이 누워있습니다.

마치 뼈 위에 링거 바늘을 꽂은 듯 앙상한 아이들…. 숨을 가누지 못해 가릉거리는 아기를 토닥이는 엄마와 아기의 사진을 찍던 한겨레신문 임종진 기자는 그만 카메라를 떨구고 맙니다. 카메라 앞에서 그 아기가 제 기침을 못 이겨 온 몸을 덜컥이다 눈에 눈물이 그렁그렁해지고 마는 모습을, 엄마가 피눈물을 흘리는 모습을 담을 수가 없는 것입니다. 죽어가는 아이의 눈 위에 카메라를 들이대고, 메모를 하고, 병명을 물을 수가 없는 것입니다….

기사의 제목이 영아살해였던가요. 미국의 경제제재로 충분한 의료장비와 의약품이 없어서 지난 12년간 달마다 5천 명의 이라크 아이들이 죽어가고 있다는 유니세프의 보고를 담은 기사가 떠올랐습니다.

병원을 안내해주던 의사에게 병명과 아이의 상태를 묻는 대신 한 달에 몇 명의 아이들이 죽어 가느냐고 물어봅니다. 그는 무심한 얼굴로 하루에 보통 2명 정도의 아이들이 죽는다고 대답합니다. 저는 다시 묻습니다. 바스라에서만 한 달에 몇 명 정도의 아이들이 이런 병으로 죽어가느냐고. 그는 병원의 수를 헤아려보더니 답합니다. 약 600명 정도라고.

한 달에 600명, 한 달에 5천 명…. 전쟁은 아직 시작조차 되지 않은 3월의 어느 날, 우리는 이미 이곳에 있는 죽임과 살해를 이토록 선연하게 마주하는 것입니다. 병원을 다 보지 못한 채 발길을 돌려 나오는 길, 의사에게 다시 묻습니다. 한 달 월급은 얼마인지. 그는 5달러는 받는다고 했습니다. 살 수 있느냐고 되물었습니다. 가난하지만 살 수는 있다고. 아이들이 그렇게 많이 죽어가는 이유가 혹 돈이 없기 때문이냐고 물었습니다. 그는 말합니다.

"돈이 없어 병원에 오지 못하는 경우는 없습니다. 미국의 경제제재로 의료 장비를 구할 수가 없어요. 백신 같은 꼭 필요한 약도 제대로 구하지 못해 살 수 있는 아이들까지도 죽어갑니다."

기형이나 백혈병에는 큰 수술이 필요한데 약이 있다 해도 수술 장비가 없으니 어찌 해보지도 못하고 고스란히 죽음을 기다리는 아이들. 무력하고 답답해 빈 마당을 걷습니다. 어제 그랬듯이 오늘도 두 아이가 하늘나라로 가버린 바스라 어린이 병원 마당을 걷습니다.

병원을 나와 점심을 먹으러 간 강가의 식당에서 몇몇은 끝내 밥을 먹지 못하고 강으로 걸어 나가고 맙니다. 병원에서 울음을 참지 못했던 이들이나 울음을 참은 이들이나 점심을 먹는다는 일이 버거워 점심 식탁은 장례식장처럼 묵지근합니다. 마침내 분쟁전문기자 조성수 씨가 한 마디를 던집니다.

"울지 마세요. 이곳 사람들 앞에서. 이건 아무것도 아니에요. 감상적으로 보면 진실을 담을 수 없어요."

그 말, 마음의 채찍 삼아 마음을 다잡고 오후 일정을 시작합니다. 비행 금지구역으로 정해져있는 바스라, 그러나 그곳에 상습적으로 행해지는 영국군의 폭격으로 군인뿐 아니라 민간인들이 다치고 죽고 있다는 이야기를 들은 우리는 피해자를 찾아가기로 한 것입니다. 가장 최근에 영국군 폭격으로 피해를 입은 민간인을 만나보고 싶다는 우리 요청에 수아드는 수소문을 해

한 민가로 우리를 안내했습니다.

지난 12월, 석유회사 부속건물 옆 버스 정류장에 서 있다가 그 건물을 표적으로 한 폭격으로 다리를 다친 아버지와 아이의 집이라 했습니다. 좁고 낡은 열 평 남짓의 집에 십여 명의 식구들이 살고 있었습니다. 그의 아이들, 그리고 이웃에 산다는 친척들이 우리 곁을 빙 둘러쌌습니다.

"라마단의 저녁식사를 위해 빵을 사러 가려고 정류장에 서 있었어요. 그때 갑자기 영국군 비행기가 날아들더니 폭격이 시작되었어요. 우리가 서 있던 버스 정류장 옆이 바로 석유회사 부속건물이었던 거예요."

아버지는 다리를 절고 있었고 옷을 걷어올려 보여주는 6살 알리의 배 위에는 20센티미터 정도의 수술 자국이 있었습니다. 배에 박힌 파편을 빼내느라고 장기의 일부를 잘라 내었다 합니다. 아이의 흉터를 가만 가만 살피고 있는데 아이의 엄마가 두 살 남짓 된 꼬마아이를 안고 오더니 옷을 걷어 다리를 보여 줍니다.

그 어린 다리에 그어진 15센티미터나 되는 붉고 검은 수술 자국. 종아리 위로 제 다리 두께만 한 다른 근육이 돋아나와 보름 전 제거 수술을 했지만 걸을 수 없을지도 모른다고 합니다. 바스라에는 이런 아이들이 많다고 담담하게 설명합니다.

아이의 상처 위로 점심 때 들렀던 걸프전의 흔적, 자동차 무덤의 풍경들이 살아옵니다. 맥주깡통처럼 맥없이 찌그러져버린 수백 대의 차들, 두꺼운 탱크마저 집요하게 뚫어낸 무서운 열화우라늄탄의 흔적들…. 그 흔적은 그곳에만 남아있는 것이 아니라 이렇듯 사람 속에, 우리가 알지 못하는 미래에까지 남아있는 것입니다. 전쟁은 끝나지만 그 전쟁이 남길 죽음이 얼마나 길고 오래일지는 우리 중 그 누구도 모를 일입니다.

그만 일어서려는데 아이들의 엄마가 바스라에선 절대 손님을 그냥 보낼 수 없다며 주스를 타 옵니다. 어릴 때 많이 마시던 그 짙은 오렌지빛 가루 주스. 아이들은 벌써 침이 꼴깍 넘어갑니다. 주스를 나누어 마시려고 알리의 손을 잡아끕니다. 그런데 알리의 손에 손가락이 잡히질 않습니다. 깜짝 놀라 아버지를 바라보니 그가 설명을 합니다.

"배에 파편이 박힐 때 알리가 포테이토 봉지를 들고 있었어요. 배 위에 이렇게…."

통역을 하던 수아드의 목소리가 젖어들더니 그만 울음을 터뜨리고 맙니다. 울지 말라고 다그쳤던 사람도 눈을 적시고 사진을 찍던 사람들은 카메라로 젖은 눈을 가립니다. 그 아픔 앞에서 우는 일이 너무 미안하고 부끄러워 서둘러 집을 나서는 그 길, 저녁 노을 위로 긴 사이렌이 울립니다.

"전투비행기가 순찰비행을 하고 있다는 신호예요. 돌아다니지 말라는."

전투비행이나 폭격이 시작되면 더 요란한 사이렌이 울리는데 저녁에는 위험하니 절대 혼자서 바깥에 나가지 말라고 수아드는 우리를 아이처럼 단단히 챙깁니다. 어느새 몇 십 명으로 불어난 알리의 가족과 친척들, 동네 아이들은 아직도 들어가지 않은 채 우리 차가 떠날 때까지 밖에서 소리치며 손을 흔듭니다.

샬람, 샬람… 앗살라 말라이쿰….

평화를, 평화를… 부디 당신에게 평화를….

바스라, 어머니의 숲

하루 동안의 여정이, 담아야 할 기억의 무게가 버거웠는지 뒤척이다 잠이 깨버린 곤한 새벽, 혼자서 밖에 나가지도, 멀리 가지도 말라는 수아드의 말을 뒤로 하고 그만 강 건너 야자나무 숲을 향하는 긴 다리로 걸음을 옮겼습니다.

일찍 하루를 시작하는 사람들이 당나귀를 끌고, 혹은 버스를 타고 강을 건너고 있었습니다. 낯선 동양인을 보고는 한 사람도 그냥 지나치는 이가 없습니다. 손을 흔들든, "살람"하고 인사를 건네든, 버스나 당나귀를 타라고 하든, 한 마디씩 말을 걸어와 다리는 그만 북새통이 되고 맙니다. 웃음으로 모든 인사를 보내고 도착한 강 건너편, 도시가 끝나고 숲과 시골이 시작되는 작은 마을 입구에서 걸음을 멈추어봅니다.

건너편 강에서 바라본 호텔 쪽은 강변을 따라 온통 군인들의 동상이 세워져 있습니다. 이라크의 모든 전쟁의 격전장이었다는 바스라 항, 하나의 동상이 세워질 때마다 얼마나 많은 핏물들이 저 강을 적셨을까요. 아직도 복구되지 않은 무너진 다리들, 폭격 당한 배들, 담장의 총 자국까지 고스란히 간직한 걸프전의 살아있는 박물관 바스라를 강 건너편 야자나무 숲에서 바라봅니다.

이 야자나무 숲은 또 얼마나 많은 죽음의 이야기를, 울음을 품고 있는 것일까요. 강 위로 부서지는 아침 햇살을 바라보며 소리 없는 기도를 올리는데, 제가 건너온 긴 다리 위로 누군가가 제 이름을 부르며 달려옵니다.

수아드…. 새벽에 일어나 제가 없어진 걸 알고, 저를 찾으러 온 사방을 헤매었을 수아드 아주머니입니다. 그녀를 향해 저도 달리기 시작했습니다. 그녀에게 염려를 끼친 일이 미안해 숨가쁘게 뛰어간 저를 보더니 그녀는, 한마디도 나무라지 않고 가만히 안아줍니다. 걱정했다고, 너무 놀랬다고, 왜 나를 깨우지 않았느냐고…. 천천히 걸으며 그녀의 이야기를 듣습니다.

"저 야자나무 숲을 잘 보세요. 우린 저 나무를 어머니의 나무라고 불러요. 가난한 사람들에게 대추야자 열매는 수입도 되고, 배고플 때 끼니를 잇는 소중한 양식도 되지요. 그래서 이라크에선 집집마다 야자나무 한 그루씩은 꼭 마당에 심어요. 이 덥고 건조한 날씨를 견뎌낼 수 있는, 열매 맺을 수 있는 유일한 나무니까요.

바스라의 대추야자는 세계 생산량의 40%를 차지할 정도로 유명해요. 그런데 한 가지 특징이 있지요. 저기 보세요. 두 그루가 마주보고 있지요? 암수가 마주보고 있어야 열매가 열려요. 저 숲 속에 지붕처럼 달린 야자나무 잎이 똑 떨어져 나가고 기둥만 남아있는 나무들이 보이나요? 그들도 두 그루 씩이지요. 마주보며 죽어가고 있는 거예요.

나무들이 죽어가는 것처럼 여자와 아이들이 깊이 병들어 있어요. 20년 전만 해도 이라크 여자들은 건강해서 모두 집에서 아이를 낳았어요. 하지만 이제 집에서 아이를 낳을 수 없는 사람들이 너무 많아졌어요. 그리고 병든 아이들이 너무 많이 태어나고 있어요.

어머니 나무가 죽어가고, 어머니들이 병들어 아이들이 죽어가고 있어요. 유산, 조산, 기형아가 다섯에 한 명꼴로 태어나고 있어요. 설사 건강한 아이들이 태어나도 아이들에게 줄 수 있는 것이 없어요. 장난감도, 연필도, 영화도….

우리가 자랐던 그 풍요로운 시기를 생각하면 내 딸들이 자라온 경제제재 기간 동안은 저주였어요. 아이들은 신밧드나 알리바바 같은 우리의 전설 대신 '이 소리는 어떤 전투기다' 이런 이야기를 하며 자라고 있어요. 그리고 그들 생에 이제 또 한 번 전쟁이 오고 있는 거예요.

나는 전쟁이 두렵지 않아요. 전쟁은 두려워한다고 오지 않는 것이 아니에요. 겪어내야 할 일이지요. 다만 아픈 것은 우리 아이들이 다시 전쟁의 아픔을 고스란히 물려받고 어린시절의 모든 추억을 전쟁에 빼앗겨야 한다는 거예요. 그리고 내가 지고 살아온 이 짐을 내 딸들에게도 고스란히 주어야 한다는 거예요."

이라크에 와서 처음으로 전쟁이 아니라 전쟁 너머를 생각해봅니다. 어쩌면 수아드의 말대로 우리가 두려워해야 할 것은 전쟁이 아니라 전쟁이 끝나고 올 이 보이지 않는 죽음들일 것입니다.

"바스라에 처음 도착해서 왜 이 사람들이 이곳을 떠나지 않느냐고 물었지요? 비행기를 타고 오며 봤나요? 이 도시 바깥에는 아무 것도 없어요. 이곳을 벗어나면 바로 광야에요. 사람들은 떠나고 싶지 않은 것이 아니라 떠날 곳이 없는 거예요. 여기서 살아내야 하는 거예요. 아니 그냥 우리는 살아가고 있는 거예요. 여기가 고향이니까, 이라크 사람이니까…."

여전히 누군가 죽어가고
어머니들이 여자들이 아이들이 죽어갑니다
우리가 두려워해야 할 것은
전쟁이 아니라 전쟁이 끝나고 올
보이지 않는 죽음들일 것입니다.

산책을 마치고 로비로 들어서는데 호텔 직원이 와서 무언가를 건네줍니다. 어젯밤 서둘러 나오느라 챙기지 못했던 일행의 선글라스를 알리의 아버지가 가져다 준 것입니다. 다시는 볼 수 없을지도 모를 낯선 이들이 두고 간, 그냥 그가 쓴다 하여도 아무도 나무라지 않을 그 선글라스를 돌려주기 위해 그는 사이렌이 울리는 밤, 물어 물어 숙소를 찾아왔던 것입니다. 그들은 이 삶을 다만 견디는 것이 아니라 살아가고 있는 것이라는 걸, 다시 한 번 마음에 새기며 아침을 맞습니다.

폭탄이 쏟아진다 해도 차를 마실 거예요

한국에서 우리가 보았던 뉴스 속의 이라크는 두려워 떨고 있었지만 이라크 안에 들어와 이라크에서 만나는 이라크는 평화롭게 전쟁을 맞이하고 있습니다. 전 외교부 장관이었다는 알 하쉬미 박사의 말을 떠올려 봅니다. 우리는 전쟁이 무엇인지를 알기 때문에 전쟁을 대비하고 맞이할 각오를 하고 있는 것이지 부주의한 낙관론으로 전쟁을 기다리고 있는 것은 아니라던 그의 말이 무슨 뜻인지 알 것 같습니다.

그러나 한국에서 온 신문기자들은 하루 종일 사람들에게 두렵지 않느냐고 묻는 일로 시간을 보냅니다. 그들이 아무리 이곳은 평화롭고 사람들이 두려워하지 않는다고 기사를 써서 보내도 데스크에선 그럴 리가 없다고 전쟁을 앞에 두고 두려움에 떠는 이라크 사람들의 표정, 긴장된 거리의 모습들을 담아 보내라고 채근하는 것입니다.

우리가 한국에서 보는 이라크에 관한 모든 뉴스는 미국이 세계에 보여주길 원하는, 후세인의 치하에서 전쟁의 위협 속에서 두려워 떨며 살아가는 핍절한 이라크의 모습이기 때문입니다.

바그다드는 여전히 평화로울 뿐입니다. 그러나 그 평화로워 보이는 일상 사이로 선득 선득 전쟁의 풍문이 칼날처럼 스치고 있습니다. 어떤 이는 삼일 뒤면 전쟁이 시작된다 하고 어떤 이는 내일일지도 모른다고 합니다. 전쟁의 마지막 신호는 유엔 사찰단의 철수입니다. 아직은 사찰단의 차가 있는 것을 확인하고 우리는 북쪽 모술을 향합니다.

전쟁이 시작되면 폭격보다 더 무서운 것이 내전으로 일어날 시가전입니다. 오랜 동안 후세인에게 고통받아온 쿠르드 사람들이 내전을 일으킬 가능성에 대해 조사하기 위해 이라크의 북부지역을 향하고 있는 것입니다. 그러나 우리가 다다를 수 있는 곳은 모술까지만입니다. 쿠르디스탄은 갈 수 없는 땅입니다.

모술로 가는 길, 수아드는 자신의 신분증을 보여 줍니다. 그녀의 할머니가 쿠르드 사람이어서 그녀의 신분증명서에는 25% 쿠르디스탄이란 증명서가 찍혀있습니다. 걸프전 이후 12년간 유엔에 의해 분리 통치되고 있는 가깝지만 먼 나라 쿠르디스탄. 그녀는 그 땅이 산이 그 푸르름이 너무 그립다 합니다.

이라크에 속하지만 이라크와 다른 언어, 다른 혈통을 가진 쿠르드. 미국의 지원을 받은 후세인에 의해 하루아침에 5천 명이 화학무기로 살해당하는 아픔을 당하고도 이라크를 벗어나 독립할 수 없는 쿠르드. 이라크에서 가장 아름다운 땅과 강, 거기에 자원마저 가진 쿠르디스탄은 터키, 시리아, 이란 같은 주변 강국들의 침략으로부터 하루도 시름을 벗을 길이 없었던 고단한 역사를 가지고 있습니다.

황야는 초원으로 바뀌고 초원을 지나 바위산들이 맨살을 드러내는 웅장한 산맥으로 변하더니 마침내 이라크 제 2의 도시 모술이 나타납니다.

저녁 강가에서 흐르는 강과 젖어오는 어둠을 고즈넉히 즐기는 사람들, 강가의 작은 놀이공원에서 일상의 웃음을 그치지 않는 아이들, 갈대숲으로 깃드는 연인들, 푸른 잔디 밭 위의 가족들, 그 부서지는 황금빛 햇살 사이로 아이들의 웃음이 더 눈부시게 부서져 내립니다.

저마다 작은 버너와 주전자, 찻잔을 담은 소풍바구니를 들고 나와 저녁 강으로 스러지는 해를 보며 하루를 마치는 가족들 사이에 섞여 우리도 두려움에 관한 물음들을 접어두고 저녁산책을 나섭니다. 아이들에게 평화버튼을 달아주고 안아주고, 뛰어 노는 아이들을 카메라에 담기도 하며 거닐던 모술의 티그리스, 그 강변에서 유난히 아름다운 한 부부를 마주합니다.

5년간의 연애 끝에 이제 막 결혼했다는 그들. 두 살 연하라는 그의 아름다운 아내는 작은 의자를 하나 내어주며 주전자에서 끓고 있던 뜨거운 차이 한 잔을 나누어 줍니다. 차를 마시다가 묻습니다.

"전쟁이 오고 있어요. 두렵지 않은가요?"

"1991년 걸프전 때도 그랬어요. 전투기가 저 강 위로 날아가는 걸 보면서 여기, 이 강가에서 이렇게 차를 마셨어요."

그는 갑자기 생각났다는 듯 셔츠를 걷어 팔뚝을 보여줍니다. 팔목 바로 위부터 팔이 접히는 부분까지 긴 흉터가 또렸합니다. 걸프전 때 이 강가에서 폭격을 만나 파편이 박혀 입은 상처라고 합니다.

"다시 전쟁이 온다 해도, 폭탄이 쏟아진다 해도 이 강가에 와서 물을 끓이고 차를 마실 거예요. 전쟁이 우리들의 일상을 바꾸어 놓을 수 없다는 걸 그들이 볼 수 있도록. 우리가 전쟁보다 강한 일상을 가졌다는 걸 볼 수 있도록."

그와 그의 아름다운 아내를 뒤로 하고 돌아오며 생각합니다. 전쟁은 죽은 이와 죽인 자의 피로 물들며 저 강물과 함께 지나갈 것이며 저 핏물이 지나간 강둑에서 그는 한 잔의 차를 끓이고, 그의 아내는 밥을 짓고, 그의 아이들은 뛰어 놀 것이라는. 역사는 흐르는 강물이 아니라 그 강변에 집을 짓고 일상을 살아가는 자의 것이라는 한 역사학자의 말을 기억해 봅니다.

저녁 식사를 위해 찾아간 곳은 모술 대학 근처에 있는, 쿠르드인이 많이 일하고 있다는 유명한 식당이었습니다. 이라크에서는 땅이 기름지고 물이 맑은 쿠르드 음식이 가장 맛있다고 합니다. 쿠르드로 갈 수 없는 우리는 그곳에서 쿠르드 사람들을 만나 인터뷰를 하기로 했습니다. 한참 바쁜 시간이었지만 주인은 시간을 내어 일하는 사람들이 인터뷰를 할 수 있도록 배려를 해주었습니다.

쿠르드에 대해, 전쟁에 대해, 우리는 기독교인, 무슬림, 쿠르드인, 이라크인으로 인종과 종교가 뒤섞여 있는 식당에서 인터뷰를 시작합니다. 우리들의 낯선 질문을, 특히 내전가능성에 대한 집요한 질문을 받던 한 쿠르드 사람은 갑자기 그의 모든 동료들을 데리고 옵니다.

"우리는 한 빵을 먹고 한 집에서 살고 피를 나누며 살아왔어요. 이미 오랫동안. 왜 당신들은 우리가 전쟁이 일어나면 서로를 죽이지 않을 것이냐고 묻는 거지요? 더 많은 답을 듣고 싶다면 더 많은 친구들을 불러줄 수 있어요."

그래도 전쟁이 끝나고 나면 쿠르드 독립 세력들은 독립을 위해 내전을 할 수도 있지 않겠느냐고, 사람들 중에는 그것을 원하는 이도 있지 않겠느냐고 묻는 우리에게 그는 물음을 돌려줍니다.

"당신은 당신의 두 눈을 손가락으로 찌를 수 있나요? 당신은 당신의 형제를 죽일 수 있나요?"

그의 물음에 그만 대답을 하지 못하고 부끄러움으로 얼굴이 빨갛게 물들고 맙니다. 그에게 물었던 물음들은 얼마나 무례하고 폭력적인 것이었던가요.

"당신이 당신의 두 손가락으로 당신의 눈을 찌를 수 있다면 나도 나의 형제인 이라크 사람을 죽일 수 있어요.

나는 이 식당에서 13년간 일했어요. 우리 식당 주인은 이라크 사람이에요. 그러나 여기 일하는 직원 중 많은 이들은 쿠르드 사람이에요. 우린 얼마전 부터 장애가 있는 고아 한 명을 데려다 일을 가르치고 있어요. 그 아이는 그대로 두면 거지가 되거든요. 주인이 허락하고 우리가 돕고 있는 거예요. 우린 이렇게 살고 있어요. 형제로, 이웃으로, 가족으로… 그리고 내가 지금 사랑하고 있는 여자는 이라크, 아랍 사람이에요."

연인의 이름이 무엇인지 가르쳐 줄 수 있겠느냐고 묻자, 그녀는 내 심장이고 생명이라고, 청혼을 하기 전까지, 그녀가 결혼을 약속하기 전까지 그의 심장 밖으로 그녀의 이름을 말할 수 없다고 합니다. 그것이 쿠르드와 이라크의 전통이라는 아름다운 청년 아하메드.

그는 다시 자기 자리로 돌아가고 우리는 말없이 식사를 시작합니다. 우리는 어쩌면 이렇게 어리석은 물음들을 끊임없이 묻고 있는 것일까요? 쿠르드의 정치인들은 내전을 일으킬 수도 있을 것입니다. 후세인의 정권은 그들을 잔혹하게 화학무기로 죽였던 역사를 부인할 수 없을 것입니다. 그러나 늘 그러하듯이 전쟁은 정치인들의 것, 민중은 이렇게 몸을 섞고 삶을 섞으며 하나로 흐르고 있는 것이라는 것을 모르지 않으면서 우리는 왜 그에게 정치인에게 들이댔어야 할 물음들을 그토록 집요하게 물었던 것일까요.

미안한 마음에 식사를 하다가 잠시 밖에 나가 그의 연인을 위한 작은 인형을 하나 샀습니다. 바쁘게 뛰어다니는 그에게 살짝 선물을 건네주고 다시 식사를 시작합니다. 주인은, 또 우리와 인터뷰를 했던 일하는 사람들은 음식을 하나라도 더 가져다 주려고 애쓰는 기운이 역력합니다.

식사를 마치고 식당을 떠나오는 길, 아하메드가 숨을 헐떡이며 우리에게 달려옵니다. 그의 손에는 작은 선물이 들려있습니다. 고맙다고, 이 만남을 소중히 기억하고 싶다며 그 선물을 안겨줍니다. 잘 있으라고 언젠가 다시 만나자고 인사를 건네다가, 그 언젠가라는 말에 그만 목이 메입니다. 내 손을 꼭 잡고 악수를 하는 그의 손이 뭉툭합니다.

"몇 년 전에 고기 자르는 기계에 손가락을 잃었어요. 지금은 괜찮아요. 그래도 감사하잖아요. 이렇게 일할 수 있고 사랑할 수 있는 삶이 있다는 것이…."

우리가 보이지 않을 때까지 아하메드는 가게 유리창 너머로 손을 흔들어 줍니다. 그의 뭉툭한 손이 그 보이지 않는 손가락들이 꽃처럼 피어납니다. 쿠르디스탄에 가본 적은 없습니다. 그러나 내게 쿠르드는 아하메드의 심장에 담긴 그 연인의 이름처럼 깊고 따스하다고 기억될 것입니다.

수아드… 저도 남고 싶어요…

이 짧은 여행이 끝나기 전에 전쟁이 시작될지도 모른다는 불안과 긴장. 아무도 말한 적은 없지만 모두들 알고 있던 그 가능성이 스스로 소리를 내어 말하기 시작한 건 우리가 다시 바그다드로 돌아오던 그 밤이었습니다.

외신기자들이 철수하기 시작하고 다음날 새벽에는 유엔 사찰단이 떠날 것이라는 소식에 사람들은 술렁이기 시작했습니다. 차들의 대열을 만들어 요르단으로 나가자는 작은 포스터가 나붙기 시작했습니다.

유엔 사찰단 철수 소식에 기자들도 긴장을 감추지 못합니다. 17일 오후 티그리스 강변에서 세계 각국의 평화활동가들과 함께 평화의 촛불을 띄우기로 약속한 우리는 떠나야 하는지 말아야 하는지, 누가 남고 누가 떠날 것인지의 문제로 격렬한 논쟁을 벌였습니다.

우리의 논쟁을 보다가 수아드와 사바는 평화를 위해 왔다는 이들이 왜 그렇게 싸우느냐고 농담을 던집니다. 결국 비자를 발급받을 때 17일에 떠나기로 한 원래의 일정을 지키되, 저녁 집회의 약속 또한 지키고 위험하더라도 밤에 출발하는 것으로 결론을 맺고 마지막 밤, 잠자리에 들었습니다.

떠나기로 한 날 아침. 마지막이란 것이 다만 이 여행의 끝이 아니라 이 생의 마지막일지도 모른다는 생각에 서로가 눈빛을 마주하는 것만으로도 마음이 눅신해지던 아침, 수아드는 우리가 받은 비자가 휴먼쉴드 비자여서 이라크에 더 남아 있길 원하면 발전소로 가라는 이라크 정부의 연락을 받았다는 무거운 소식을 전해줍니다. 전쟁이 다가오자 인간방패로 들어온 외국인들을 향한 통제가 시작된 것입니다.

전쟁 중에는 어떤 자유로운 활동도 할 수 없다는 그들의 지시에 많은 활동가들이 떠나기로 결정을 했고, 활동가뿐 아니라 많은 사람들이 어제부터 썰물처럼 빠져나가기 시작했습니다. 그러나 기록을 위해 끝까지 남겠다는 임종진 기자를 우리의 그룹비자에서 풀어주기 위해 아침 일찍 수아드의 사무실에 갔습니다.

수아드의 사무실은 몇 송이 꽃도 피어있고 커다란 야자나무도 한 그루 있는 시내 주택가의 아담한 집입니다. 사무실엔 사바, 아마르, 수아드가 차를 마시고 이야기를 하며 기다리는 여느 아침과 다를 바 없는 날이었습니다. 그러나 집 앞에는 지난 번 보지 못했던 벙커가 파여 있습니다. 그리고 몇 군데로 전화를 걸던 수아드가 긴장한 얼굴로 말합니다.

"국경택시를 구할 수가 없어요. 100불 하던 택시비가 30분 간격으로 100불씩 오르고 있어요. 벌써 700불로 뛰었어요. 여기서 암만까지 안전한 호텔들은 50불에서 200불로 방값이 올랐고 그나마도 방을 잡을 수가 없어요."

급히 몇 가지 서류를 챙겨서 비자 연장신청을 하러 떠나려는 수아드에게 저는 망설이고 망설이던 말을 하고 맙니다.

"수아드… 저도 남고 싶어요. 비자… 연장해 주세요."

수아드는 잠시 말을 잊고 놀란 눈으로 저를 쳐다봅니다. 그리고 묻습니다.

"왜죠? 왜 갑자기 전쟁이 나기 전에 떠나기로 한 당신 아이들과의 약속을 깨고 남겠다는 거지요?"

"그래요, 수아드 알아요. 나도 알아요. 하지만 수아드, 나는 이곳에 올 때 스스로 약속했어요. 이 전쟁에 평화의 증인이 되겠다고. 이 전쟁을 기록하겠다고. 죽이는 자의 눈이 아니라 죽어가는 자의 눈으로, 미국의 눈이 아니라 이라크 사람의 눈으로 이 전쟁을 기록하고 증언하겠다고…."

수아드는 잠시 침묵 속에 있다가 내게 묻습니다.

"당신은 당신이 정말 평화의 증인이 될 수 있다고 생각해요? 이라크 사람의 눈으로 이 전쟁을 기록할 수 있다고 생각해요?"

그녀의 질문에 머리를 맞은 듯 잠시 멍해집니다. 왜 한 번도 내가 정말 이라크 사람의 눈으로 이 전쟁을 기록할 수 있는지 스스로 물어보지 못한 것일까요. 그녀의 질문 앞에 고개 숙인 내게 수아드가 부드러운 목소리로 말합니다.

"당신이 이라크의 눈으로 이 전쟁을 기록할 수 있다면 나도 당신의 눈으로 이 전쟁을 기록할 수 있어요. 아니 당신을 위해 내가 평화의 증인이 되겠어요. 아마 당신이 여기 남는다면 당신은 호텔이나 발전소에 꼼짝없이 갇혀 있어야 할 거예요.

당신이 원하는 평화의 증인을 위해 당신은 아무 것도 할 수 없어요. 그러나 나는 달라요. 나는 나갈 수도 누군가를 만날 수도 있어요. 누가 어떻게 다치거나 죽어가는지 찾아가 묻고 기록할 수 있어요. 당신이 필요하다면 녹음이라도 해서 그 기록을 남겨 줄 수 있어요. 그리고 나중에 전쟁이 끝나고 나면 어떻게든 그 기록들을 당신에게 보내 줄게요."

수아드는 종이 위에 무언가를 적습니다.

'Witness From Iraq'

그리고 그 종이를 제게 건네주며 말합니다.

"당신에겐 이라크의 평화보다 당신의 아이들이 더 중요해요. 이라크는, 우리는 당신이 없어도 이 전쟁을 겪어내고 이겨낼 수 있어요. 하지만 당신의 아이들은 달라요. 우리에게 평화가 필요한 것처럼 당신 아이들에겐 당신이 필요해요.

당신이 이곳에 남아있으면 난 하루도 편하게 있을 수 없어요. 나도 사바도 당신을 지켜줄 수 없는 날들이 곧 올 거예요. 만약 당신이 다치거나 죽기라도 한다면 그건 우리에게도 당신 아이들에게도 전쟁보다 큰 슬픔이에요.

당신을 대신해 내가 평화의 증인이 되어줄게요. 돌아가주세요. 나를 위해, 우리를 위해…. 그리고 당신의 아이들을 위해….”

수아드는 마당에 나와 햇볕에 내 눈물을 씻어주고는 내 손을 잡고 거리에 나갑니다. 거의 대부분 상점이 문을 닫아가는 거리, 문을 연 장난감 가게 하나를 겨우 찾아 두 개의 선물을 고릅니다.

“이건 아들을 위한 자동차예요. 그리고 이건 딸을 위한 소꿉장난이에요. 이라크 사람, 수아드 아주머니가 사준 거라고 이야기해주세요. 아이들과 함께 우리를 기억해주세요. 그리고 전쟁이 끝나면 평화운동가가 아니라 관광객으로 당신의 아이들과 오세요. 이라크의 아픔이 아니라 이라크의 아름다움을 보기 위해….”

장난감 가게에서 그만 수아드도 나도, 참지 못하고 울고 맙니다. 세 딸을 데리고 전쟁을 견뎌내어야 할 그녀가 내 두 아이를 위해 사 준 장난감을 들고 나는 그녀의 품에 안겨 엉엉 소리내어 울고 맙니다.

“그래요, 수아드. 갈게요. 내 아이들에게 돌아갈게요. 그치만 수아드…, 엄마… 다치면 안돼요. 내가 돌아올 때까지 살아있어 줘야 해요. 약속해줘요. 내 아이들에게 내가 살아서 돌아가겠다고 약속했듯이 내게 약속해줘요 엄마….”

수아드는 눈물을 씻으며 말합니다.

“인샬라, 모든 것이 신의 뜻이에요.”

수아드는 내가 타고 가야 할 국경택시를 알아보기 위해 다시 길을 나섭니다. 그녀의 뒷모습을 보며 저는 저의 하나님께 기도드립니다.

하나님 이 전쟁을 막아주세요.

하나님…

그러나 내 하나님은 나보다 먼저 더 길고 깊은 통곡으로 울고 계십니다.

당신의 땅 위에서 무고한 피로 땅을 적실 전쟁의 전야

전쟁을 고스란히 맞이해야 하는 사람들 어깨 사이로

그는 가만히 내려서고 계십니다.

사람을 유린하고 피로 적실 이 전쟁 앞에

나의 하나님은 그만 이 땅으로 가만 가만 내려서십니다.

저들과 함께 폭격을 맞이하고저…

저들과 함께 두려움에 떨고저…

저들과 함께 아들을 잃고저….

안녕 마리아, 울지 마세요

이 강에 만 개의 초를 띄운다 한들 이 전쟁이 오지 않을 까요.

우리가 백만이 되어 이 다리 위에 선다면

저 역사의 강물을 막을 수 있을까요.

이제 겨우 몇 십 명으로 남은 평화활동가들은 그대로

우리의 몸으로 이 전쟁을 막아서려 저 강 위에 섭니다.

몇 개의 초로 이 어둠 이겨내려 티그리스에 평화의 촛불을 띄웁니다.
한 번도 어둠이 빛을 이겨 본 적이 없나니….

위험하더라고 평화촛불 행사의 약속을 지키기로 한 대가로 결국 우리는 국경택시를 구하지 못했습니다. 팔레스타인 호텔 로비에서 만난 월든밸로 교수가 필리핀 대사관에 도움을 요청해 차를 한 대 구해주었으나 우리 모두 탈 수 있는 차는 없다고 해 그마저 포기합니다. 결국 폭격의 타겟이 되기 쉬워 남아있던 큰 관광버스 한 대를 빌렸습니다. 차는 밤 9시에 출발하기로 했고 우리는 티그리스 강에 평화의 초를 띄우기 위해 강으로 나갔습니다.

많은 이들이 떠날 채비를 하고 마지막 걸음으로 찾은 티그리스 강변, 이라크의 아이들은 아직도 천사처럼 흰옷을 입고 평화를 노래하고 평화를 위해 춤을 춥니다. 이제 겨우 몇 십 명으로 줄어든 남은 활동가들은 마지막 마음을 모두어 다리 위로 올라가 손에 손을 잡습니다. 강가에서 놀고 있던 아이들이 쪼르르 따라와 우리 사이사이에 스며듭니다.

사람과 사람이 만든 평화의 띠가 드리워진 티그리스 강 다리 위. 그때 일본에서 온 스님 한 분이 제안을 하십니다. 우리 모두 각자 자기나라 말로 평화를 소리내어 외치자고. 할 수 있는 한 길게, 할 수 있는 한 크게, 할 수 있는 한…. 언어는 다르지만 이 전쟁 앞에 선 우리의 마음은 똑같지 않느냐고.

모두 마음을 입술을 모두어 기도하듯 읊조립니다.

"헤이와…, 피스…, 옴…, 평화…."

목숨의 무게로도 막아낼 수 없는 전쟁이 물결쳐 오고 있는 티그리스 강에

헤이워
피스
온
땅
⋮
전쟁이 몰려오고 있는
티그리스 강에 촛불을 띄웁니다.
내일이면
전쟁을 맞을 지 모를
아이들의 해맑은 웃음도
같이 띄웁니다.

서 우리는 준비해 둔 촛불을 띄우기 시작합니다. 하나 둘씩 불을 밝히니 강둑에서 놀던 아이들이 달려와 나누어 달라합니다. 내일이면 전쟁을 맞을지 모를 아이들이 강에 초를 띄우며 해맑은 웃음도 같이 띄웁니다.

나무로 만들어 둔 촛대는, 강 위로 두둥실 떠내려가고 신이 난 아이들은 우리가 다리 위에서 했던 평화의 기도를 기억하며 "피이스"를 흉내내 보기도 합니다. 허나 이 강에 백만 개의 초를 띄운다 한들 이 전쟁이 오지 않을까요. 우리가 십만 백만이 되어 이 다리 위에 선다 한들 저 역사의 강물을 막을 수 있을까요….

다만 이 촛불 하나 켜기 위해, 저 강물에 평화의 빛 하나 띄우기 위해 위험을 무릅쓰고 밤길을, 버스를 택한 활동가들은 그 촛불들이 사라질 때까지 자리를 뜨지 않습니다. 남아서 전쟁을 맞이하겠다는 동료들을 두고 떠나가는 길, 남는다든가 떠난다든가 하는 상상조차 해본 적 없는 저 아이들을 두고 국경을 넘어야 하는 이 무거운 걸음…. 우리가 다시 이곳에 올 때는 전쟁으로 국경이 무너지고 난민이 쏟아져 나오고 사람들이 죽어 신음할 때 약과 물을 들고 들어오는 길 외에는 남아있지 않다는 것을 기억하는 이 마지막 밤, 강은 더할 나위 없이 아름다운 빛으로 저물어가고 있습니다.

함께 초를 띄운 서너 명의 아이들은 제 곁에서 팔짱을 끼고 제 팔을 어깨에 두른 채 돌아갈 생각을 도무지 하질 않습니다. 강둑에는 어느새 어둠이 내려앉고 서늘한 바람이 불어와 반팔 옷을 입은 아이들의 팔에는 소름이 오소소 돋아나기 시작합니다. 배도 고프고 춥기도 할 터인데 아이들은 말도 잘 통하지 않는 제 곁에 매달린 채 돌아갈 생각을 하질 않습니다.

아이들은 춥다고 춥다고 내 품을 파고들고 나는 옷을 벗어 아이에게 주고도 아이를 따스하게 해 줄 길이 없어 그저 쓸어 안아 줄 뿐입니다. 내 품에 안겨 떨고 있는 그 아이가 내 두고 온 아이들의 온기와 너무 똑같아 나는 아이들을 안은 채 그 자리에서 움직일 수가 없습니다.

그때 알자지라 방송 기자라며 한 기자가 말을 걸어옵니다.

"이 아이들 어머니세요?"

"아니요."

"그래요, 그런데 꼭 어머니처럼 보였어요."

"어머니의 마음으로 인터뷰를 해 주실 수 있겠어요? 곧 전쟁이 시작된다는데… 이 아이들에게."

못하겠다고 아이들을 안고 뒤돌아서는 저를 그는 다시 붙잡습니다.

"전 이 아이들의 어머니처럼 이 아이들을 지켜줄 수 없어요. 이 아이들이 이제 곧 시작될 폭격 속에서 무섭다고 울며 엄마의 품을 찾을 텐데, 나는 이 아이들을 두고 오늘 밤 국경을 넘어야 해요. 살아야 하니까…. 두고 온 내 아이들에게 돌아가야 하니까…. 여기 이 추운 강변에 이 아이들을 두고 가야 돼요. 그게 너무 미안하고 아파요. 이 아이들 곁에 있어 줄 수 없는 게 너무 미안해요…."

끝내 울음을 터뜨린 나를 바라보더니 아이들은 그 차고 갈라진 손으로 내 얼굴에 눈물을 씻어줍니다. 열두 살 먹은 로네가 학교에서 배웠다는 짧은 영어로 내 말을 알아듣고 내게 말을 합니다.

“괜찮아요. 우린 괜찮아요. 당신은 당신 아이들에게 돌아가야 해요. 우린 괜찮을 거예요. 그러니까 울지 말아요. 당신이 울면 우리도 슬퍼요.”

전쟁이 온다 해도 이 강변밖에는 피할 곳도 숨을 곳도 없는 이 아이들이 저를 안아주고 위로해 줍니다. 수아드와 사바가 저를 찾으러 와 아이들에게 집으로 가라고 하며 저를 차에 태웁니다. 그래도 아이들은 가지 않고 제가 타는 차를 쳐다보며 저 추운 강변에 서 있습니다.

사바가 차에 시동을 걸고 이제 차가 떠나는데 아이들은 차를 따라오며 뛰기 시작합니다.

“안녕 마리아. 울지 마세요. 우린 괜찮아요. 잘가요 마리아. 기억할게요. 기억할게요….”

그 아이들을 두고 차는 국경을 넘는 버스가 기다리는 시내로 향합니다. 저녁에는 위험해서 잘 돌아다니지 않건만 내게 작별 인사를 하고 싶다고 나온 사바는 10시, 차가 떠날 때까지 자리를 떠나지 않고 나무처럼 서 있습니다.

사바는 울지도 웃지도 않습니다. 조금만 웃어도 그렁그렁한 눈물이 떨어져 내려 서로의 마음을 적셔버릴 것을 알고 있기 때문입니다. 사바에게, 카심에게, 수아드에게 작별인사를 하고 돌아서지 못하는 저를 수아드는 거칠게 등을 떠밀어 버스에 태웁니다.

나는 살아남기로 한 약속을 지키기 위해 버스에 올라탑니다. 함께 죽는 것을 허락해 주지 않는 내 어머니의 눈물 때문에 내 아버지의 눈물 때문에, 아이들의 웃음 때문에 나는 이렇게 버스를 탑니다.

버스는 천천히 움직이기 시작하고 버스 안에서는 마침내 참고 참았던 울음들이 터져 나오기 시작합니다. 버스 밖에서 우리를 쳐다보고 있던 수아드도, 카심도, 사바도, 아마르도 모두 울고 있습니다. 잘 가라고, 차가 보이지 않을 때까지 서서 손을 흔들어 주며 눈물 흘리고 있습니다. 전쟁이 오고 있는 바그다드에 내 어머니를, 아이들을, 삼촌을, 친구를 두고 우리는 국경을 향합니다.

국경을 넘기 직전, 뉴스에서는 부시의 48시간 선전포고가 거짓말처럼 울려 퍼집니다. 48시간 안에 바그다드를 떠나지 않으면 어느 누구도 보호받을 수 없으니 모두 떠나라고 합니다. 버스는 다시 울음을 터뜨리기 시작합니다.

그가 아무리 떠나라고 하여도 죽인다 하여도, 그 땅을 그 집을 떠날 수 없는 2천 4백만 내 이라크 어머니들, 아버지들, 내 아이들…. 물러설 곳도 나아갈 곳도 없는 그들을 두고 국경을 넘으며 버스는 밤새도록 흐느낍니다.

1천 킬로미터 그 먼길, 바그다드를 떠나며.

세상에서 가장 잔인한 아침

새벽 4시.

죽음의 국경을 넘어 도착한 요르단의 새벽, 전쟁이 터졌다며 다급히 문을 두드리는 소리에 잠에서 깨어났습니다. CNN은 마치 쇼를 보여주듯이 바그다드의 하늘을, 텅빈 도심을, 터져나오는 굉음들을 담아내고 있었습니다.

CNN 화면 너머 바그다드의 하늘을, 우리가 걸었던 그 거리들을, 아직도 손에 온기가 가시지 않은 친구들이 잠들어 있을 집들을 매만져봅니다. 화면 속에서 이미 미국의 미사일이 바그다드 상공을 향해 날아가고 있고 부시는 지금이 바로 평화를 위해 전쟁을 해야 할 그때라고, 사담 후세인의 목을 베어내야 할 그때라고 확신에 찬 어조로 말하고 있습니다.

한국에서는 쉴 새 없이 전화가 와, 두고 온 세 사람의 안부를 묻습니다. 아무도 이름 불러주지 않은 채 쓰러져 가고 있는 이라크 사람들 속에 우리의 친구들이, 우리의 아이들이 있기에 전쟁의 화면을 똑바로 쳐다보지도 그 뉴스를 끄지도 못한 채 이곳에서 이렇게 서 있습니다.

비자를 연장해 취재를 마치고 바그다드를 떠나는 마지막 차를 타고 온 임종진 기자를 통해 두절된 바그다드의 소식을 듣습니다. 국경을 넘으며 48시간 안에 망명이든 전쟁이든 한 가지를 택하라는 부시의 성명을 듣던 우리, 그리고 그 48시간을 4시간여 남겨두고 도착한 그. 그 짧은 시간 사이에 국경 택시는 한 대당 750달러 수준에서 2천 달러까지 뛰었고 국경에는 이라크를 떠나는 사람들의 행렬이 길어지기 시작했다고 합니다.

이제 저 이라크 국경 너머에 남아있는 한국인은 세 사람의 평화 활동가, 그리고 분쟁전문기자 조성수 씨뿐입니다. 전쟁의 뉴스 속에서 우리가 할 수 있는 일들을 찾기 위해 이야기를 나누는 동안 다시 3차 공습이 시작되었습니다. 그 포성 속에서 우리는 백여 차례의 시도 만에 겨우 바그다드의 한상진 씨와 연결이 되었습니다. 잠시 포성이 멎은 상태, 그러나 미군의 공습이 예고 없이 계속되고 있는 상황이기 때문에 사람들은 집에서 꼼짝할 수 없는 상황이라고 합니다. 상황이 변한다면 한상진 씨와 유은하 씨는 원래 예정대로 병원에 가서 사람들을 만나고 도울 예정이라고….

어제까지 발전소에 머물던 배상현 씨는 바그다드 시내에 머물고 있는 두 사람과 합류했다고 해 모두 안도의 긴 숨을 내 쉬었습니다. 그러나 거리에 나오는 사람은 발포하겠다는 사담 후세인의 엄명 속에 자동차도 거의 다니지 않는 바그다드에서 그들이 무사히 움직이고 서로 만날 수 있을지에 대해서는 누구도 확신할 수 없는 일이었습니다.

CNN의 뉴스 속에서는, 우리가 만났고 우리가 떠나왔던 그 이라크 사람들을 결코 만날 수가 없습니다. 단지 그들이 말하고 싶어하는 것, 이라크 사람들이 두려워하고 도망치고 내전을 일으키며 혼란에 빠져들기를 원하는 그들의 의도된 뉴스만을 들을 뿐입니다.

그들의 뉴스 속에는 '사람들'이 아니라 '전쟁'만이 존재하고 있습니다. 하루 종일 이라크에 관한 뉴스를 듣고 있는 지금, 우리는 뉴스가 아니라 그들을, 그들의 삶을 만나고 싶습니다. 저 국경 너머 그들이 이 전쟁을 어떻게 겪어내고 어떻게 마주하고 있는지, 이 아침도 심장에 손을 얹고 '살람' 하며 평화의 인사를 나누고 있을 그들의 이야기를 듣고 싶은 것입니다.

지금 다시 들어갈 수 없는 국경 너머의 풍경들, 바그다드의 풍경들을 전해주는 CNN의 뉴스 너머 우리가 걸었던 거리들을 봅니다. 평화의 촛불을 띄웠던 티그리스 강에 마음을 적십니다. 두고 온 세 사람의 동료들이 깃들어 있을 사람들의 집을 봅니다. 우리와 손잡고 뛰고 노래하며 "피스"를 외쳤던 아이들의 크고 깊은 눈동자를 봅니다.

글을 쓰며 전쟁의 뉴스를 듣고 있는 이 아침 이라크의 국영방송에서 사담 후세인이 성명을 발표하고 있습니다. 평화를 위해 전쟁을 해야 할 때라는 부시의 선전포고, '사담의 목베기' 라는 작전명 속에 바그다드의 삶을 침략해 들어가는 그들의 잔혹한 발길, 그 폭력과 전쟁의 뉴스 속에 우리를 보내며 우리에게 건네주었던 수아드의 마지막 말이 내게 머뭅니다.

"신은 자신의 사람을 한 사람도 잊지 않으십니다."

어쩌면 하나님은 전쟁을 위해 길을 떠나는 미군들의 머리 위가 아니라 그 총과 칼, 폭탄 끝에 산산히 부서질 이라크의 사람들 속에, 그 무슬림들의 검고 깊은 눈동자 속에 머물고 계신지도 모르겠습니다. 그들의 눈물을 닦아주고, 그 신음을 쓸어안기 위해.

멀리서 당신에게

평화의 단식을 시작했습니다.
하지만 당신을 위해
한복을 입고
밥을 짓고
국을 끓이고
조촐한 생일상을 차렸습니다.

사람들은 단식 중인 사람이
무슨 음식이냐고 제게 묻습니다.
저는 다만 생일상을 차린다고 대답하였습니다.
벗들이 나를 도와 생일 카드를 그리고 음식을 아름답게 담아줍니다.
활짝 웃어보라며 당신께 보낼 생일상을 사진으로 담아줍니다.

이렇듯 멀리서
평화를 위해 일한다고 하면서
당신의 안위를 챙기지 못하는 부족한 아내
사진으로나마 마음 담아 보냅니다.

하루도 제 힘으로 움직일 수 있는 날이 없습니다.
당신의 기도와 늘 함께 하고 있음을 느낍니다.
아이들의 온기가 제 귓볼에 와 닿습니다 .
내일 귀국하는 사람들 편에
수아드 아줌마로부터 받은 소꿉장난을 보냅니다.
저 폭격 속 상처 입었을지, 혹은 죽어가고 있을지도 모를
한 이라크 아주머니가 보내주신 선물입니다.
아이들에게 그 선물의 의미를 잘 설명해 주시길 부탁드립니다.
이라크 북부에서 당신을 위해 산 이라크 사람들의 두건을 보냅니다.
당신이 쓰실 지 안 쓰실 지는 모르겠으나

제 심장, 이라크를 담았습니다.

사랑합니다.

– 요르단 암만에서 영신…

과시보다는 직시를

세상에서 가장 귀한 선물인 당신에게.

멀리서 몸 건강히 잘 있는지요.

단식을 하고 있다는 말을 들으니 더욱더 걱정이 됩니다.

그러나 당신의 길을 인도하시는 하나님이 당신과 함께 계심을 믿기에

제 마음 추슬러 봅니다.

당신이 보내준 사진음식 잘 먹었습니다.

당신 자신을 내게 주고

보석처럼 소중한 아이들을 낳고 기른 것을 제외하고는

지금까지 당신이 내게 준 선물 중에 가장 감동적인 선물이었습니다.

상황이 그래서 이렇게 느끼는 것일지도 모르지요.

어디 당신이 나에게 준 선물들이 이것에 비길 수 있겠습니까?

당신이 어떤 일을 하든 당신이 어떤 선택을 하든

어쩌면 하나님은
전쟁을 위해 길을 떠날
미군들의 머리 위가 아니라
그 총, 칼, 폭탄 끝에 산산히 부서질
이라크 사람들의 검고 깊은 눈동자 속에
머물고 계신지도 모르겠습니다.

나는 당신을 믿겠습니다.

하나님이 당신을 믿듯 나도 당신을 믿습니다.

그곳에서 하나님을 하나님되게 하는

아름다운 사역을 잘 감당하리라 믿습니다.

내가 할 수 있는 것은 기도뿐이지만

우리가 함께 한다는 것을 기억하시기 바랍니다.

무사히 돌아오십시오.

짧은 운동이 아니라 긴 호흡으로 오랜 걸음을 걸어야 하기에

자신을 돌보기 바랍니다.

아이들은 나름대로 잘 적응하고 있으니 걱정하지 말아요.

걱정 보다는 기도를

계획 보다는 인도를

과시 보다는 직시를.

생태, 평화, 영성이라는 당신의 화두에 맞는

당신의 행보가 되기를 바라며

마음의 사랑을 당신에게 보냅니다.

사랑합니다.

– 한국에서 도영…

폭격 속의 조국으로 돌아가는 사람들

48시간의 잔혹한 공격이 시작되면서 바그다드와 암만은 전화가 두절되었습니다.

수아드의 집, 카심의 사무실, 남아있는 동료들이 묵고 있을 호텔, 그 곳곳마다 있을 지하벙커에서 그들은 이 폭격을 맞이하고 있을 것입니다. 한국의 모든 뉴스와 신문, 거리가 이 전쟁에 관한 흉흉한 소문으로 덮여 있는 것을 알고 있습니다. 하지만 두고 온 벗들로 인해 우리는 아직 이곳을 떠나지 못하고 있습니다.

우리의 벗들이 난민이 되어 저 황막한 사막을 지나 난민 캠프를 찾아 올 것이라는 것을 알기에 우리는 난민 구호를 준비하고 있습니다. 그리고 우리의 소중한 세 사람을 맞이해야 한다는 것을 알기에 이곳 요르단, 암만에 머물고 있습니다.

이곳은 폭설이 내렸습니다. 폭설이 비바람으로 변하며 흘러내리는 물로 길이 막히고 안개가 자욱해 차들은 움직이질 못하고 있습니다. 우기가 끝나고 건기가 시작되어야 할 중동의 3월, 이곳에는 저희가 머무는 날들 동안 절반 이상의 날들이 비로 젖곤 했습니다. 하물며 눈이라니요…. 그 눈에 발이 젖고 마음이 눅신해지며 두고 온 국경의 텐트들과 그 안에 머물고 있는 사람들이 눈에 밟히기 시작합니다.

텐트가 사람을 지키는 것이 아니라 사람이 텐트를 지키는 듯한 광막한 바람, 황무지 위의 텐트촌, 그곳에는 203명의 제3국 난민들이 머물고 있었습니다. 이집트인, 수단인, 에티오피아인, 스리랑카인…. 본국으로 돌아가려는 그들이 국경에서 잠시 쉬었다 가는 단기 캠프입니다. 장기적으로 체류해야 할 이라크 난민을 위한 캠프는 바로 그 옆 몇 킬로 떨어진 곳에 UNHCR(유엔 난민 고등판무관 사무소)의 주재 아래 더욱 방대한 규모로 설치되어 있습니다.

일주일 전만해도 아무것도 없던 그 사막에 전쟁 발발과 동시에 시작된 난민 텐트촌이 건설된 것입니다. 최대 인원 5명이 들어갈 수 있는 텐트가 200개 정도 있으니 적신월사(무슬림국가들이 만든 이슬람 구호 조직)가 만든 그 캠프에는 적어도 2천 명 정도의 난민을 받을 수 있겠지요.

차에서 내려 십 분을 서 있기조차 힘겨운 사막의 광풍, 그 사막에는 봄을 들이지 않는 듯 체감 온도는 차갑게 내려갑니다. 난민보다 더 많은, 무려 209명의 요르단인 자원 활동가들이 그들을 위해 이곳에 머물고 있습니다. 허나 그들이 자원 활동가인지, 난민인지 그 하얀 천에 붉은 초생달이 그려진 적신월사의 휘장이 아니었다면 구분할 길이 없습니다.

그 차가운 바람과 건조한 사막의 추위 속에서 모두 두꺼운 겨울 점퍼를 입은 채 동동거리며 뛰어다니고 있었습니다. 그들 역시 저 텐트에서 잠을 자고 저 작은 버너 하나로 손을 녹이고 난민들에게 배급되는 몇 장의 빵과 통조림으로 하루를 이어가야 합니다. 난민 구호라는 막연한 일이 얼마나 고된 것인가를 그들을 통해 짐작해봅니다. 저 텐트 한 장, 마른 빵 한 조각으로 어찌 이 추운 사막의 밤을, 그 뜨거운 사막의 햇살을, 아무 가릴 것 없는 저 거센 바람을 견디어 낼 수 있을까요.

제3국을 위한 난민촌을 뒤로 하고 이라크 난민을 위해 설치되었다는 UNHCR의 캠프를 찾았습니다. 그곳에 있는 것은 난민이 아니라 텅 빈 텐트들, 그리고 거센 사막의 바람 소리뿐입니다. 커다란 본부 텐트를 찾아 들어서니 요르단인 대표가 저희를 맞아줍니다. 40여 명 정도의 의사와 간호사들이 그곳에서 난민을 기다리고 있고, 유니세프에서 보내준 의약품들이 텐트 안에 그득히 쌓여 있습니다.

벌써 559명의 난민이 그곳을 머물다 갔다는 제3국 난민 캠프와는 달리 이곳 캠프에는 이라크 난민이 단 한 사람도 온 적이 없다고 합니다. 왜 이라크의 난민들이 오지 않냐고 묻는 제게 그가 말합니다.

"당신이라면 그 집과 고향을 떠나 이 사막의 텐트에 오고 싶겠어요? 여기서 우리가 보는 것은 전쟁을 피해 도망 나오는 난민이 아니라 국경을 넘어 이라크로 자신의 가족들과 함께 전쟁을 맞이하기 위해 돌아가는 이라크인들뿐이에요."

그랬습니다. 지난 일주일 간 요르단을 통해 5천여 명의 이라크 사람들이 국경을 넘어 폭격 속의 조국으로 향했다고 합니다. 지난 월요일에는 무려 백 대의 차가 이라크를 향해 떠났다고 합니다. 집중 폭격이 시작되었을 그 월요일, 이라크 사람들은 그 폭격 속의 가족을 향해 더욱더 먼 길을 떠난 것입니다.

한국의 두 배에 이르는 면적을 가진 이라크. 그러나 사람이 살 수 있는 땅은 티그리스 강 주변으로 형성된 도시밖에 없습니다. 우리처럼 도시의 폭격을 피해 시골로 피난을 간다는 일은 그들에게 물과 숲과 집을 버리고 죽음의 사막을 향해 나가는 것과 다를 바가 없습니다. 그들은 지금 이 순간도 피난이 아니라 자신들의 강과, 자신들의 집과 자신들의 사람들을 지키기 위해 바그다드로, 바그다드로 향하고 있었던 거지요. 일상을 지키기 위해 돌아가고 있었던 거지요.

멈춰버린 시간

어제 인터뷰를 하다가 문득 시계를 보니, 아직 제 시계 위의 시간은 요르단의 것입니다. 시계가 그러하듯이 제 몸의 시간이, 마음의 시간이 그곳의 결을 벗지 못하고 있습니다.

잠이 오지 않는 밤들과 피곤에 지친 아침으로 이삼 일을 보냈습니다. 무엇보다 쓰리고 아픈 것은 사람들이 제게 묻고 또 물어오는 바그다드의 상황, 남아있는 이들에 관한 안부, 이라크 친구들을 두고 떠나온 슬픔…. 어제는 이라크에 관해 이야기를 해달라는 사람들 앞에서 그만 한참을 흐느끼고 말았습니다.

저도 미처 몰랐습니다. 제가 그렇게 말할 수 없을 만큼 안으로 깊고 깊게 상처 입은 줄은. 그 상처가 제 속에 그리 깊은 우물을 파 놓은 줄은….

내일, 또 내일 그리고 하루 하루 그것을 기억하고 말하고 증언해야 하는 일이 제게 펼쳐져 있습니다. 허나 저는 아직 그 이야기들을 물기 없이 할 힘이 없습니다. 혼자 삼켜야 하는 눈물에 자주 마음이 젖어 몸을 일으키지 못하는 날들, 아직도 돌아오지 못한 제 마음의 거리에 스스로 부대끼는 날들…. 그 젖은 마음 헤집어 크고 강단 있는 말과 계획을 꺼낼 자신이 없습니다.

돌아와지지 않는 마음으로, 잊혀지지 않는 기억을 지니고 산다는 일이 이토록 힘겨운 일일 줄은 미처 몰랐습니다. 그러나 그것들을 감당하기 위해 온 것임을 잊지 말아야 하겠지요.

"엄마, 이라크 사람들을 도와주는 건 되지만, 우리들 없다고 인간방패 하는 건 안돼요!"

젖은 눈으로 손가락을 내밀던 여섯 살의 아들. 그 맑은 눈빛을 차마 외면할 수 없어 걸었던 손가락. 그 손가락이 저를 이곳에 돌아오게 하였습니다. 한 달만에 집으로 돌아온 제게 아이는 묻곤 합니다. 오징어를 먹다가, 과자를 먹다가, 제 품에 안기다가,

"엄마, 내 이라크 친구들한테도 이런 과자 나눠줬어?"

그러나 때때로 이라크에 다시 갈 준비로, 약을 구하고 돈을 모으기 위해 집을 나서려는 저를 붙잡고 울고 소리치며 항의를 하기도 합니다.

"엄마, 엄마는 이라크 아이들만 소중해? 왜 우리는 안 돌봐줘. 왜 내 옆에

는 안 있어줘. 난, 이라크 친구들 미워, 그냥 죽게 내버려 둬!"

그 아이의 말 앞에 저는 그만 무릎을 꿇고 우는 아이의 머리를 쓸어안을 뿐, 아무 말도 하지 못합니다. 아이는 품에서 엉엉 울다가 이내

"엄마 엄마 미안해. 친구들아 미안해. 내가 그냥 죽으라고 해서 미안해. 정말 미안해…."

하며 마침내 목놓아 통곡을 하고 맙니다. 아이도 저도 아물지 않은 이 상처를 견딜 길이 없어 그렇게 울어버리고 마는 날들. 허나 더 아프고 아픈 것은 아이가 내 품에 안겨 울 때마다 살아오는 또 다른 아이들 때문입니다. 티그리스 강변, 그 추운 밤에 내 품에 안겨 나를 붙잡았던 손을 풀어내며 전쟁 속에 두고 온 그 여자아이들…. 괜찮다고 우린 괜찮다고 당신의 아이들에게 돌아가라며 내 눈물을 씻어주던 아이들. 이라크의 평화보다 네 아이들이 더 중요하다고 돌아가라고 돌아가라고 등을 떠밀어 주던 수아드.

그들의 눈빛으로 인해, 그들이 나누어준 생의 온기로 인해 저는 돌아오지도 돌아가지도 못 한 채 이렇게 서성이고 서성이는 것입니다. 물이 마르고 난 후 얼룩진 종이처럼 지울 길 없는 흔적들로 이렇게 흐느끼며.

새벽 3시. 이틀 여 걸려 온 국제전화를 받지 못해 노심초사하다가 새벽녘까지 자리를 지켜 마침내 전화를 받았습니다.

바그다드란 말에 거짓말이냐고 물었습니다. 그는 정말로 바그다드라고 했습니다. 조성수 기자였습니다. 살아있다고, 모두 살아있다고. 은하도, 수아드도, 카심도 모두 살아있다고. 그러나 너무 많은 이라크 사람들이 죽어

가고 있다고. 어제 바그다드가 함락되어 국경이 열렸다 했습니다.

그러나 모든 구호단체들은 아직 요르단에 있을 뿐 전쟁이 끝나지 않은 이라크에 들어오지 않아, 총에 맞고 파편에 맞은 사람들로 가득한 바그다드의 병원들은 마취제가 없어 그냥 팔과 다리를 잘라내는 수술로 아비규환이라고…. 전기도, 수도도, 소독장비나 수술장비도 없이 수술을 하고 사람들을 치료하며 그렇게 죽어가고 있다고 그는 바그다드의 소식을 전합니다.

무엇이 필요하냐고, 무엇이든 필요한 것을 가지고 가겠다고 묻는 제게 그는 할 수만 있다면 마취제를 가지고 와 달라고 합니다. 그 밤, 가겠다고, 어떻게든 가겠다고 전화를 끊고 인터넷으로 가장 빠른 요르단 행 비행기 편을 알아봅니다.

풀지도 못한 채 현관에 두었던 여행 가방을 열어 다시 짐을 꾸리기 시작합니다. 새벽녘 잠에서 깨신 어머니가 무엇을 하느냐고 물으십니다. 다시 이라크로 가야겠다는 대답에, 어머니는 아무 말씀 없이 먹을 것을 챙겨야겠다며 부엌으로 향하십니다.

새벽예배를 위해 일어나던 남편은 가방을 챙기는 저를 보더니 다시 이라크로 가느냐고 묻습니다. 그는 더 묻지 않고 잘 다녀오라고, 조심하라고, 머리에 손을 얹어 아침기도를 올려 줍니다. 아직 아이들이 깨어나지 않은 이른 새벽. 내겐 전쟁보다 더 큰 슬픔인 두 아이의 눈물을 받아내야 할 날이 밝아오고 있습니다.

다시 만난 평화의 도시

아이들과의 힘겨운 이별을 뒤로 하고 다시 이라크에 왔습니다. 국경을 넘자 우리를 맞이해 주는 것은 환히 웃던 이라크 사람들이 아니라 승자의 인사를 건네는 미군의 탱크와 체크포인트. "Hi, Good Moring!"하고 인사를 건네는 그들에게 아무런 인사도 건네지 못한 채 요르단에서 발급받은 프레스 카드를 보여 줍니다. 그 높고 삼엄하던 이라크 국경을 비자조차 없이 점령군과의 몇 마디 인터뷰로 넘어섭니다.

무너짐이란 이리도 허랑한 것이라고, 국가란 이렇게 점령당할 수도 있는 것이라고 되뇌어 보지만 탱크 위에서 총을 들고 여유만만하게 내려다보던 미군의 얼굴이 알자지라 방송 속에서 피흘리며 죽어가던 이라크 사람들의 얼굴과 겹쳐져 끝내 마음이 들끓어 오르고 맙니다.

바그다드로 가는 길 곳곳에 폭파된 채 널부러진 차들, 엿가락처럼 휘어진 대형 트럭들, 파괴된 도로들…. 그 낯선 전쟁의 풍경들 사이 사이로 이라크 탱크들이 잔인하게 파괴되어 있고, 저 차들 속에서 죽어갔을 사람들의 살점이, 그들이 지니고 있었을 작은 소지품들이 아직도 검게 그을은 차 안에 남아 이라크의 흔적을 보여주고 있습니다.

차를 절대 세우면 안 된다며 아예 기름통을 싣고 달리던 운전기사는 화장실에 가고 싶다는 요청에 잠시 휴게소에 차를 세웁니다. 시난 이라크 여행,

그 휴게소에서 우리는 차를 마시며 노점에서 틀어놓은 이라크 음악에 장단을 맞추며 쉼을 얻었지요.

휴게소에 다 왔다고 내리라는 기사의 말에, 문을 열다가 그만 심장이 멎듯 풍경이 멈추어 버립니다. 앙상한 골격만 남고 모든 것이 싸그리 폭파된 건물 잔해들, 그 안에 사람으로 가득했을 불타버린 버스들. 이곳이 불과 20일 전에 내게 휴식을 준 그곳이라니요. 그 음악과 차 향기가 흐르던 곳이라고 상상할 길 없는 폐허를 보며 전쟁은 이런 것이로구나, 이런 것이로구나 마음으로 새깁니다.

도심지가 가까워질수록 교전을 했었던 듯 수많은 이라크 장갑차들이, 무기들이 길가에 널부러져 있습니다. 아부 그레이브를 지나 바그다드에 다다르자 도시 곳곳에서는 아직도 연기가 피어오르고 있습니다. 폭격으로 폭파된 통신부, 외교통상부, 방송국, 대통령궁…. 그런데 수많은 교전의 흔적, 폭격으로 폐허가 된 도시에 믿기지 않을 만큼 깨끗하고 말끔한 건물이 있습니다. 석유부의 건물입니다.

치안이 유지되지 않아 병원조차 열지 못해 수많은 사람들이 집과 거리에서 죽어갔지만 병원조차 지켜주지 않았던 미군. 박물관도, 전기시설도, 심지어 고아원마저 폭격하면서도 그들이 그토록 안전하게 지켜온 석유부를 지나며 이라크 기사는 말합니다.

"석유가 축복인지, 재앙인지 모르겠어요."

프레스 카드가 없이는 호텔을 들고 나는 일마저 할 수 없는 철저한 보안과 통제, 탱크로 호텔을 둘러치고 이라크 사람들의 진입을 막는 그 보호의 장벽. 그곳에서 보호받을 수 있는 것은 오직 미군에게 필요한 존재가 되는 길 뿐인 것입니다.

티그리스 위로 붉은 저녁놀이 지고 어둠이 내리고 시작하였으나 바그다드 어느 곳도 불이 켜지는 곳이 없습니다. 오후부터 치솟아 오른 방화의 연기는 더욱 거세지고 총성이 더욱 크고 거칠어지기 시작합니다.

불도, 전기도, 전화도, 차도, 시장도, 식당도, 병원도… 모든 것이 파괴된 바그다드의 밤. 유일하게 운영되는 알파나 호텔의 식당에서 하나뿐인 전쟁 메뉴 콩 스프와 밥을 먹고 다시 사람들을 찾아봅니다. 오후 내내 찾아다녔던 수아드의 행방은 여전히 알 길이 없습니다. 사무실은 굳게 닫혀있고 집은 주소도 모르거니와 통신시설의 폭파로 전화를 언제 쓸 수 있게 될지도 모르는 이곳에서 수아드를 찾는다는 일은 500만 바그다드 사람들을 다 확인해야 하는 일처럼 아득해지기만 합니다.

그 밤, 알파나 호텔로 돌아와 거짓말처럼 무사히 살아 있는 은하를 만났습니다. 그리고 이라크반전평화팀의 리더인 캐시를 다시 만났습니다.

그녀는 여전히 평화로운 얼굴로 낮에는 병원과 학교, 부상자와 사상자 가족들을 만나고 저녁에는 호텔에서 글을 쓰고 있다고 합니다. 그녀를 통해 저는 평화를 위해 일하기 위해서는 일이 아니라 평화로운 존재가 가장 필요하다는 것을 배워왔습니다.

전쟁 전이나 지금이나 그녀의 얼굴에 깃든 평화는 변한 것이 없습니다. 그녀에게 병원에 마취제가 모자란다는 소식을 듣고 한국에서부터 마취제를

당신은 무기를 가지고 있지만
우리는 믿음을 가지고 있어요.
당신은 우리를 죽이려 할수 있지만
우리는 이 땅을 떠날수 없어요
당신은 걸프전을,
또 다른 전쟁을 TV에서,
뉴스에서 보았겠지만
우리는 몸으로
그 전쟁을 지나왔어요

가지고 왔는데 어떻게 이 약을 필요한 곳에 전달할 수 있느냐고 묻자, 그녀는 날마다 병원에 가서 이라크 의사들을 돕고 있는 프랑스 의사가 한 명 있다며 그를 소개시켜 줍니다. 프랑스인 닥터 쟈크. 그의 이름과 방 번호가 적힌 쪽지를 집어넣고 조성수 기자와 강경란 피디가 묵고 있는 쉐라톤 호텔로 향합니다.

미군은 바로 그들의 바리케이트 내에 있는 바로 옆 건물로 가는데도 온몸을 수색하고 프레스 카드를 확인합니다. 그들은 폭격 중에도 그곳에서 전쟁을 고스란히 사진으로 담아내고 있었습니다.

조성수 기자는 어제도 쉐라톤 호텔, 미군 앞에서 한 명의 외국기자가 총격으로 죽었다며 어디에도 안전은 없다고 오늘처럼 함부로 돌아다니지 말라고 매서운 경고를 줍니다. 강경란 피디 일행도 삼일 전 요르단에서 오는 길에 총 든 강도들에게 납치당했다가 카메라를 빼앗기고 천신만고 끝에 살아왔다 합니다.

조성수 기자는 오히려 폭격 중일 때가 지금보다 안전하다고, 지금은 모두가 총을 들고 거리로 나와있어, 어디서 어떻게 누구에 의해 공격이 시작될지 모르는 가장 위험한 시기라고 다시 한 번 경고를 줍니다. 그것이 겁을 주기 위한 것이 아님을 우리 또한 알아채기 시작했습니다.

전쟁의사 쟈크 할아버지

이튿날 아침 일찍 병원을 향해 나서는 닥터 쟈크를 알파나 호텔 로비에서 만났습니다. 면바지에 흰 티셔츠를 입고 사람들과 이야기를 나누는 백발에 안경을 낀 그는, 아인슈타인보다 조금 떠 뚱뚱하고 온화한 인상을 가진 평범한 할아버지였습니다.

한국에서부터 마취제 몇 박스를 가져왔는데 분쟁지역에서 구호활동은 해 본적이 없어서 어찌해야 할지 모르겠다고, 그러나 이 약을 꼭 필요한 곳에 나누어 주고 싶다는 제 서툰 설명을 들은 그는 저를 가만히 쳐다보더니 며칠 자기와 같이 다닐 수 있느냐고 묻습니다. 저는 고개를 끄덕이고 뛰어 올라가 옷과 마취제 샘플을 챙겨 내려옵니다.

그와 함께 가장 먼저 다다른 곳은 사담 정형외과. 병원 입구에는 이라크 민병대처럼 보이는 이들이 총을 들고 서 있다가 쟈크가 나타나자 환하게 인사를 건넵니다. 병원 기자재를 지키기 위해 지역 주민들이 스스로 병원 경비를 서고 있는 것이라 합니다.

그가 들어서자 여러 사람들이 그에게 인사를 합니다. 단 한 명의 의사가 총을 들고 약탈해 가는 사람들로부터 병원을 지키며 폭격 속에서 죽어 가는 이들을 치료했다는 이 병원, 그가 목숨을 걸고 병원을 지키자 떠났던 의사들이 한두 명씩 돌아와 지금까지 환자들을 진료하고 있다 합니다. 이곳에서 쟈크는 전깃불도 없이 햇빛에 의지해 날마다 30~40건의 수술을 감당하는 고된 날들을 함께 해 주었다고 그곳 의사들이 일러 줍니다. 지금은 의사들이 많이 돌아와 열 명 정도가 다시 일하고 있지만 아직도 산소통, 수술도구, 마취제 같은 것들이 부족해 많은 이들이 죽어가는 형편입니다.

우리가 어두컴컴한 병실을 도는 동안에도 누군가가 피를 흘리며 실려오고, 쟈크는 주머니에서 등산용 헤드 랜턴을 꺼내더니 잠깐 기다리라고 하고는 수술실로 들어갑니다. 이라크 의사가 안내해 주는 병실에는 두 다리가 모두 잘린 열 여섯 살 아이, 눈을 잃은 여섯 살 꼬마, 온 몸이 마비된 할아버지, 팔과 다리가 모두 없는 청년…. 차마 눈을 뜨고 보기 어려운 전쟁의 상처들이 그렇게 살아 숨 쉬며 누워있습니다.

쟈크는 환한 얼굴로 수술이 잘 끝났다고 들어옵니다. 그리고는 다른 곳으로 우리를 안내합니다. 흰 시트나 소독약은커녕 물도, 전기도 없는 병원 한 구석에서 마을 여자들이 환자들에게 먹일 빵을 굽고 있습니다. 쟈크는 그 사람들 또한 저 바깥의 경비병들처럼 상처입은 이웃들을 돕기 위해 온 자원봉사자들이라고 가르쳐 줍니다.

다른 병원 두 세 곳이 문을 열었으니 함께 가 보자는 그의 안내를 따라 우리는 내일 또 오겠다고 약속하고 사담 정형외과를 나섭니다. 치안이 보장되질 않아 병원 역시 아무나 들어갈 수 없는 상황, 또 무엇보다 어느 병원이 열려있고 어느 병원이 닫혀있는지, 이 넓은 바그다드에 병원이 어디에 있는지 조차 모른 채 무작정 약을 싣고 온 우리에게 그는 마치 의사가 아니라 천사처럼 보이기 시작합니다.

사담 시티에도 문을 연 병원이 있다고 해 택시를 타고 사담 시티에 가자고 하니 기사가 우리를 다시 봅니다. 40년을 바그다드에서 살고 있지만 자기는 사담 시티에 한 번도 들어가 본 적이 없다 합니다. 더구나 지금은 너무 위험하니 다시 한 번 생각해 보라고 합니다. 그래도 가고 싶다고 하자 그는 어쩔 수 없이 차를 돌립니다.

300만 명의 시아파 거주지역 사담 시티, 그곳은 바그다드 시내와 사뭇 다른 풍경이 펼쳐지고 있었습니다. 거리에 있는 대부분의 사람들은 총을 들고 서 있고 여기저기서 총격전이 벌어지기도 합니다. 곳곳에 펴져있는 작은 시장들, 기사는 그것이 약탈한 물건들을 파는 알리바바 시장이라고 가르쳐 줍니다. 그 한 가운데 있는 알 사담 병원, 쟈크는 들어갈 수 있으나 낯선 우리는 들어 갈 수 없다고 막아서는 삼엄한 경비에 우리는 그만 병원 입구에서 돌아서고 말았습니다.

쟈크는 그렇듯 필요한 곳이면 사담 시티건 어느 병원이건 달려가 수술을 도와주며 그 폭격 속의 바그다드에서 의사로서 일하고 있었던 것입니다. 알파나로 돌아가는 길, 쟈크는 자기 친구가 바그다드 국제적십자에 있다며 그에게 약이 필요하다고 요청한 병원이 있는지 가보자고 합니다. 그 건물에 다다른 우리는 모두 어안이 벙벙해집니다. 어느 큰 병원에서도 찾아보기 힘들었던 미군 장갑차가 경호를 위해 둘러싸고 있고 하물며 병원마저 전기가 들어오지 않는 바그다드에서 그들은 자가 발전기로 에어컨까지 돌리고 있었습니다.

위험해서 모든 직원들이 철수하고 미군의 엄호 속에 사무실만 운영하고 있다는 그들은 바그다드 병원들의 현황은 지금 파악하기 어려우니 나중에 정보가 생기면 주겠다는 답을 줄 뿐입니다.

그 사무실 앞을 돌아 나오는 길, 갑자가 차가 한 대 끽하고 서더니 문이 열리고 한 남자가 여자를 들쳐 안고 내립니다. "닥터! 닥터!" 거의 울부짖음에 가까운 그의 외침에 미군이 뛰어옵니다. 그가 안고 있는 여자의 몸을 의사 쪽으로 돌리자 그 반대편 으깨어진 두개골에서 분홍빛 골수가 흘러내립니다. 어린 미군 의사는 당황하며 나는 할 수 있는 일이 없다고, 어디든 다른 병원으로 가보라고 하자, 닥터 쟈크는 그에게 사담 정형외과로 가라고, 그곳에 가면 수술을 받을 수 있다고 가르쳐 줍니다.

그 으깨어진 머리와 국제적십자사 저택에서 돌아가는 에어컨 소리, 미군 장갑차 위에서 쳐다보는 미군의 얼굴…. 뜨거운 바그다드의 햇살 때문인지 그만 토할 것 같이 속이 울렁거리기 시작하는 제게 쟈크는 말합니다.

"평화를 위해 일하려면 죽음을 볼 수 있어야 합니다. 죽음을, 죽어가는 자를 볼 수 있는 곳에 서 있어야 살릴 수도 있는 거니까요."

전쟁 속, 꽃 위의 희망

간절함, 기적이라고 해도 좋을까요?

알파나 호텔을 향해 다시 천천히 그 뜨거운 뙤약볕 속을 걸어 나오는 길에 한 낯선 목소리가 저를 불러 세웁니다. 돌아보니 한 이라크 남자가 서 있을 뿐입니다. 그가 뚜벅뚜벅 걸어와 제게 다시 말을 겁니다. "나를 모르겠어요?" 이라크 남자 누구나 가지고 있는 콧수염, 둥근 눈, 거무스름한 얼굴… 한참 그를 살피고도 기억해내지 못하는 내게 그는 말합니다.

"수아드 사무실, 기억해요? 저 아띠르에요."

그래요. 수아드 사무실에서 만났던 그 아띠르가 거기 그렇게 서 있는 것입니다. 5백만이 사는 바그다드, 마비된 교통과 통신으로 아무도 돌아다니지 않는 그 전쟁 속의 거리에서 그렇게 그가 서 있는 것입니다.

바그다드에 도착하자마자 총성 울리는 거리에서 그토록 찾아다녔던 수아드, 그러나 끝내 다다를 길 없었던 그녀의 안부가 이렇게 길에서 저를 기다리고 있는 것입니다. 기적이라고 이건 기적이라고 소리치며 팔짝 팔짝 뛰다가 저는 미친 듯이 수아드의 안부를, 사바의 안부를, 카심의 안부를 묻습니다.

그는 모두 무사하다고, 그녀의 딸들도 친구들도 모두 다친 곳 없이 전쟁을 치러내었다고 그들의 안위를 전합니다. 지금 당장 수아드의 집에 데려다 달라는 제게 그는 위성전화를 쓰기 위해 국제적십자사에 부탁해 보러왔다며 잠깐만 기다려 달라고 합니다.

그의 가족들이 시리아로 피난을 가 있는데 폭격이 끝났다고 자기와 아버지를 찾으러 바그다드로 올까봐 걱정이 되어 잠을 잘 수가 없다는 것입니다. 그들이 바그다드로 오다가 어떤 일을 당할지 몰라, 생사를 전하고 시리아에서 기다리라고 이야기하기 위해 그는 매일 그 위험한 거리에 나와 기자들에게, 미군들에게 위성전화 한 통만 쓰게 해 달라고 구걸하는 저 군중들 속에 서 있었던 것입니다.

그 이야기를 듣던 쟈크는 그가 가지고 있던 위성전화를 말없이 빌려줍니다. 아띠르는 전화를 하다가 그의 어머니 목소리를 듣자 그만 길에 서서 엉엉 울고 맙니다. 괜찮다고 다 괜찮다고 절대 바그다드로 돌아오지 말고 그곳에 기다리라고 하고 전화를 끊은 그는 우리를 그의 30년 된 중고차에 태우고 수아드의 집으로 안내합니다.

30여 분 만에 다다른 수아드의 집, 그 마당에 들어서는데 그녀의 노모가 저를 보더니 먼저 눈물부터 떨굽니다. 살아서 우리가 또 보게 될 줄은 몰랐다고, 왜 이 먼길을 또 왔느냐고 나무라며 저를 안아줍니다. 그러나 수아드도 그녀의 딸들도 보이질 않습니다. 며칠 전 밤중에 누군가 집에 들어오려고 해 무서워 시내의 친척집으로 피신해 있다는 것입니다. 우리 숙소의 주소를 남겨두고 돌아오는 그 저녁, 총성도, 연기도, 미군도 모든 것이 그치지 않았건만 깊은 곳에서 감사의 기도가 솟아올랐습니다.

다음날 아침 호텔 로비에 누가 찾아왔다고 연락이 왔습니다. 모랫바람으로 자고 나면 두텁게 먼지가 내려앉는, 그러나 씻을 수도 치울 수도 없어 폐허가 되다시피 한 방을 빠져나와 멈춘 엘리베이터를 뒤로 하고 층계를 걸어 로비로 내려섭니다. 언제쯤 전기가 들어올까 생각하며 침침한 로비를 휘이 둘러보는데…, 거기 그 황폐한 로비… 수아드가 서 있습니다. 사바가 서 있습니다.

어머니
이 꽃을 보세요.
그 폭격 속에서도
이렇게 아름다운
꽃 한 송이가 피어났어요.
저 폭격으로도
이 꽃이 피는 걸
멈출 수 없는 거예요.

아무 말도 못하고 그냥 안고 엉엉 울다가 수아드는 다시 저를 혼내기 시작합니다. 왜 왔느냐고 지금이 더 위험한데 왜 왔느냐고. 왜 이렇게 철이 없느냐고. 울음을 그치지 못한 채 서로의 어깨에 눈물을 씻으며 그 아침을 맞습니다. 폭격은 그쳤으나 전쟁은 끝나지 않은 바그다드, 그곳에서 수아드를 다시 만나는 아침, 수아드는 꿈 이야기를 들려줍니다.

폭격이 그치기 전 꿈에 버스 안에서 저를 만나 서로 껴안고 우는 꿈을 꾸고 나서 수아드는 사바의 어머니에게 이라크 커피점을 봐 달라고 했다 합니다. 점괘를 보고 난 사바의 어머니는 말했답니다.

"며칠 후 멀리서 아주 멀리서 세 명의 손님이 찾아 올 거야. 그리고 넌 아마 파티를 하게 될 거야. 그들하고."

그 이야기를 들은 수아드는 그만 피식 웃어버리고 말았답니다.

"어머니, 지금은 폭격 중이에요. 누가 어떻게 우리를 찾아올 수 있겠어요? 우리에게 파티가 어떻게 있을 수 있겠어요?"

그날 밤, 우리는 사바의 집에 갔습니다. 사바의 둘째 아들이 생일이어서 그의 아내는 케이크를 만들었다 합니다. 모두 문을 닫아버린 시장을 뒤지고 뒤져 그의 아들에게 줄 청바지와 티셔츠를 한 벌 사서 생일 선물을 준비하고 케이크를 나누던 그 저녁, 수아드는 가만히 이야기를 들려줍니다.

"지난 주에 폭격이 유난히 심하게 지나간 아침이었어요. 다 큰 딸들이 모두 내 침대로 달려와 한 침대에서 서로를 안고 밤 새 두려움에 떨고 난 피곤한 아침이었는데, 습관처럼 마당에 나와 하늘을 올려다 보았어요. 거짓말처럼 하늘이 맑고 아름다워 눈물이 났어요. 그리고 나서 무심히 발 아래를 보는데 그 작은 마당 한 귀퉁이에 꽃이 피어있는 거예요. 그 꽃을 보다가 저는 그만 웃기 시작했어요.

아침밥을 짓다가 내다보신 어머니가 깜짝 놀라 뛰어나와 내게 소리치기 시작했어요. '수아드, 미쳤니. 왜 웃고 있는 거니. 지금 우리에게 웃을 일이 뭐가 있다고….' 어머니에게 말했어요. '어머니, 이 꽃을 보세요. 그 폭격 속에서도 이렇게 아름다운 꽃 한 송이가 피어났어요. 저 폭격으로도 이 꽃이 피는 걸 멈출 수 없는 거예요. 어머니 여기 이 생명의 힘을 좀 보세요. 저 꽃에 피어난 희망을 좀 보세요!'"

그녀가 본 희망이 우리 손 위에 고스란히 놓여있습니다. 사바가 겨우 구해왔다는 얼음 몇 조각으로 만든 한 달만에 먹어 본다는 시원한 레모네이드 한 잔, 상상조차 하기 어려웠던 케이크 한 조각으로 차린 생일상. 그 위로 세상에서 가장 성대한 축하가 어룽집니다.

다음엔 평양에서 보게 되나요?

오늘은 쟈크와 함께 바그다드의 가장 큰 어린이병원인 이시칸 병원에 갔습니다. 병원에 들어서는데 총을 든 민병대들이 우리를 맞이합니다. 열 살 남짓된 꼬마마저 이 병원을 지키겠다며 총을 들고 서 있습니다. 그들에게 아이들을 돕기 위해 한국에서 왔다고, 마취제와 약을 가지고 왔다고 아이들을, 의사들을 만나게 해 달라고 설명을 하고 그 총과 담을 넘어섭니다.

두세 명의 의사가 이리 뛰고 저리 뛰는 가난하고 황막한 병실, 한쪽에서 거센 울음소리가 들려 들어서니 한 달이 채 되지 못한 아기의 손에 피가 흐르고 있습니다. 수혈받던 피가 굳어 튜브가 막히고, 수도 없이 꽂힌 주사 바늘 자국으로 피가 흐르고 있습니다. 피보다 진한 눈물을 흘리던 아이의 어머니는 우는 아이를 달랠 길이 없어 온몸을 가리기 위해 입은 아바야를 들추고 아이에게 젖을 물립니다. 온몸에 핏발이 서도록 울던 아이는 엄마의 젖을 물고 그 손의 아픔을, 그 몸의 고통을 참아냅니다.

그 마당에는 꽃과 잔디가 아니라 소복한 흙더미들이, 그 사이로 햇빛에 가끔씩 반짝이는 유리병들이 있습니다. 그 흙더미 위에 꽂혀 있는 유리병마다 작은 쪽지가 들어 있습니다. 누가 누구인지도 모를 만큼 부패한 아이들의 시체, 죽은 아이가 입었던 옷이며 소지품들을 유리병에 넣어 담아 두면 아이를 잃어버린 부모들은 그 무덤에 와 그렇게 자신의 아이를 찾고 있는 것입니다.

그 마당 한켠에서 한 무리의 사람들이 땅을 파헤치고 있습니다. 한 사람이 주저앉아 손으로 흙더미를 파헤치다 순간 무언가를 찾은 듯이 손은 더 다급하게 움직입니다. 그리곤 두 손으로 무언가를 조심스럽게 들어올립니다. 그가 들어올린 것은 흙먼지로 뒤덮인 한 아이의 얼굴…. 이미 부패하기 시작하는 아이를 파헤쳐서라도 자신의 아이를 찾아야 하는 어머니의 심정이란…. 통곡조차 하지 못한 채 아이의 시체를 찾을 때까지 누구인지도 모를 시체를 만지고 확인해야 하는 부모들의 소리 없는 오열이 마당을 흐르고 또 흐릅니다.

다시 땅을 파고 형상마저 사라져가는, 거인처럼 부풀어버린 시체들을 묻는 이시칸 병원의 마당. 그 마당 곁의 건물에서는 총과 폭탄에 다치거나 다리를 잃고 팔을 잃은 어린아이들이 이 마당을 내려다보고 있습니다.

매일 실려오는 저 시체를, 잘린 다리를 가방에 들고 들어서는 사람을, 총에 맞아 온몸이 피범벅이 된 채 들어서는 소녀를, 머리가 깨져 뇌가 흘러나오는 참혹한 모습을, 아동 병원의 마당에 부려지는 이 참혹한 죽음들을, 전쟁의 결과들을….

그 한켠에서 엄마의 젖을 먹고, 피를 수혈받아야 하는 어리고 어린 생명들에게 이것이 전쟁이라고, 이것이 너희들이 다만 이라크에 태어났기 때문에 감당해야 할 생의 첫 기억이라고 어찌 말해야 할까요….

약탈로 상점조차 문을 열지 못하는 바그다드…, 그러나 생명을 걸고 약탈로부터 자신들의 병원을 지킨 의사들이 동료들을 모아 문을 열기 시작하고, 또 어떤 이들은 스스로 사람들을 모아 병원을 지키기 위해 총을 들었습니다. 정부가 주던 몇 달러 안 되던 월급, 그마저도 기대할 수 없는 상황에서 의사들은 검고 누신해진 흰 가운을 입고, 때로 불도 들어오지 않는 수술실에서 헤드 랜턴에 의지해 수술을 합니다. 때로 마취제가 없어 우는 아이를 그냥 수술하기도 하고, 피로 더러워진 침대 시트를 갈지 못해 그 침대에 다시 환자를 눕히기도 합니다. 전기조차 쓸 수 없는 병원에서 그들은 피를 씻어 주고, 찢어진 상처를 꿰매 주고, 우는 이들을 안아 주고 있습니다.

병원의 현황을 체크하고 환자들과 인터뷰를 하는 동안 쟈크는 어느새 스르르 사라져 환자들을 돌보고 있었습니다. 그때 곁에서 갑자기 울부짖는 아이의 울음 소리에 돌아보니 마취제 없이 아이의 찢어진 이마를 꿰매 주어야 하는 젊은 의사가 바늘과 실을 든 채 쩔쩔매고 있습니다.

그때 쟈크가 자기가 도와주어도 되겠냐고 다가갑니다. 아이의 이마를 가만히 만지기 시작하자 아이는 거짓말처럼 울음을 잦아 내리기 시작합니다. 그리고는 바늘을 들고 몇 번의 손놀림으로 순식간에 아이의 상처를 꿰매 주었습니다. 모두가 무슨 마술을 본 것처럼 어안이 벙벙한 채 있는데 그는 어느새 돌아서 수혈하는 링겔의 피가 굳어 울고 있는 아이의 주사 바늘을 뽑아 그것을 고쳐주고 있습니다.

어느 곳에서건 한 순간도 의사로서의 일을 쉬지 않는 그, 수술을 마치거나 누군가를 돕고 나면 아이처럼 맑게 웃는 그, 그의 얼굴에서 저는 처음으로 직업인 의사가 아니라 치료자 의사의 얼굴을 보았습니다. 그날 저녁 호텔 로비에 앉아 이라크 차이를 마시며 쟈크의 살아온 여정을 물어보았습니다.

1967년 베트남 전쟁이 발발하던 그 해, 베트남전에서는 다른 한 의사와 함께 하루에 150건의 수술을 하며, 이 세상에서 가장 의사가 필요한 때는 전쟁 중이라는 생각을 했다고 합니다. 그 후 그는 37년간 한 해도 그치지 않고 해마다 전쟁터와 분쟁지역을 찾아다니며 살아왔다 합니다. 해서 자기는 별명이 전쟁의사라 합니다.

국경없는 의사회를 창립해 두 번이나 의장을 지내기도 했고, 1980년대에는 언덕 위의 의사회에서, 그리고 AMI라는 국제의료지원기구와 함께 일하고 있다고 합니다. 내일이면 요르단에 있는 그의 동료가 6톤의 수술키트와 의약품을 가지고 바그다드로 도착한다는 그에게 우리가 가지고 온 몇 박스의 마취제는 얼마나 작고 보잘 것 없는 것이었을까요. 그럼에도 그는 그것들을 꼭 필요한 데 전달하는 일을 돕기 위해 삼 일여를 그 뜨거운 바그다드 거리를 함께 걸어준 것입니다. 나중에 프랑스 기자에게 들은 이야기지만 쟈크는 프랑스에서 살아있는 것 자체가 기적으로 여겨지는 존경받는 의사라고 합니다.

그는 그가 속한 단체에서 의약품을 무사히 가져와 필요한 곳에 전달하고 나면 이틀 후 프랑스로 돌아간다고 했습니다. 왜 벌써 가느냐고, 이라크엔 아직도 당신이 필요하지 않느냐고 묻는 제게 쟈크는 웃으며 대답합니다.

"당신이 며칠 더 이곳에 머물게 되면 곧 보게 될 거예요. 거대한 구호단체들이 군대처럼 밀려오는 것을. 전쟁의사가 필요한 건, 아무도 없는, 오려하지 않는 전쟁 중일 뿐이에요."

그래도 지금 이라크에 필요한 건 의약품이 아니라 의사가 아니냐고, 의료정보와 의료장비가 아니냐고, 당신이 남아 가르치고 도와주어야 할 일이 남아있지 않겠느냐고 묻는 제게 그는 말합니다.

"이라크엔 이미 충분한 의사들이 있어요. 그들은 그들의 속도로 그들에게 맞는 방식으로 넉넉히 이 혼란을 극복할 거예요. 그들을 믿어 주어야 해요."

이야기를 마칠 무렵 쟈크의 턱을 괸 손을 쳐다보다가 문득 무언가 낯설어 그의 손을 자세히 살펴봅니다. 그의 오른손엔 검지가 없습니다. 전쟁터에서 수술을 하다가 총에 맞아 손가락을 잘라냈다고 합니다. 정형외과 의사가 오른손 검지를 잃는다는 것은 피아니스트가 손가락을 잃는 것과 다를 바 없었을 터.

"그때는 참 어려웠어요. 그래도 잘 이겨냈어요. 지금은 아무 문제없이 수술할 수 있어요. 당신도 아프면 찾아와요. 내가 수술을 해 줄 테니까."

쟈크가 떠나기 이틀 전, 우리는 함께 사담 정형외과 마취 전문의사를 찾아갔습니다. 그리고 우리가 가지고 온 프로포폴 전신마취제 엠플들을 건네었습니다. 그녀는 그 약을 보더니 그만 저를 와락 끌어안습니다. 이 약의 이름은 들어보았지만 이 약을 쓸 수 있게 되리라고는 상상조차 못해 보았다고.

쟈크는 우리가 가져간 마취제뿐 아니라 그의 단체 사람들이 가지고 온 수술 도구들이 잘 전달되는 것을 보고 이틀 후 프랑스로 돌아갔습니다. 가는 길 그는 그가 가지고 있던 몇 가지 약품 상자를 제 방에 건네주며 마지막 인사를 건넵니다.

"다음엔 평양에서 보게 되나요? 그땐 나를 안내해 주세요."

쟈크가 돌아간 뒤 정말 그의 말처럼 대형 구호단체들이 '군대처럼' 병원마다 밀려들었습니다. 줄을 서서 기다려야 할 만큼 수많은 사람들이 이라크의 병원을 찾고 있습니다. 이제 의사들은 환자를 치료하는 일보다 그들을 맞이하는 일로 더 바빠지고 있습니다. 그들이 어마어마한 돈과 약과 지원품을 가진 요술램프에서 나온 '지니' 같은 존재이기 때문입니다.

그들은 한 달에 10불도 안 되는 월급마저 두 달이 넘도록 받지 못한 채 병원에서 먹고 자며 일하고 있는 때에 찌든 가운을 입고 있는 이라크 의사들 앞에 하루 100불을 주고 고용한 통역과 200불을 주고 빌린 차를 가지고 찾아옵니다. 어떤 의사들은 의사 대신 통역이 되어 함께 조사하는 일을 하고 있습니다.

그 구호와 약품의 홍수 속에서 우리는 그 큰 도심의 병원들을 벗어나 가난한 빈민가를 찾아다니기 시작했습니다. 뉴바그다드, 사담 시티… 바그다드 사람조차 그 도시에 발을 들이지 않는다는 시아파들의 빈민지역입니다.

그 가난한 변두리에는 쓰레기가 산더미처럼 쌓여가고 물은 썩어 온 마을이 악취로 진동하고 있습니다. 더러워진 물로 한 마을에 900명이나 되는 사람들이 설사로 신음하고 있습니다. 모스크에 주민들 스스로 만들었다는 작은 진료소, 군대가 해체되어 돌아갈 곳 없는 한 군의관이 그곳에서 사람들을 치료하고 있습니다. 병원이 약탈당해 다시 열지 못하게 되어 집에서 쉬고 있었다는 레지던트 한 사람이 그를 도와 일하고 있습니다.

그 거리의 병원, 한 사람의 의사가 하루 300여 명의 환자를 맞이하는 그 작은 진료소 앞에는 아이를 안은 수십 명의 어머니들이 검은 까마귀 떼처럼 내려앉아 있습니다. 가는 비를 맞으면서도 돌아가지 않는 그들 곁의 커다란 칠판에는 무언가 큰 글씨가 적혀있습니다. 뜻을 묻는 제게 그곳을 안내한 암말이 답합니다.

"약탈한 의약품들이 있다면 모스크로 돌려주시오."

그들의 약품 창고에는 그렇게 돌려받은 약품들이 쌓여 진료를 위해 쓰이고 있습니다. 가난하고 연약한 사람들이 저질렀던 작은 도둑질, 그 약탈한 물건들을 모스크에서 다시 돌려받아 그들이 이웃을 위해 일할 기회를 주고 있는 것이었습니다.

이라크 밖의 사람들이, 이라크인들은 서로를 죽이고 있다고, 약탈자들이라고, 어떤 치안도 없는 정글 속에 살고 있다고 이라크의 이미지를 자신들 마음대로 만들어 가는 사이, 이들은 전기도, 물도, 불도 없는 이 황막한 도시 속에서 이렇듯 스스로를 돕고 있었습니다. 우리가 도와야 할 곳은, 우리가 서야 할 곳은 그들 곁이라는 것을 우리는 서로 묻지 않아도 이미 서로 답하고 있었습니다.

4월의 마지막 주, 바그다드 전역에 전기가 들어오던 날은 밤새 쏟아지는 축포 소리에 잠을 이루지 못했습니다. 더 이상 국경이 위험하지 않다는 판단은 떨어지는 국경 택시비를 통해 확인 할 수 있었습니다. 1천 8백 달러에 이르던 택시비는 이제 2백 달러 선으로 떨어졌다고 합니다. 그러나 전쟁 전 백 달러였던 것에 비하면 아직 정상적인 가격을 찾은 것은 아닙니다. 그러나 이렇게 조금씩 시장이 서고, 가게가 열리고, 기름을 팔고 차가 달리는 바그다드, 병원으로 보다 많은 의사들이 돌아오고, 보다 많은 의약품이 비오듯 쏟아져 들어오는 바그다드를 뒤로 하고 한국을 향해 다시 길을 떠납니다.

부시는 어제 5월 1일, 종전을 선언했습니다.

평화의 증인

6월 4일. 돌아온 지 딱 한 달이 되는 날입니다. 허나 여느 때처럼 '어느새 6월이 되었습니다'라고 첫 문장을 시작하지 못한 채 망설이고 있습니다. 돌아보면 지난 봄은 참 촘촘한 시간들이었습니다. 모랫바람과 뜨거운 햇빛뿐인 바그다드의 봄과 온 산에 꽃이 흐드러지는 한국의 봄 사이, 그 황막한 황야와 꽃 사태 사이, 저는 한 달을 돌아오지 못한 채 서성이고 서성인 것입니다.

한동안 아침마다 눈을 뜨면 엄마가 없을까봐 엄마를 부르며 울음부터 터뜨리는 아이들. 여기 있다고, 엄마가 여기 있다고 아이들 마음에 깊은 부재의 흔적을 지우며 그 울음을 달래는 일로 하루를 시작하곤 했습니다. 유치원에서 돌아와 "엄마!"하고 외치며 현관에 들어서는 늘봄이를 향해 "응, 어서 와!" 하며 맞이하는데 아이는 "어, 정말 엄마가 있네."하며 잠시 말을 잊습니다.

엄마가 있으니까 참 좋다며 제 품에 얼굴을 묻는 아이의 온기. 허나 그 온기 위로 살아오는 이라크에 두고 온, 제 품에 안겼던 아이들의 온기… 그 눈빛과 체온이 고스란히 살아와 품에 안긴 아이를 오래도록 놓아주지 못한 날도 있었습니다.

이라크 군이 두고 간 폭탄더미 속에서 공을 차고 미사일의 화약을 꺼내어

불꽃놀이를 하고 있던 아이들, 그곳에서 아직도 터지고 있을 불발탄의 폭음이, 맨발로 핵 폐기시설의 철조망을 넘어서고 있을 아이들의 웃음이 잊혀지지 않아 뒤척이던 5월의 밤들이었습니다.

혹시 수아드를 한국에 초청하는 것이 어떠냐는 두레연구원 건호 형과 용석이의 제안이 아니었다면, 바그다드에서 위성으로 수아드에게 저의 초청을 전해 준 조성수 기자의 도움이 아니었다면, 흔쾌히 그 먼길을 넘어 '평화의 증언'을 위해 이곳에 오겠노라는 아주머니의 답신이 아니었다면 저는 아직도 그렇듯 서성이고 있었을지도 모릅니다.

수아드가 이곳에 오시겠다는 답신이 바그다드로부터 온 그 날부터 저는 집을 정돈하고 이곳에서의 일상을 펼쳐가기 시작했습니다. 2주가 넘도록 현관에 둔 채 들여놓지 못했던 트렁크를 들여놓고 여행용 물건들을 장롱 깊숙한 곳에 넣어 두고 날마다 바그다드에서의 연락을 기다리며, 수아드와 일정을 맞추어 가고 있습니다. 돌아와서도 연락을 하지 못했던 벗들에게 안부를 건네며 조금씩 수아드를 맞이할 준비를 하기 시작했습니다.

수아드를 맞이하기 위해선 제가 이곳에 뿌리내리고 서 있어야 하기 때문인 것이지요. 어디에 묵으실지, 어떤 음식을 대접할지, 누구를 만날지를 계획하는 일로 며칠을 설레었습니다.

수아드와 함께 경기도 광주의 나눔의 집도 찾아가 정신대 할머니들과 하룻밤 묵으며 우리가 아직도 지니고 있는 전쟁의 상처를, 할머니들이 무기와 지식이 아니라 고백과 증언을 통해 어떻게 싸워가고 계신지를, 효순이와 미선이를 위해 함께 촛불을 켜며 우리에게 지난 세월동안 미군이 무엇이었는지를, 민가협 어머님들의 목요집회를 찾아 어둡고 습한 역사를 걷어내기 위해 얼마나 많은 청춘이 그늘에서 스러지고 있는지를, 얼마나 많은 어머님들이 눈물 흘리고 계신지를, 그 보랏빛 수건을 쓰며 촛불을 켜며, 할머니들 곁에서 잠을 청하며 가만 가만 이야기하고 싶습니다.

우리도 이렇듯 아픈 날들을 지나왔다고, 우리도 그렇듯 많은 피를 흘린 땅에서 희망을 일구며 여기까지 걸어왔다고, 이라크의 아픔을 공명할 우리 안의 상처가 이토록 크고 깊다고 서로의 상처를 이야기하고 서로의 아픈 곳을 매만지며 그 공명의 힘, 고통의 나눔으로 우리 속에 새로운 희망 하나 길어 올리고 싶은 것입니다.

수아드, 엄마…

바스라에서였지요?
아침 산책을 나섰다 티그리스 강 너머
야자나무 숲까지 깊숙이 가버린 저를 찾기 위해
당신은 그 먼 길을 달려 강 건너까지 저를 찾아 오셨지요.
그 새벽… 아니 어디 그때뿐이던가요.
당신이 저를 염려해 주시고 제가 당신에게 근심을 끼쳤던 적이.
바스라 어린이병원에 다녀와 영양실조로, 백혈병으로
까맣게 타들어가는 아이들

떨리는 손을 만지다가 그만 울음을 참지 못해 돌아서는
제 어깨를 감싸준 것도
한 달에 5천 명의 아이들이 12년간 죽어갔다고
바스라에서만 한 달에 6백 명의 아이들이
죽어간다는 젊은 의사의 말에
그만 밥을 넘기지 못한 채 뛰어 나와 강을 보며 울음을 씻어내는 저를
나무라시다가 당신이 그러셨지요.
"나를 울게 하지 마세요…."
하지만 그날부터 지금까지 저는 당신을 참 많이 울게 했어요.
당신의 눈으로 이라크 사람의 눈으로 이 전쟁을 기록하고 싶다며
돌아가지 않겠다는 저를 향해
네가 이라크 사람의 눈으로 이 전쟁을 기록할 수 있다면
나도 너의 눈으로 이 전쟁을 기록할 수 있다며,
너를 위해 내가 평화의 증인이 되어 줄 터이니
너의 아이들에게 돌아가라며 끝내 비자 연장을 안 해 주시고
국경을 넘는 버스를 태우시던 그 날,
요르단 행 버스를 타고 울음을 삼키지 못하고 있는 저를 보다가
눈물로 고개를 돌리던 당신을 보았습니다.
결국 마지막까지 저는 당신을 울리고 말았지요.
제게 굿바이라고 말하고 싶다고 마중을 나왔던 사바도,
카심도 모두 젖은 눈으로 흔들어 주던 그 손,

폭격 속에 남아야 하는 이들이 우리를 안전한 곳으로 떠나보내며
우리의 안위를 더 걱정해 주던 그 눈빛,
지금 네가 이곳을 떠나면 나중에 우리가 다시 만날 수 있지만
지금 네가 떠나지 않는다면 우리는 다시 만날 수 없을지도 모른다며
우리의 등을 떠밀던 카심의 낮은 목소리.
당신이 이곳에 와 주시겠다고 하지 않으셨다면
저는 아직도 그 목소리들 속에서 내려서지 못한 채
서성이고 있었을지 모릅니다.

수아드
그래요 엄마라고 불러 볼게요.
엄마….
다시 국경을 넘어 삼일 낮, 삼일 밤의 먼 길을 달려와 준
당신과 함께 지난 3주간 우리는 또 긴 여행을 했지요.
이번엔 당신의 아픔이 아니라 나의 아픔을
당신의 전쟁이 아니라 나의 전쟁을 위해
당신은 이 땅을 디디고, 내 이웃들을, 동료들을 만나주셨어요.
4.3제주민중항쟁의 아픔으로, 임진각으로, 망월동으로,
나눔의 집 할머니들의 품으로
이 땅의 아프고 아픈 곳들을 가만히 디디며
우리는 다시 함께 울고 함께 웃었지요.

정신대 할머니들의 그 귀한 걸음,
김순덕 할머니가 무대에 올라가
당신에게 장미꽃을 건네며 낮은 목소리로
얼마나 힘들었느냐고, 나도 안다고, 얼마나 힘들었는지 나도 안다고
되뇌이실 때, 우리 모두는 그만 가슴을 적시고 말았지요.
참 소중한 시간들이었어요.

하지만 수아드
나는 먼저 당신께 미안하다는 이야기를 하고 싶어요.
평화의 증언을 위해 강연을 할 때마다
당신이 견뎌야 했던 기억의 통증
화상으로 온 몸을 파르르 떨며 고통스러워 하던
8살 아지즈의 신음소리
이시칸 병원 마당에서 가매장된 무덤들을 파헤치고 다시 묻으며
통곡하던 이라크의 어머니들
그 울음들을, 그 웃음들을 당신이 떠올리고 또 떠올리며
느껴야 했던 아픔들, 그 눈물들 앞에
저는 무릎을 꿇고 깊은 사과를 드리고 싶어요.

1만 명이 넘는 사람들을 죽인 힐라의 학살현장에 다녀와서
일주일을 아프셨다는 당신,

통역조차 못하고 삼 일간 울기만 하셨다는 당신,
그런 당신께
우리는 전쟁의 참혹함이 어떠했느냐고
당신의 딸들을 미군이 유린하는 것을 본 적이 없느냐고
내전 가능성에 대해, 미군의 장기 주둔에 관해,
그들의 전쟁 범죄에 관해 묻고 또 물었지요.
그 물음들 속에 아프게 서 있는 당신을 보며
저는 여러 번 속으로 울었습니다.
그러나 당신은 그 통증들을 넘어 이렇게 대답하셨지요.
그들이 우리의 석유를 가지고 갈 수는 있지만
딸들을 유린하게 두지는 않을 것이라고.
그들이 잠시 자신들의 이익을 위해 머물 수는 있지만
영원히 살게 하지는 않을 것이라고.
해서 지금 당신의 이웃들은 자신들의 국가를 다시 세우기 위해
온 힘을 쏟고 있다고.
미국이 돌아가지 않는다면 당신이라도 일어서 싸우겠다고.
그리고는
사람들에게 아름다운 이라크에 대해
당신의 문명, 당신의 역사, 당신의 예술, 당신의 사람들에 대해
이야기해 주시던 당신의 그 당당한 모습
무엇을 어떻게 도와드려야 하느냐고 묻는 청년들에게

당신들의 미래를 빼앗기지 않도록, 당신들의 평화를 위해 일하라고.
폭력이 아니라 사랑으로 서로가 서로를 돕는 것으로
평화를 이루어 가라고.
그리고 다만 그 사랑을 나누어 달라고 이야기하시던
당신의 떨리는 목소리.
그 소리가 우리 깊은 곳에 있는 고통의 공간에 스미고
그 울림으로 우리 속의 오랜 슬픔들
치유되어 갔다는 것을 혹 아실런지요.

엄마,
어느새 우리 여행의 마지막 날이 되었네요.
이제 며칠 후면 당신은 다시 바그다드로 돌아가시겠지요.
돌아가면 평화를 위해 살고 싶다는 당신의 말씀
아이들을 위한 작은 평화도서관을 만들고
그곳에서 아이들에게 영어를 가르치시겠다는 당신의 작은 꿈.
만나는 이들마다 내년이면 아름다운 이라크를 다시 보게 될 터이니
꼭 여행을 오라고 청하던 당신 속의 그득한 희망.
나는 당신으로 인해 이제 다른 꿈을 꾸어 봅니다.
바그다드, 당신의 그 작은 도서관에 들어설 때
아이들이 내게 함박웃음으로 달려오는 꿈.
나와 내 아이들이 아름다운 이라크를 당신과 여행하는 꿈.

당신과 함께 팔레스타인으로, 아프간으로
평화를 위해 더 먼 여행을 떠나는 꿈.
당신이 죽는 날까지 당신과 마음의 안부를 나누는 꿈.
당신이 죽거나 내가 죽는 날, 서로의 영혼을 위해
깊은 울음 울어줄 수 있는
오래고 긴 사랑을 나누는 꿈….
그 희망 속에 다시 먼 길, 당신을 떠나보냅니다.
당신의 딸들에게로
당신의 땅으로
당신이 시작할 작은 풀꽃 같은 평화의 도서관으로….

– 당신과 함께 한 평화의 여행을 마치며

8월 6일 2시 40분, 암만행 비행기.

수아드가 돌아갔습니다. 집에 돌아와 오랜만에 책상에 앉아 이메일을 보내고 있는 제게 어린 딸이 다가와 책상 위의 사진을 가리킵니다.

"엄마, 수아드."

아이는 이제 지도 속에서 이라크를 찾지 않습니다. 이라크 전쟁 대신 이라크 사람 수아드를 기억하고 있기 때문이겠지요. 멀리 이라크에서 분홍색 소꿉놀이를 보내준 수아드, 그 먼길 건너 우리 집에 와 하룻밤 자며 안아주고 뽀뽀해 주던 수아드. 이라크 사람 수아드 아줌마를.

아이는 수아드가 선물해 준 소꿉놀이를 가지고 놀 때마다 친구들에게 자랑을 하곤 합니다. 우리 이라크 아줌마가 주신 선물이라고. 제 어린 딸, 시원이의 입에서 나온 수아드란 이름에 담긴 기억처럼 이제 이라크 전쟁 대신 이라크 사람 수아드를, 그녀의 웃음, 그녀의 눈물, 그녀의 노래로 이라크를 기억하는 이들이 이 땅에 수백 명이 넘는다는 것을 가만히 헤아려봅니다.

수아드와의 한국 여행이 끝나가고 있던 어느 날, 어떤 기자가 물었지요.

"평화의 증언이라는 이번 여행을 통해 얻은 가장 큰 성과가 무엇입니까?"

저는 이렇게 대답했습니다.

"가장 소중한 성과… 그건 '관계'인 것 같아요. 이슈는 지나가고 관심은 잊혀지죠. 하지만 관계는 계속되잖아요. 이 여행은 많은 이들의 꺼져가는 관심을 관계로 빚어낸 소중한 만남의 여정이었습니다. 뉴스 속의 이슈가 지나가고 모두의 기억에서 이라크가 사라져도 죽는 날까지 서로를 심장으로 기억할, 그래서 사랑할, 관심에서 관계로 치환된 것. 그것이 가장 소중한 성과입니다."

2부 | 피스보트

평화를 여행하는 배

전쟁 대신 평화를 여행하세요

도쿄에 도착했습니다. 비행기로는 두 시간 밖에 걸리지 않는 짧은 여정….
그러나 여기, 도쿄, 하루다 항에 피스보트를 타기 위해 온 제 여정은 그리 짧지만은 않은 듯합니다. 서른 살 무렵이었지 싶어요. 제가 처음 피스보트를 알게 되었던 것이.

2000년 도쿄 국제법정에서 청년 세션을 만들기 위해 도쿄를 찾았던 그 해 여름, 여러 단체를 찾아다니며 함께 이야기할 청년 활동가들을 소개시켜 달라고 부탁했는데 만남 자리에 나가면 번번이 40대 이상의 중년 활동가들이 나타나곤 했어요.

그러다 우리를 안내해 주었던 재일 청년운동가 손명수 선배의 소개로 우연히 와세다 대학 앞 피스보트 사무실을 방문하게 되었습니다. 문을 열고 들어서자 거짓말처럼 사무실 가득히 수십 명의 청년들이 팸플릿을 접고, 전화를 받고, 토론을 하며 왁자지껄 일을 하고 있었습니다. 나중에야 알게 된 것이지만 모두들 지구를 한 바퀴 도는 피스보트를 타기 위해 그곳에서 참가비를 깎아주는 자원활동을 하고 있었던 겁니다.

해마다 남한과 북한을 오가는 남북 크루즈 여행과 한 해에 세 바퀴씩 지구 일주를 하며 평화를 여행하는 사람들. 수백 명의 사람들과 함께 지구를 여행하며 사람들에게 평화와 전쟁의 이면들을 보게 하고, 세상을 보는 다른 시선을 열어준다는 피스보트의 활동…. 손명수 선배는 그날 와세다 대학을 함께 거닐며 피스보트의 저 방대한 활동과 조직과 20년 전 와세다 대학의 한 대학생 그룹에 의해 시작되었다는 피스보트의 첫 항해 이야기를 들려주었습니다.

1983년, 일본은 한참 교과서 개정을 앞두고 논쟁에 휩싸였다 합니다. 대동아공영권을 내세운 아시아에 대한 침략을 일본 우파가 '진출'이라고 표기할 것을 주장했기 때문이었지요. 당시 와세다 대학 학생들이었던 지금의 피스보트 공동대표 중 몇몇이 이런 생각을 했다 합니다. '그것이 침략이었는지, 진출이었는지 교과서에 묻지 말고, 사람에게 묻자. 그것이 역사라면 그것을 겪어내고 기억하는 사람들이 아시아 곳곳에 살고 있을 터이니 우리가 가서 역사를 보고, 역사를 만나고, 역사를 기억하자.' 피스보트는 기억을 찾아 떠나는 여행인 것입니다.

그 활기 때문이었을까요. 제가 그토록 피스보트에 타고 싶어 했던 것은?

시민단체에서의 활동을 내려놓고 3개월간의 지구일주 피스보트를 타려고 준비 중이던 지난 겨울, 그 겨울 제 속을 파고들었던 이라크의 인간방패 기사가 아니었다면 저는 그 봄을, 바그다드의 폭염 대신 푸른 대양 위의 아름다운 크루즈에서 보내었겠지요. 그러나 다시 피스보트를 타야겠다고 생각한 것 역시 이라크, 그리고 수아드 때문이었습니다.

전쟁이 터지기 며칠을 앞둔 3월의 어느날, 야자나무 숲이 울창하던 바스라의 티그리스 강 너른 하구를 작은 통통배로 가르며 1991년 걸프전 때 쏟아진 열화우라늄탄 때문에 죽어가고 있다는 신밧드 섬에 가던 길, 거센 바람 속에서 그녀는 문득 제게 물었습니다. 이라크에 오지 않았다면 무엇을 하고 있었을 것 같으냐고. 그때 대답했지요. 아마 피스보트라는 큰 크루즈를 타고 지구일주를 하고 있었을 거라고.

피스보트? 그게 뭐냐고 그녀가 되물었습니다. 저는 '평화를 여행하는 배'라고 짧게 답했던 것 같습니다. 그리고는 덧붙였지요. 언제고 그 배에 함께 타보자고. 전쟁이 지나가고 우리가 다시 만나게 되는 날에….

그 강의 작은 배 위에서 나누었던 이야기는 이 해가 가기 전 두 가지 모두 우리에게 찾아왔지요. 전쟁은 우리를 지나갔고, 저는 피스보트에 편지를 보냈습니다. 이라크 사람 수아드 씨를 초청해 줄 수 있겠느냐고. 피스보트는 좋다는 답과 함께 비자를 위해 초청장까지 보내주었습니다. 오랫동안 피스보트와 일해오신 강제숙 선생님께서 다리가 되어주셨기에 가능한 일이었지요.

설레는 마음으로 이라크에 그 초청장을 보내었습니다. 여러 날 설레며 답신을 기다렸습니다. 그리고 수아드로부터 편지가 도착했습니다.

당신이 보내준 피스보트 초대장은 내게 너무 놀랍고 큰 선물이었어요.
배로 지구를 도는 평화의 여행이라니요. 얼마나 꿈같은 이야기인가요.
당신이 말한 것처럼 전쟁은 지나갔어요.
그러나 우리 곁엔 점령이 남아있지요.
이 무서운 점령의 감옥에 어린 딸과 가족들을 남겨둔 채

나는 떠날 수가 없네요.
그 아름다운 배를 타기에 충분한 평화는 아직 오지 않은 것 같아요.
그러나 마리아, 나는 탈 수 없지만 당신은 꼭 그 배를 타기 바래요.
이제 이라크엔 오지 마세요.
이젠 전쟁 대신 평화를 여행하세요.
이라크엔 이제 우리가 함께 보았던 그 평화는 없어요.
이라크의 아름다움을 보여주며 살아오던 내게
이젠 더 이상 누군가에게 보여줄
이라크의 아름다움은 남아있질 않아요.
그것이 무엇보다 나를 가장 슬프게 하는 일이랍니다.
이라크에 오는 대신
당신이 그 배를 타고 제 몫까지 아름다운 지구 일주를 하길 바래요.
그리고 언젠가 이라크에 평화가 오면
그때 당신의 아이들과 함께 내게 와서
내 집에 머물고 그 아름다운 지구 일주의 이야기를 들려주길 바래요.
언젠가 평화가 오고
내가 당신께 평화의 초청장을 보내는 그 날에….

그래요. 수아드는 끝내 피스보트에 타지 못했습니다. 그러나 저는 피스보트에 오르기 위해 이곳, 도쿄에 와있습니다. 다만 달라진 것이 있다면 지구를 일주하는 대신 피스보트를 타고 이라크에 간다는 것이시요. 9월 도쿄를 떠나, 아시아를, 유럽을, 북미대륙을 거쳐 도쿄로 돌아오는 100일간의 여정. 저의 여행은 아시아와 유럽의 경계인 터키 이스탄불에서 멈추게 될 것입니다. 그곳에서 중동, 저 아픔의 땅을 향해 다른 평화여행을 시작하게 될 테니까요.

밤이 깊어지며 바람이 더욱 거세집니다.

태풍 때문에 하루 더 도쿄에 정박하고 내일 출항한다 합니다. 도쿄에서 이스탄불까지의 먼 여정. 아니 서울에서 이라크까지 이르는 쉽지 않은 여정. 이스탄불에 내릴 때쯤이면 한국에는 가을이 더욱 깊어지겠지요. 그리고 이라크엔 라마단이 시작되겠지요.

그때쯤이면… 라마단과 함께 이라크에도 평화가 오기를,

잃어버린 일상의 웃음을

저도 이라크도

되찾을 수 있기를 기도해 봅니다.

출항을 앞둔 하루다 항, 폭풍 속에서.

배 위에서 맞는 가장 멋진 시간

승객이 아니라 손님으로 탄 때문인지 선실은 상층에 혼자 쓰는 아늑한 방을 배정 받았습니다. 가져온 책과 노트북, 짐들을 풀어두고 나니, 제 방을 옮겨 온 듯 편안한 공간으로 바뀌었네요.

선실 바로 곁 계단으로 올라가면 곧 도서관과 극장, 카페와 작은 광장, 그리고 삼백 명이 들어가는 대형 강의실이 연결되어 있습니다. 그 위로는 아름다운 갑판과 요트클럽이 이어집니다. 그 곳에서 맑은 오후의 햇살과 함께 마시는 한 잔의 홍차가, 지는 저녁놀을 바라보며 저무는 바다 위에서 누리는 아름다운 저녁식사가 너무 호사스러워 송구해지곤 합니다.

갑판 위엔 베트남에서의 문화교류를 위해 일본 전통 북을 배우는 이들의 북소리, 태극권을 수련하는 이들의 소리 없는 움직임, 힙합과 재즈댄스를 배우는 젊은 친구들의 넘치는 활기, 수영장에서 수영과 태양을 즐기는 사람들, 갑판 위 조깅 트렉, 작은 축구장, 헬스클럽에서 운동으로 땀을 흘리는 이들. 거대한 섬은 600명의 승객과 함께 쉴 틈이 없이 움직입니다.

아침이면 나누어 주는 하루 일정표에는 200개가 넘는 프로그램들이 넘쳐나곤 하지요. 피스보트에서 주최한 공식 행사나 콘서트뿐 아니라 승객들이 스스로 만든 '자주기획' 프로그램들이 더 걸작입니다. 사진, 오카리나, 사교댄스, 역사모임, 다도모임, 야구, 축구, 수영, 마술… 수백 개의 프로그램에 때로는 게스트로, 때로는 호스트로 참여하며 이 기나긴 배 여행을 즐기는 일본 젊은이들의 모습에 부러움 감출 길 없습니다.

그러나 만약 제게 피스보트의 그 수백수천의 프로그램 중에서 가장 좋은 것을 꼽으라면 저는 갑판 위에서 맞이하는 밤, 그리고 밤바다의 검푸른 고요를 들겠습니다.

해가 질 무렵이면 서쪽 갑판 끝으로 한둘씩 사람들이 보여늘기 시작합니

평화를 배우는
지구를 축소해 놓은 듯
재미있는 구성원들로
북적이고 있습니다
바다 위에서
날마다
커다란
평화의 축제가
벌어지고 있는 것이지요..

다. 바다 위로 스러지는 그 거대한 태양 앞에 서서 고요히 내리는 어둠에 천천히 밤으로 젖어드는 검푸른 밤바다를 바라보는 일은 우주가 허락하는 평화의 명상입니다.

그 어둠 속에서 바다 위로 하나 둘 떠오르는 별빛은, 물결 위로 부서지는 별빛은 또 얼마나 신비로운가요. 배가 준 가장 큰 선물이 있다면 이렇듯 빛과 어둠을, 일몰과 일출을, 햇살과 바람을 온 영혼 깊숙이 느낄 수 있게 해준다는 것일 듯합니다.

식탁 위에는 시차경계선을 지날 때마다 시계를 맞추어 두라는 메모가 꽂혀 있곤 합니다. 한 시간, 혹은 두 시간… 시차 경계선을 지날 때마다 다시 맞추어야 하는 시계처럼 삶 또한 어떤 경계를 지날 때마다 다시 조율해야 하는 것은 아닌지 생각해 보곤 합니다.

매일 매일 넘쳐나는 크고 작은 프로그램들, 저녁 만찬과 댄스파티들, 강연들…. 그 축제 같은 일상 속에 호흡을 섞고 있으면서도 아직 웃는 일이 그리 쉽지 않습니다. 전쟁을 떠나 평화를 여행하는 일에, 일상의 삶을 살아가는 일에 아직 제 마음을 조율하지 못한 까닭이겠지요.

잦아든 목소리를, 잃어버린 웃음을 되찾는 일이 이토록 오래 걸릴 줄은 저도 몰랐습니다. 축제의 열기로 가득한 이 여행에서 제 잃어버린 일상의 결을 되찾을 수 있기를, 제 삶이 지나가고 있는 생의 경계에 저 또한 조율될 수 있기를 바랄 뿐입니다.

관계 맺는다는 것

배는 조금씩 육지에 다다르고 있습니다.
다낭, 첫 기항지는 베트남의 남쪽 항구도시입니다. 그곳을 향해 가는 며칠 간 출항파티를 시작으로 스텝들과 승객들이 만나는 시간, 배에 승선한 선상 안내인들이 서로 만나는 시간, 이 거대한 배의 여러 공간과 흔들리는 일상을 익히는 것만으로도 분주한 시간들이 지나갔습니다.

제가 타게 된 41번째 크루즈, 이번 항해가 어느새 피스보트의 20주년 기념항해라 합니다. 20년 간 한 해도 거른 적 없이 평화의 배를 띄웠다는 피스보트, 20년 전 대학생이었던 공동대표들은 어느새 마흔이 되었습니다. 그러나 피스보트를 운영하는 일꾼들은 여전히 20대의 청년들입니다.

배의 주요 승객은 60대 이후의 연금수령세대들이라 합니다. 평생직장 개념이 이젠 일본에서도 사라졌지만 아직까지 일본경제의 황금기에 대기업에 근무했던 노인들은 은퇴 후 넉넉한 연금을 받고 있는 것입니다. 혼자 외롭게 집에 있는 것 보다는 크루즈 여행을 하며 젊은이들과 함께 호흡하는 편이 훨씬 즐거운 것이지요. 해마다 크루즈를 타는 분들도 있을 만큼 피스보트는 두터운 기반을 가지고 있다고 합니다.

그러나 초기의 노인중심 승객과 달리 피스보트의 지구 일주가 10회를 넘어서면서 승객 중 50% 정도가 젊은이들로 바뀌는 변화를 겪고 있습니다.

그것은 피스보트가 단순한 여행이 아니라 무언가 삶을, 세상을 새롭게 보고, 다르게 살고자 하는 변화에 영향을 끼치고 있다는 증거겠지요.

젊은이들은 크게 세 부류인 듯합니다. 첫째 그룹은 3,4년 직장생활을 한 뒤 인생의 기로에 서서 삶을 돌아보고 미래를 계획하기 위해 모았던 돈을 털어 세계 일주에 나선 이십대 후반의 친구들, 두 번째는 부모님이 여력이 있어 세계를 배우라고 태워준 고등학생들, 혹은 대학생들.

그리고 마지막으로 돈 없는 대학생들. 이들은 전에 제가 보았듯이 피스보트 사무실에서 자원봉사를 하면 한 시간당 100엔 정도 탑승비를 깎아주는 지불형 프로그램을 통해 몇 년 간 꾸준히 시간을 모아 탄 친구들입니다.

그리고 외국어를 능숙하게 하는 친구들은 CC(Communication Coordinator)로 승선해 전체 여정에서 동시통역사로 활동하며 지구일주를 하기도 합니다. 외국인들의 경우 피스보트가 운영하는 GET(Global English/Espanol Training) 프로그램의 강사로 승선해 있지요.

홋카이도에서 오징어잡이 어부의 아이들에게 영어를 가르치는 초등학교 원어민 교사였다던 친구부터 아프리카 북을 연주하고 영어를 가르치며 세계를 여행 중이라는 독특한 친구 쿠마, 스페인어를 가르치며 밤마다 기타로 라틴음악을 연주하던 콜롬비아 친구들까지. 피스보트는 이미 배 위에 지구를 축소해 놓은 듯 재미있는 구성원들로 북적이고 있습니다.

그러나 피스보트에서 제게 가장 흥미로운 것은 지구대학(Global University) 프로그램입니다. 말 그대로 지구를 배우는 여행을 하는 친구들이지요.

지구대학은 600여 명의 승객 중 단 20명 남짓한 젊은이들만이 참여하고 있는 특별한 프로그램입니다. 그들을 위한 교실이 따로 마련되어 있고, 기항지에서 내려 진행되는 프로그램의 경우도 지구대학 학생들을 위해 따로 운영되고 있습니다.

매 항해마다 다른 테마를 가지고 진행된다는 이 프로그램의 이번 테마는 '다문화 이해' 입니다. 스리랑카에서는 스리랑카 분쟁의 양측을 만나고 그곳에서 평화운동을 하려는 비폭력 수비대(Nonviolence Peace Force)팀의 훈련에 참여하는 여행을 하게 될 예정이라 합니다. 저 또한 평화운동가로 그 여행에 초대받았습니다.

이 여행은 승객이 아니라 게스트로 탄 것이기에 피스보트에서의 배려는 더욱 세심합니다. 게스트를 위해 따로 스텝이 배정되어 있을 뿐 아니라 어떤 프로그램이든 자유롭게 참여할 수 있도록 필요하면 언제든 영어, 일어 통역 스텝들을 보내줍니다.

또 각 기항지에서 새로운 게스트들이 탈 때마다 모든 스텝과 게스트들이 한 데 모여 서로를 만나고 교제할 기회를 만들어 주고, 배 위에서의 짧은 만남이지만 게스트들끼리 즉흥적인 토론회를 한다든가 이벤트를 만드는 등의 다양한 프로그램을 만들어 낼 기회를 주기도 합니다.

그런 활동들을 위해 피스보트는 게스트가 승선하기 전 그 사람 혹은 팀의 약력과 활동에 대해 상세히 소개한 후 그 활동에 관심 있는 이들이 게스트의 선상활동을 지원하고 함께 새로운 평화행동을 만들어 가도록 한시적인 자원봉사팀을 구성해 줍니다.

저희 역시 도쿄에서 이스탄불까지 한 달 남짓한 시간 동안 함께 평화강연, 여행, 행동을 만들어 갈 스무 명 남짓의 젊은 일본 청년들을 만났습니다. 막연하기만 했던 피스보트에서의 평화여행이 그 친구들과의 만남으로 인해 평화의 속살들을 채워가기 시작하는 듯합니다.

예정되었던 평화 강연뿐 아니라 우리는 평화카페를 열기로 하였습니다. 배의 중앙인 도서관 옆 작은 광장에서 일주일간 이라크 옷 입어보기, 함께 탄 강제숙 선생님의 한국어 강좌, 한겨레 이정용 기자의 보도사진 강좌 및 이라크 평화사진전 등 다양한 프로그램을 하기로 계획을 세웠습니다.

무엇보다 기대되는 것은 그 친구들과 함께 하기로 한 평화행동입니다. 베트남에서 이스탄불까지 우리가 함께 할 수 있는 평화행동이 무엇일지 날마다 모여 머리를 맞대고 지혜를 모으고 있습니다. 배 안에서 혹은 기항지에서, 무엇이든 전쟁을 멈추고 평화를 얻기 위해 우리가 할 수 있는 행동이 있다는 것, 그것이 이 여행에 가장 큰 위로인 듯합니다.

우리의 첫 평화행동은 베트남에서 시작될 것입니다. 오래고 깊은 상처의 땅 베트남, 그곳에서 베트남의 청년들과 함께 평화를 노래하고 평화를 외치기로 한 것입니다. 그 만남 때문일까요? 배멀미가 준 울렁임은 어느새 설레임으로 바뀌고 있습니다.

관계 맺는다는 것, 그것만으로도 치유는 시작되는 것일까요?

베트남을 만나다, 랠리 헤이슬립을 만나다

오늘은 하루 종일 선실에서 지냈습니다.

며칠 전 배에서 내려 미국으로 돌아간 베트남 여성 랠리 헤이슬립과 나누었던 이야기를 녹음해 둔 테잎을 듣다가 그녀의 이야기가 저 한 사람에게만 하는 이야기가 아닐 듯하여, 그 이야기를 받아 적는 일로, 마음 깊이 새기는 일로 하루를 다 보내고 말았네요.

혹시 기억하실런지요. 올리버 스톤의 영화 〈하늘과 땅(The earth and heaven)〉이라는 영화를. 피스보트는 베트남에 도착하기 며칠 전부터 영화의 원작자(원제 『When heaven and earth changed places』)인 베트남 여성 랠리 헤이슬립을 초청해 여러 프로그램을 열었습니다.

랠리는 젊은 신부로 미국에 건너와 지금까지 미국의 시민으로 살고 있습니다. 세 번의 결혼을 통해 세 아들을 얻었는데 그 중 막내아들은 베트남 다낭에서 베트남을 위해 일하고 있다고 합니다. 그녀는 이제 작가로서만이 아니라 평화운동가로서 살아가고 있습니다. 'East meets West' 라는 재단을 설립해 베트남의 빈민지역에 작은 진료소와 학교를 세우는 일을 하고 있지요. 현재는 베트남뿐 아니라 세계 평화를 위해 평화교육이 가능한 'Global Peace Village' 를 베트남에 만들기 위해 캠페인을 하며 세계를 여행하고 있다 했습니다.

피스보트와는 1994년 첫 베트남 방문 프로그램이 만들어질 때부터 지금까지 선상 안내인으로 승선하고 있으니 꽤 오랜 인연이지요. 이번 일주일간 함께 여행하며 전쟁의 아픈 경험과 베트남의 과거, 현재, 미래에 대해 나누며 일본의 젊은이와 전쟁 세대에게 평화교육을 할 것이라 했습니다. 그녀의 강연을 듣고, 그녀의 영화를 보다가 그녀와 마주앉았습니다. 그리고 그녀에게 물었습니다.

피스보트에는 어떻게 승선하게 되셨는지요?

피스보트가 처음 베트남에 기항하는 프로그램을 시작하던 1994년에 처음 만났어요. 대부분의 일본인이 라스베가스 카지노 관광, 쇼핑관광, 골프관광으로 세계를 다닐 때 피스보트는 자신들이 저지른 전범지를 찾아다니며 진실을 기억하고 스스로를 돌아보며 반성하고, 전쟁지역의 피해자들과 깊이 만나 가는 전혀 다른 여행을 하고 있었지요. 우리가 하나의 세계로서 어떻게 살아야 하는지를 배우는 가장 좋은 방법인 여행을 통해 스스로 평화를 배워가는 젊은이들을 만나며 같은 방향을 향해 가는 여행자로서 이렇게 가끔씩 동행하고 있어요.

전쟁의 아픔을 누구보다 깊이 아는 베트남 사람으로서 이번 이라크 전쟁에 대해 어떻게 생각하시는지….

미국뿐 아니라 일본, 프랑스, 중국, 간접적으로는 파병을 통해 한국까지,

우리의 역사는 전쟁과 식민의 고통과 아픔으로 가득 차있어요. 8년 8개월 동안 미국의 무기에 맞서 맨손과 심장으로, 다만 우리의 가족과 이웃을 구해야 한다는 사랑 하나로 이겨낸 것이 바로 베트남 전쟁입니다. 나는 개인적으로 사담 후세인을 좋아하지 않아요. 그러나 미국이 과연 그가 나쁘다고 해서 그의 나라를 폭격할 권리를 가질 수 있나요?

9.11 테러 이후 미국은 엄청난 안보주의 속으로 모든 사람들을 몰아넣고 있습니다. 그러나 그러한 강압과 폭력, 테러를 막기 위해 더 큰 폭력을 사용하는 전쟁과 같은 방법으로는 평화가 아니라 피와 절규, 또 다른 새로운 적들, 또 다른 9.11을 만들어 낼 뿐이라는 것을 깨달아야 합니다. 미국이 그것을 깨달을 때까지 또 다른 9.11은, 미국을 향한 증오와 테러는 사라지지 않을 겁니다. 그 뿌리는 테러리스트가 아니라 미국 내부에 깊이 뿌리박혀 있기 때문이지요.

한국 사람들은 전쟁에 대해 피해자의 기억만을 가지고 있습니다. 그러나 베트남에서 보면 한국은 잔혹한 가해자입니다. 베트남전에 32만 명의 젊은이를 파병해 경제성장의 토대를 이룩한 한국이 다시 한 번 국가의 이익과 안전을 이유로 이라크에 젊은이들을 파병하려 합니다. 이에 대해 어떻게 생각하시는지요.

미국이 파병을 요청한 대부분의 나라들은 미국의 경제원조를 받고 있는 나라들입니다. 만약 어떤 나라가 미국의 요청을 거절 한다면 그들은 그들의 모든 개발 원조지원을 중단할 거예요. 누가 그 협박 앞에서 "NO"라고 말할 수 있겠어요?

베트남 전 당시 미군은 최소한 아이들을 죽이지 않았어요. 미군이 아이와 여자를 보호하고 지나가면 한국군은 여자들을 강간하고 살해하고 아이들을 우물에 빠뜨려 생매장을 시키며 지나갔지요. 그들이 자라나 베트콩이 될 것이기 때문에 그 씨를 말려야 한다며 보이는 모든 아이들을 그렇게 죽여갔습니다.

한국과 베트남은 같은 눈빛 같은 피부를 가졌어요. 그러나 오히려 더 깊고 지독한 원수가 되었습니다.

파병을 통해 얻어질 이익을 묻는 대신 우리는 평화를 위해 우리 스스로에게 깊이 물어야지요.

미국의 침략에 왜 우리가 우리의 아들들을 보내야 하는지를.

우리가 왜 무고한 이라크 사람들이 피를 흘리게 해야 하는지를.

우리가 왜 또 하나의 베트남을 만들어야 하는지를.

한반도 평화를 위해 젊은 세대들에게 무엇을 가르쳐야 한다고 생각합니까?

지금 이 아이들은, 지금 저 젊은이들은 분명히 누군가가 무언가가 될 것입니다. 그들은 정치적 종교적 경제적 지도자가 될 수도 있어요. 만약 그들이 지금 세계의 그늘진 곳을 찾아가 평화를 위해 일한다면 그들은 그들의 미래에 엄청난 친구들을 갖게 될 것입니다. 그러나 그들이 지금 참전을 통해 무고한 피를 손에 묻힌다면 그들은 그들의 미래를 위협할 원수들을 갖게 될 것입니다. 그들이 그들의 미래를, 그들의 평화를 선택하도록 평화를 가르치세요.

전쟁을 위해 일한다면 전쟁이 여러분의 미래가 될 것입니다.

평화를 위해 일한다면 평화가 여러분의 미래가 될 것입니다.

자신들의 미래는 자신들의 손으로 지금 선택해야 합니다.

여러분은 스스로 배워야 합니다. 전쟁에 대해, 남북한의 상황에 대해.

그리고 여러분 자신의 삶을 위한 스승, 자신의 미래를 끌어갈 스승을 찾아야 합니다.

나의 스승은 마하트마 간디입니다.

만약 지금 아무것도 모른다면 스스로를 어떻게 교육해 갈 것인지를 먼저 배워야 합니다. 만약 여러분이 지금 잘못된 길을 선택한다면 여러분의 미래뿐 아니라 수많은 사람들이 상처입게 될는지도 모릅니다. 히틀러가 그러했던 것처럼.

마하트마 간디, 마틴 루터킹 혹은 히틀러…

여러분은 누구를 원하나요? 어떤 사람이 되기를 원하나요?

여기 피스보트를 보세요. 여기서 그들은 그들 부모세대가 가르쳐 주는 것 대신 그들 스스로가 무엇을 배워야 하는지, 무엇을 보아야 하는지, 어떻게 길을 찾아야 하는지를 스스로 선택해 배워가고 있습니다. 저는 이렇게 이야기해 주고 싶어요.

"일찍 결혼하는 대신 평화의 배낭을 메라.

이라크로, 베트남으로, 인도로, 아프가니스탄으로 가라.

가서 그들이 어떻게 사는 지를 보라,

얼마나 고통받고 있는 지를 보라,
무엇을 원하는 지를 보라.
종교에 대해 평화에 대해 이야기하라, 그들과 함께."
많은 사람들이 말합니다. "나는 평화를 원한다"고.
그러나 그들이 평화를 위한 선택과 행동을 하지 않는다면
결국 전쟁과 죽임에 참여하게 된다는 것을 깨달아야 합니다.
평화를 원하나요? 그렇다면 지금 평화를 위해 행동하세요.
전쟁을 원하나요? 그렇다면 미국의 전쟁에 참여하세요.
평화는 결국 여러분의 선택으로 결정되는 일입니다.

그녀와의 이야기를 테잎을 되돌려가며 여러 번 듣고 글로 적는 사이 배는 어느새 베트남 다낭 항에 도착합니다. 흰 아오자이를 입은 아름다운 베트남 소녀와 소년 들이 환히 웃으며 부두에 서 있습니다. 그들이 삿갓 같은 밀짚 모자를 쓰고 노래와 춤으로 우리를 마중해 주던 다낭의 부두에서, 우리가 준비한 첫 번째 평화행동을 펼쳤습니다. 배 위에서 준비해 온 흰 현수막 천, 그 위에 평화의 문장을 적었습니다.

"또 하나의 베트남을 만들지 마세요."

베트남의 아름다운 소녀들이, 붉은 별의 국기를 스티커로 붙인 푸른 청년들이, 일본의 학생들이 손바닥에 물감을 묻히고 색색의 펜을 들어 그 현수막 위에 자신들의 메시지를 적었습니다. 그리고 피스보트를 배경으로 다함께 그 현수막을 들고 섰습니다. 베트남, 일본, 한국인들이 함께 침략의 아픔

이 여전히 통증을 일으키고 있는 땅 베트남에서….

랠리 헤이슬립. 그녀의 기억을 통해, 그녀의 삶을 통해 돌아본 우리들의 짐이, 우리가 기억해야 하고 책임져야 할 역사가 그리 쉽지만은 않다는 것을 다시 한 번 깊이 생각해 봅니다. 그러나 여전히 다낭의 바다는 아름답고 시장은 활기차게 움직입니다. 뜨겁고 맛깔스런 베트남 쌀국수는 배 위에서 시달린 몸과 마음의 여독을 풀어줍니다.

다시, 출항입니다.

해군제독에서 평화운동가로

이제 배는 인도를 향하고 있습니다.

배에는 이미 인도의 차와 노래가, 갠지스 강의 아름다운 풍경들이 펼쳐지기 시작합니다. 한켠에서는 인도 옷 입는 법을 가르쳐주기 시작했고, 인도에 관한 강좌들이 줄을 잇고 있습니다. 그리고 배에는 아주 특별한 손님들이 타고 있지요.

인도 반핵 평화운동가 두 사람, 카슈미르 언론인 한 사람, 파키스탄인 한 사람, 그리고 이 사람들을 초대한 미국 저널리스트…. 이 다양한 국적의 사람들이 인도 프로그램을 이끌어 줄 것입니다. 그들이 특별한 것은 특별한 인도 사람이나 특별한 파키스단 사람이어서가 아닙니다. 그들은 카슈미르 분쟁의 당사자들이기 때문입니다.

피스보트는 전에도 이스라엘과 팔레스타인 젊은이들을 함께 초청해 양쪽의 시선에서 이야기를 듣기도 했다 합니다. 여름이면 남한과 북한을 오가는 남북 크루즈를 해마다 띄우는 것도 다르지 않은 까닭이겠지요. 하나의 문제를 각자의 시선에서 보려는 노력, 무엇보다 중요한 것은 피스보트가 다른 입장의 사람들이 서로를 만나고 이해하는 평화의 공간이 되려고 하는 것입니다.

인도와 파키스탄, 그리고 카슈미르 사이의 분쟁은 지금도 계속되고 있습니다. 명상과 수행의 나라 인도의 또다른 모습이지요. 인도와 파키스탄은 지난 50년간 카슈미르를 서로 차지하기 위해 군비경쟁을 벌여왔습니다.

미사일과 대량 살상무기를 경쟁적으로 개발하며 핵 위기가 증폭되는 가운데 포격전이 일상이 되어버린 인도대륙의 아픔과 현실을 향해 한 걸음씩 한 걸음씩 다가가는 평화의 배. 그 위에서 특별한 손님인 인도의 반핵, 군축 전문가 람다스 씨(Admiral L. Ramdas)를 만났습니다.

1949년에서 1993년까지 그는 인도의 해군으로 40여 년을 살았습니다. 열다섯 살의 소년병이었던 그가 해군 총장이 되어 은퇴를 맞이한 것입니다.

"단 한 번도 전투를 쉬고 휴식을 가진 해가 없었어요. 1947년 해방 이후부터 지금까지 인도는 크고 작은 갈등과 분쟁 속에서 무력으로 문제를 해결하려고만 했어요. 하지만 카슈미르 분쟁처럼 계속해서 양쪽 모두 무고한 피를 흘리고 엄청난 돈을 무기에 쏟아 붓는 결과를 낳았을 뿐이지요."

그가 처음 입대한 것이 인도가 영국의 식민지에서 해방된지 2년 뒤였으니 람다스 씨의 평생이 인도의 군비증강 과정이었다고 해도 과언은 아닐 것입니다. 그는 평생의 삶을 돌아보며 군대와 무기로 전쟁을 없애고 안보를 유지하겠다는 발상으로는 결코 평화에 다다를 수 없다는 것을 깨달았다고 합니다. 그리고 그때 그가 발견한 것이 인도와 파키스탄의 평화와 민주를 위한 민중포럼이었습니다.

그는 이 민중포럼에 참여해 반전, 평화, 민주화, 인권, 빈곤 문제 등 인도의 진정한 평화를 위해 일해왔습니다. 그의 남은 생의 힘을 다해 일하는 동안, 인도는 다시 한 번 그에게 새로운 도전을 안겨주었습니다.

1998년, 파키스탄과의 오랜 갈등을 다시 한 번 무력으로 넘어서기 위해 인도가 핵무기를 선택한 것입니다. 그에 맞서 파키스탄도 핵무기를 갖추었습니다. 인도 대륙에서 가장 날카롭게 대립하고 있는 두 나라가 핵무기로 서로를 위협하는 이 깊은 불화, 그 갈등은 카슈미르에서 다시 불거지고 말았습니다.

인도의 독립 이후 카슈미르는 파키스탄의 공격으로부터 보호받기 위해 자치주로서 독립된 선거권을 보장받는 조건으로 인도의 한 주가 되기로 합니다. 그러나 카슈미르에 인도가 돌려준 것은 치안 유지를 내세운 60만 명의 군인과 강압 정치와 6만여 명의 죽음, 수천 명의 실종이었습니다. 카슈미르를 되찾고 싶은 파키스탄은 미국의 지원 아래 카슈미르 자유 해방군에게 총과 돈을 공급하기 시작했고 50년간 세 번의 전쟁을 치르는 동안 인도, 카슈미르, 파키스탄에서 흐르는 피는 멈추지 않고 있습니다.

"카슈미르에게 카슈미르의 미래를 스스로 선택할 권리를 달라!"고 외치는 카슈미르 청년들의 절규 앞에 지금 람다스는 서 있습니다. 끊임없는 군비증강으로 카슈미르를 적신 피가 흐르고 있는 인도의 현대사. 수십만 명이 굶어 죽어가고 있고, 아이들은 거리에서 구걸하며 미래를 체념하고 있는데도 인도의 평화를 위한다며 끊임없이 무기를 사들이는 죽임의 경쟁을 계속해 가는 인도에서 람다스는 군축을, 무기가 아닌 평화에 의한 평화를 외치고 있습니다.

2000년, 그리고 2001년 한국을 방문해 비무장 지대, 땅굴까지 다녀온 적이 있는 그는 한반도 문제에 대해서도 깊이 마음을 드리우고 있습니다.

"햇볕정책에 따른 한반도의 급격한 변화는 놀라운 평화의 행보였어요. 그 오랜 군사주의와 골 깊은 갈등을 넘어, 그토록 놀라운 속도로 남한이 북한을 향해 평화와 통일의 메시지를 보내온 노력과 성과는 전 세계 사람들에게 엄청난 울림을 주었지요. 그러나 북한이 핵 보유를 발표하자 다시 그 성과가 차갑게 식어가는 것을 보면서 너무 안타까웠습니다.

내 삶의 가장 중요한 목표는 반핵과 군축입니다. 그러나 우리는 북한을 보며 그들이 왜 핵을 선택할 수밖에 없었는지를 이해해야 합니다. 미국의 경제제재, 그리고 끊임없는 압박과 전쟁의 위협 속에서 스스로를 방어하기 위해 그들은 마지막 수단을 선택한 겁니다.

남한의 사람들은 핵 공격의 대상이 남한이 아니라는 것을 알아야 합니다. 그 핵은 일본과 미국의 군사적 경제적 압박 속에서 북한이 벼랑 끝에서 선택한, 적뿐 아니라 그들 스스로를 죽일 수도 있는 절박한 결정인 것입니다.

끝까지 포기하지 않고 대화와 이해, 지원으로 그들을 향해 나아가길 바랍니다. 평화에 다다르는 길은 힘과 무력 속에서는 결코 찾을 길이 없어요. 이것이 내가 평생의 군 생활을 통해 배운 가장 큰 평화의 교훈입니다."

군대를 지휘하는 해군 총장이었던 그가 평화의 바다를 향하는 길로 나아간 것처럼 우리 사회 속에 깃든 이 가파른 긴장이 더 먼 바다를 향해 나아가는 평화의 강물로 흐르기를 기도합니다.

어렵더라도 폭력의 길이 아니라 평화의 길을 향해 나아갈 때, 그 평화의 수고가 한반도의 진정한 평화와 통일로 되돌아 올 것이라고 믿는다는 그의 마지막 말을 마음에 간직하며 인도 대륙을 향해 첫 발을 디딥니다.

인도, 그늘 속의 희망

어느새 15억을 넘어서 산아제한으로 인구가 줄어들고 있는 중국보다 더 많은 사람이 살고 있는 인도. 인도의 항구도시, 첸나이에 도착했습니다. 항구에 내려서니 아름다운 인도 전통의상을 입은 월드소셜포럼 사람들이 우리를 맞아줍니다.

Another World is Possible

이렇게 새긴 현수막을 들고서 말이지요. 인도에서 만나게 될 첫 문장, 그것이 'Another World is Possible' 일 줄은 꿈에도 몰랐습니다. 파키스탄과 인도의 핵무기 보유로 핵전쟁의 긴장이 팽팽한 땅 인도. 빈곤, 기아, 차별, 군비 확장으로 고단한 이 땅에서 그들은 저토록 아름다운 문장을 들고 우리를 맞이해 줍니다.

아침에 도착해 오후에 길을 떠나야 하는 인도의 여정은 다른 기항지에서도 그러하듯이 10여 개가 넘는 다양한 여행 코스로 짜여져 있습니다. 그 가운데에는 인도의 반핵운동가들을 만나 인도의 핵 위기에 대해 이야기하는 시간도 있고 또 인도의 옷을 사고 백화점에 가는 쇼핑도 있습니다. 저는 인도 마드리드 대학에서 열릴 프리 월드소셜포럼에 참여하기로 했습니다.

부두에 내리자마자 릭샤를 끄는 사람들, 택시 기사들이 벌떼처럼 몰려와 흥정을 걸어옵니다. 그 인파에 잠시 당황하다가 그냥 잰 걸음으로 항구를 벗어났습니다. 조금 걸어가니 철길을 따라 도시의 풍경이 펼쳐집니다. 하루의 짧은 여정, 그것도 오후에는 마드리드 대학에 있는 월드소셜포럼 컨퍼런스에 참여해야 하는 바튼 여정이니 우리에게 주어진 자유시간은 서너 시간 정도네요.

가까스로 택시 한 대를 잡고 수십 명의 택시기사들의 함성 사이를 벗어나 박물관을 향했습니다. 택시비가 얼마냐고 묻는 우리에게 그는 말합니다. 얼마인지는 중요하지 않다고, 당신이 내 택시를 타고 여행을 한 후 행복하다면 행복한 만큼 돈을 달라고…. 그러나 그 말의 의미가 행복에 중심이 가 있는 것이 아니라 그가 처음 불렀던 가격인 1달러가 아닐 것이라는 것으로 들려와 마음이 불편해지기 시작합니다.

박물관에 도착하자 그는 우리를 기다리겠다고 합니다. 우리가 나오면 다시 시내로 대학으로 그리고 항구로 우리를 데려다 주겠다는 것입니다. 기다리겠다는 그를 뿌리치지 못한 채 우리는 박물관으로 들어섰습니다. 미술관과 박물관 사이로 트인 마당은 키 큰 나무들이 늘어선 아름다운 곳이었습니다. 이곳에서는 잠시 인도의 뜨거운 햇빛과 사람들로 인해 부대끼던 마음을 쉬어가도 좋을 듯 했습니다.

그러나 박물관에 들어서려는 길, 외국인에게는 10배가 넘는 요금을, 그것도 카메라를 들고 들어가려면 따로 돈을 받는다는 것을 알고 우리는 그냥 그 마당을 거니는 것으로 만족하기로 했습니다. 짧은 시간 비싼 입장료를 내고 볼 수 있는 것이 너무 적을 것 같아 마당을 산책하는 것으로 박물관과 미술관 관람을 대신했습니다.

기다렸던 택시 기사는 아직도 값을 말하지 않습니다. 시장에 가고 싶다는 우리에게 계속 쇼핑센터 이야기를 합니다. 우리는 쇼핑은 하고 싶지 않다고 그냥 오래된 시장에 가서 사람들이 사는 모습을 보고 싶다고, 그리고 조그만 식당에서 인도 사람들이 먹는 밥으로 점심을 먹고 마드리드 대학에 가고 싶다고 했습니다. 그는 노 프라블럼 노 프라블럼을 연발하더니 결국 우리를 쇼핑센터 앞에 세워줍니다. 안 사도 괜찮으니까 5분만 들어가 달란 것입니다. 하지만 두세 시간 남짓한 짧은 시간을 쇼핑에 쓰고 싶지 않아 겨우 거절을 하고 우리는 시장으로 향했습니다.

아무 것도 가진 것 없는
거리의 할아버지...
그저 걸인들로 보였던 거리의 사람들이
그제서야 내 할아버지로, 아버지로, 어머니로
내 아이로 보이기 시작합니다.
Another world is possible.
그 말에 담긴 희망을
저 그늘 속에 있습니다.

작은 남대문 쯤 돼 보이는 작은 시장, 그곳에서 조금 거리를 거닐어 보고, 물어물어 한 식당에 들어가 인도 음식도 먹었습니다. 오랜만에 매운 음식을 먹고 나니 행복감이 밀려옵니다. 그 짧은 나들이만으로 인도에 들렀다는 위안을 삼아야 하는 것이 아쉽기는 하지만요.

항구 가까운 대학에 내리는 길, 택시 기사는 처음에 세 사람에 1달러를 달라던 말은 기억조차 못한다는 듯이 반나절을 대여 했으니 20달러를 달라고 합니다. 기름값은 별도로 치고 기다린 요금까지 모두 달라는 것입니다. 자신의 가족이 얼마나 많은지, 얼마나 먹고 살기가 어려운지 장황한 설명으로 이어지는 그의 고전적인 수법에 우리는 그만 20달러를 주고 그를 보내기로 했습니다. 20달러를 받아야 그가 행복하다면….

첸나이 항구 근처의 해변가에 있는 마드리드 대학은 어느 도시나 그러하듯이 대학이 지닌 푸른 기운이 담겨있었습니다. 그들의 오래된 도서관이며 캠퍼스에서 책을 읽고 이야기하는 학생들의 풍경이 우리를 잠시 쉬게 해주었습니다.

인도의 시민사회는 지금 무엇보다 내년 1월에 열릴 월드소셜포럼을 준비하는 일로 바쁜 발걸음을 옮기고 있습니다. 184개 이상의 시민단체가 IGC(The India General Council)를 구성해 여성, 노동, 농민, 환경 등 연대망을 꾸려 준비하고 있었습니다.

이 국제회의가 시작된 건 2001년 1월 브라질에서입니다. 거대한 세계경제포럼(World Economic Forum)이 열리던 2001년, 비정부기구와 민중운동

단체들은 경제, 자본의 이익을 가장 가치있는 것으로 여기는 세계화가 아니라 사람이 중심에 서는 세상, 사람과 사회의 가치가 자본의 가치보다 우선이 되는 세상을 열어가는 세계적인 대항, 대안 네트워크가 필요하다는 생각에 첫 월드소셜포럼을 조직한 것입니다.

세계 각처에서 모인 사람들은 이제 더 이상 한 지역의 문제가 그 사회 내부만의 문제가 아니라는 것을 깨달았습니다. 자본주의의 세계화가 세계의 가장 약한 곳들을 헤집고 파괴하며 전 세계적인 이윤을 만들고 있음을, 수억 년 조화롭게 이어져온 자연 환경을 파괴하고 수천 년 유지되어온 지역공동체를 허물고 있음을 또렷이 보았기 때문입니다.

월드소셜포럼과 함께 하는 전 세계 수많은 시민단체들은 미국의 이라크 전쟁 준비에 반대하며 지난 2003년 2월 15일을 '국제 반전의 날'로 결정하고 행동에 나섰습니다. 그 결과는 상상을 초월한 것이었습니다. 전 세계 100여 개국에서 1천 3백만 명의 사람들이 동시에 반전을 외치며 거리로 나온 것입니다. 일본에서도 약 4만 명의 시민과 청년들이 거리로 나와 반전을 외쳤다고 합니다.

1천 3백만의 세계시민이 각자의 거리에서 반전을, "Don't Attack Iraq!"를 외쳤던 그 힘의 바탕에는 월드소셜포럼이 조직하고 지속해 온 세계 시민사회의 깊은 연대, 지구적 성찰과 연대의 힘이 있었습니다.

2001년 2월 브라질에서 열린 첫 월드소셜포럼에는 117개국에서 온 2만 명의 참여자, 4천 7백 개의 NGO에서 파견된 대표단, 1,870명의 취재진이 참여해 420개의 워크숍이 열렸습니다. 지구를 염려하는 이 참가자들은 전 지구에서 펼쳐지고 있는 인권, 평화, 분쟁, 여성의 문제, 세계화로 인한 지구적 위기의 심각성들을 다루고 그 해결책을 위한 새로운 가능성을 모색했지요.

단 세 해만에 월드소셜포럼은 10배 이상의 규모로 성장했습니다. 지난 2월 브라질에서 열린 제 3차 월드소셜포럼에는 130개국에서 12만5천 명의 참여자, 2만763명의 파견단, 4,940명의 취재진이 모여 1,286개의 워크숍을 가졌습니다. 인도 측에서는 이번 월드소셜포럼 기간 동안 매일 250개 정도의 워크숍을 조직해 갈 계획이라고 합니다.

이번에 피스보트에 탔던 그룹은 월드소셜포럼팀 가운데서도 여성운동과 여성문제를 주제로 참여하고 조직하고 있는 여성운동단체와 청년포럼을 준비하는 팀이었습니다. 그들은 단순히 월드소셜포럼에 대한 홍보가 아니라 인도의 여성문제를 시대별로 표현하는 연극, 노래 춤을 준비해왔어요. 한밤의 갑판에서 열린 '피스풀나잇' 은 그들의 노래와 춤으로 넘실거렸고, 여러 강연과 프로그램을 통해 승객들에게 월드소셜포럼이 무엇인지 인도가 어떤 곳인지를 천천히, 부드럽고도 재미있게 나누어 주었습니다.

마드리드 대학에서 모든 일정을 마치고 다시 배로 돌아오는 길목, 대학 옆을 흐르는 강가 다리 밑에는 월드소셜포럼이 뭔지, 피스보트가 뭔지 관심조차 없을 인도의 가난한 이들이 천막을 치고 밥을 지으며 살아가고 있었습니다.

아이들은 벌거벗은 채 뛰어놀고, 여인들은 길에 누워 아이에게 젖을 물리고 있습니다. 담장 위에 있는 벌거벗은 여자아이의 모습을 사진에 담으려 카메라를 드는데 곁에 있던 한 할머니가 사래질을 하며 고함을 치기 시작합니다. 그리고는 화를 내며 돌을 집어 던지기까지 하십니다.

그 아이가 할머니의 손녀딸이었던 모양입니다. 가난한 인도의 한 풍경으로 바라보았던 그 아이가 할머니에게 누구보다 귀한 존재라는 것을 할머니가 던지시는 아픈 돌 속에 깨닫습니다.

카메라를 거두고 다시 걷는 길, 건너편 나무 그늘사이로 긴 보라빛 천이 펄럭입니다. 깡마른 걸인 할아버지가 나무에 천을 걸고 있었습니다. 궁금한 마음에 길을 멈추고 가만히 쳐다봅니다. 할아버지는 이불로 썼을 듯한 그 천을 나무에 걸더니 천 사이로 어린 손자를 앉힙니다. 부신 햇빛 속에서 할아버지는 마른 손으로 벌거벗은 손자를 보랏빛 천과 함께 밀어줍니다. 천은, 나무는, 할아버지의 손은 그네가 됩니다.

아무 가진 것 없는 거리의 할아버지. 그가 만든 이불 그네가, 그의 사랑이 펄럭입니다. 그저 거리의 걸인들로 보였던 인도의 가난한 이들이 그제사 내 할아버지로, 아버지로, 어머니로, 아이로 보이기 시작합니다.

'Another World is Possible'

그 말에 담긴 희망은 저 그늘 속에 있었습니다.

스리랑카의 검은 의수

10월의 스리랑카, 이곳에 가을은 없습니다. 일 년 내내 여름뿐인 스리랑카의 맑은 햇빛 사이로 갑자기 후두둑 비가 떨어지기 시작합니다. 사람들은 모두 예상했다는 듯이 우산을 펼쳐들고 가던 길을 유유히 갈 뿐입니다. 그러다 5분 뒤엔 거짓말처럼 다시 햇살이 펼쳐지네요. 사람들의 우산도 거짓말처럼 사라집니다.

한국 돈 천 원이면 한 무더기의 사과를, 한 다발의 바나나를 안겨주는 넉넉한 시장. 큰 빌딩 사이사이 식민의 흔적인 고풍스러운 영국식 건물들과 바다가 주는 애잔한 아름다움. 아직 우리 눈에 이 아름다운 섬에 드리워진 20년간의 내전, 수십만 명이 흘린 핏물의 흔적은 보이지 않습니다.

지난 2002년 2월, 스리랑카 정부와 타밀타이거(LTTE 반정부군)의 휴전으로 참으로 오랜만에 누리고 있는 스리랑카 사람들의 이 위태로운 평화, 그 속에 우리는 발을 디디기 시작했습니다.

아름다운 항구도시 콜롬보에서 차로 30분을 달려 상의군인재활센터(Army Rehabilitation Center)에 도착했습니다. 총을 든 군인들이 지키는 삼엄한 정문을 지나 안으로 들어서니 나무와 꽃들로 그득한 아름다운 정원이 우리를 맞습니다. 페인트가 벗겨진 곳을 새로 칠하는 사람들, 꽃을 심는 사람들이 정원 여기저기 보입니다. 모두들 될 수 있는 대로 천천히 그 일들을 하고 있는 것처럼 보이네요.

군복을 입은 의료장교가 우리를 맞이합니다. 이곳은 정부군의 재활병원으로 육군, 해군, 공군에 상관없이 모든 부상자들은 치료 후 이곳으로 후송되어 재활치료를 받는다고 합니다. 이 재활센터는 병동 3개에 91개의 침상을 갖추고 있습니다. 그 중 21명의 환자가 함께 있는 한 병동으로 들어갔습니다.

"이곳에 누워있는 환자들은 테러리스트들의 공격에 맞서 싸우다가 부상을 입은 스리랑카 정부군 군인들입니다."

의료장교가 말하는 테러리스트는 정부군과 내전을 벌이고 있는 타밀타이거, 타밀족 군인들입니다. 스리랑카에서 싱할라족과 타밀족의 갈등이 본격화한 것은 1949년에 정부가 싱할라인만을 국민으로 인정하며 타밀인의 선거권을 박탈했기 때문입니다.

이것을 계기로 시작된 타밀족의 분리운동은 1983년에 이르러 내전으로까지 번지게 되는데, 타밀족 거주 지역에서 정부군이 살해되는 사건이 단초가 되어 싱할라족은 약 1,000명의 타밀족을 학살하고 맙니다. 그때부터 2002년 휴전을 맺기까지 20년간 지속된 스리랑카 내전은 8만 명 이상의 죽음과 160만 명 이상의 난민과 강제 이주민을 낳았습니다. (2006년 7월, 4년간의 휴전은 깨지고 스리랑카는 다시 내전의 소용돌이에 빠져들고 있습니다.)

우리는 전신이 마비된 한 사람 앞에 섰습니다. 환자복 사이로 보이는 그의 검은 발목과 하얀 발바닥, 걸어본 기억이 오래인 듯, 그의 발엔 굳은살이라곤 찾아볼 길이 없습니다.

"이 사람은 뒷목의 부상으로 경추가 손상되어 걸을 수가 없습니다. 이런 경우에는 휠체어가 있어도 스스로 조작이 불가능하기 때문에 전동휠체어가 필요한데 너무 고가라서 지급을 하지 못하고 있습니다. 다만 욕창을 방지하기 위해 물침대를 사용하고 3시간에 한 번씩 자세를 바꾸어 줍니다."

그의 삶은 그렇게 물침대 위에서 세 시간에 한 번씩 자세를 바꾸며 하루를 지내는 것이었습니다. 이 센터는 이렇게 환자들에게 의료치료, 심리치료, 물리치료 크게 세 분야의 치료를 하고 있었습니다.

"재활치료를 받는 사람 대부분이 20대 초반의 청년들입니다. 이들은 부상을 입고 나면 정상적인 결혼, 직업, 사회생활이 어려워지기 때문에 의료적 치료만으로는 사회에 다시 복귀할 수가 없습니다. 때문에 우리는 의료, 심리, 물리치료와 더불어 직업훈련을 함께 하고 있습니다. 그러나 환자 가운데 이곳에서 살기를 원하는 사람이 있으면 장기간 이 센터에서 사는 것도 가능합니다. 그리고 치료기간 동안에도 월급이 지급됩니다. 이곳이 일반 민간 재활치료소와 가장 다른 점이지요."

이곳에 남는 이들은 돌아갈 곳이 없는 가난한 사람들입니다. 1,800만의 인구 가운데 10만 명 정도가 군인이라 하니 성인의 10% 이상이 군인이라는 말입니다. 그러나 군에 갈 수 있는 젊은 남성만으로 그 비율을 따져 본다면 두 집 건너 한 집 정도가 남편이나 아들을 전쟁에 보내고 있는 거지요.

만 18세가 지나면 스리랑카 정부군에 입대할 수 있습니다. 장교는 10년,

사병은 12년을 계약해야 합니다. 사병의 경우 12년 이상 근무를 하게 되면 월급뿐 아니라 집을 제공한다니, 실업과 가난으로 살아가기 어려운 이들이 위험을 무릅쓰고 군대에 지원하는 이유겠지요.

하지만 다리를 잃고 이 병원에서 일하고 있는 타닐카 대령은 군대에 지원한 이유가 돈 때문만은 아니라고 말합니다. 스리랑카, 자신의 힘겨운 조국을 위해 무언가를 하고 싶을 뿐이라고, 특히 이 재활센터에서 다친 어린 군인들을 돕는 일이 자신에겐 참 소중하다고…. 타밀타이거에겐 적군인 그들, 그들 역시 결국은 상처 입은 사람이거나 양심을 따르는 선한 시민들일 뿐입니다.

물리치료실과 재활센터까지 둘러본 우리들을 위해 군인들은 작은 강당에 차를 준비해 두었습니다. 아름다운 찻잔에 스리랑카의 향기가 듬뿍 담긴 실론티를 내어 줍니다. 그리고 장교들과 이야기를 나누는 시간을 가졌습니다.

한 일본청년이 묻습니다.

"왜 평화를 위해 일하지 않고 남을 죽여야 하는 군인이 되었나요?"

"평화를 지키기 위해 군인이 되었습니다. 그리고 평화를 위해 싸우고 죽고 다치고 살아가고 있습니다."

다른 종족, 다른 종교로 인한 타밀족과 싱할라족의 긴 싸움, 2002년 맺은 휴전협정이 아니었다면 이렇듯 이곳에 와 이 사람들을 만나지도 못했을 그 오랜 전투를 지나온 이들에게 우리는 어떻게 평화를 묻고 어떻게 평화를 만들어 가자고 해야 할까요. 평화로운 땅 일본에서 온 젊은이들과 피로 물든 땅 스리랑카에서 청춘을 보낸 이들이 함께 평화에 대해 묻고 대답합니다….

차를 마시고 있는데 한 군인이 몇 개의 의족을 가지고 들어왔습니다. 그리고는 저마다 길이와 크기가 다른 의족들을 강당 앞쪽에 죽 늘어놓았습니다. 하나에 450달러 정도 한다는 의족과 의수, 그것은 이 재활센터에서 환자들에게 줄 수 있는 가장 값비싼 보상일 것입니다.

그 다양한 의수와 의족들을 들여다보고 있는데 갑자기 몇 명의 군인들이 우르르 들어섭니다. 그리고는 중앙 통로로 와 패션쇼를 하듯 두 명씩 걷기 시작하지요. 뒤에서부터 앞으로 걸어온 두 명의 군인은 다리를 걷어 각기 다른 의수를 보여줍니다. 그러더니 의수에서 다리를 빼내 발 없는 다리에 신고있던 긴 양말을 벗어 잘려나간, 해서 둥그렇게 뭉뚱그려진 얇은 발목을 보여줍니다.

다시 두 사람이 걸어 들어오고 그들의 다른 다리와 다른 상처들을 보여주고…. 실론티를 마시며 우리는 의족 패션쇼를 보는 것입니다. 그의 다리가 이 의족에 얼마나 잘 맞는지, 이 의족을 신고 걷는 그의 걸음이 얼마나 자연스러운지, 이 싱할라 군인들을 위한 재건 병원이 얼마나 그들의 부상당한 전사들을 잘 돌보고 있는지….

한 병사가 의수를 더 가져와 보여주는데 문득 무언가 조금 낯설다는 생각이 그제서야 스칩니다. 그랬어요. 스리랑카의 의수는, 그 피부 빛이 검었습니다. 그들의 잘려나간 손과 다리처럼 그들의 의수와 의족도 검은 빛인 겁니다.

그들의 다리가 저토록 둥글고 곱게 아물기까지 그들이 견뎌야 했을 통증은 어떤 것이었을까요. 그 아픔을 가늠해 보며 찻잔을 내리고 일어섭니다. 이들의 오랜 적, 타밀타이거와 타밀 사람들을 만나기 위해….

우리는 다시 콜롬보 시내로 향하고 있습니다. 정부란 것이 존재하지 않는 타밀족, 해서 그토록 오래 자신들의 정부를 얻기 위해 싸우고 있는 타밀족. 그들이 가지고 있는 것은 병원이나 재활센터가 아니라 구호단체 같은 성격의 타밀재건기구 TLO(Tamils Rehabilitation Organisation)입니다.

그곳에서 우리를 맞아준 것은 타밀타이거가 아니라 타밀 사람을 위해 일하고 있는 호주인 마가렛이었습니다. 내전으로 수많은 난민이 발생한 스리랑카 동북부 지역에서 긴급구호와 장기구호, 지뢰제거, 학교 세우기, 보육 등 타밀 사람들의 재건을 위해 일하고 있는 그들의 재정은 타밀군이 아니라 유니세프, Save The Children 같은 해외의 기관들과 전쟁을 피해 조국을 떠난 타밀사람들의 지원으로 꾸려지고 있었습니다. 그러나 그 마저도 휴전협정 이후 계속해서 줄어들고 있다고 합니다. 그러나 아직도 북동부의 전투지역에는 150만 개의 지뢰가 매설되어 있고, 100만 명의 사람들이 집으로 돌아오지 못한 채 난민으로 살고 있습니다.

TLO의 주요 결정자들은 아직까지 해외활동가들이지만 일하고 있는 사람의 99%가 타밀 사람들이라고 합니다. 600명이 지뢰 제거를 위해, 400명이 아이들의 교사로, 100명이 프로젝트를 위해 땀흘리고 있습니다. 나머지 1,000여 명 이상의 유급 자원봉사자들을 합치면 대략 2,500명 정도의 타밀 사람들을 고용해 타밀 사회 재건을 위해 일하고 있는 것입니다.

또 이들은 마이크로 뱅크를 만들어 작은 공동체 단위의 자립을 위한 창업을 지원하고 있습니다. 몇 농가가 모여 트랙터를 사기도 하고, 여성들은 재봉틀을 사서 봉제공장을 시작하고 있기도 합니다. 이 은행은 지난 한 해 동안 새 삶을 개척하려는 사람들에게 1천 2백만 달러를 빌려 주었습니다. 2년 단위로 대출금을 갚거나 연장하는 형태로 운영되고 있으며 신용도 또한 높다고 합니다.

이곳에 온지 8개월밖에 안 되었지만 이곳에 살기로 결심하고 왔다는 호주 사람 마가렛. 그녀는 호주에서 타밀 사람인 남편을 만나 두 사람이 함께 타밀을 위해 일하기 위해 호주에서 스리랑카로 돌아왔다고 합니다. 전쟁만 사람의 생을 바꾸는 것이 아니라 사랑도 이토록 한 사람의 생을 바꾸어 놓고 있습니다.

TLO, 우리는 그곳에서 타밀타이거를 만나지는 못했습니다. 하지만 묻습니다. 싱할라 청년들의 발목을, 팔을, 생을 파괴시켜온 테러리스트는 어디에 있는가…. 이곳에도 사랑이, 아픔이, 청춘이, 고통이 이렇듯 선연히 살아 있을 뿐입니다.

타밀타이거의 병사들은 지금도 동북부의 어느 숲에서 총을 들고 군사훈련을 하고 있을 지도 모릅니다. 그러나 싱할라 사람들이 테러리스트라 부르는 타밀타이거 속에는 타밀의 여인들이, 타밀의 아이들이, 사랑에 빠지고 결혼을 하는 아름다운 여자와 청년들이 이 고통과 아픔의 역사 속에서 저마다의 생을 밀어가고 있습니다. 타밀의 원수인 싱할라의 군인들이 그렇듯 잘린 다리로 재활병원에서 잃어버린 생을 살아가고 있듯이.

사랑에 빠지고
결혼을 하고
아이를 키우며
저마다의 삶을 일궈가고 있는
아름다운 사람들이
서로에게 유대가 되었습니다.
어떻게 평화를 묻고
어떻게 평화를 만들어 가냐고
해야 하는 것일까요...

하룻길, 허나 그 길이 결코 짧다고 느껴지지 않는 것은 우리가 거닐었던 것이 휴전협정으로도 사라지지 않은 어떤 전선이었기 때문일 것입니다. 바닷가의 작은 호텔로 향하는 길, 스리랑카의 저녁은 참 아름답습니다. 정갈하고 고즈넉한 정원을 지닌 집들, 마당마다 흐드러진 여름 꽃들, 평화롭게 거니는 사람들. 그 일상이 지닌 아름다움에 문득 스리랑카로 오는 길, 시부야 선생님이 음악과 내전이란 강의에서 들려주신 스리랑카 혁명군의 노래가 귓전을 흐릅니다.

새로운 세계에 대해 생각하는 것이
벌을 받아야 할 정도로 나쁜 일이라면
사슬로 이어서 제 아들을 데리고 가세요.
창으로 찌르고 손가락을 때리며 모진 고문을 하세요.
…………
불길에 휩싸인 나라에서 물소와 같이 태평한 저 젊은이들은 누구인가요.
감옥에서 당신의 고문으로 죽은 내 아들이야말로 진정한 영웅입니다.
내 아이와 같은 아이들이 몇 백만으로 거듭 거듭 태어나기를….
그러한 아이들 곁에서 그 아이들을 돌보는 어머니가 되기를….

아름다운 스리랑카의 저녁 길
그 고즈넉한 골목을 흐르는 아름다운 멜로디
그 땅에 스민 잔혹한 역사, 애닯은 노래…….

차고 건조한 마음

글은 잘 써지지 않고 내려야 할 날은 다가오고…. 마음도 몸도 답답해져 스리랑카에서 사 두었던 페퍼민트 사탕을 자주 꺼내 먹습니다. 희고 둥근, 그 얇고 단단한 사탕을 입 안에 넣고 이리 저리 굴리다 보면 알싸하게 퍼져오는 페퍼민트 향. 그때쯤 깊은 숨을 들이쉬면 찬물을 끼얹은 듯 차고 싸아한 기운이 혀끝에서 온몸으로 퍼지곤 하지요.

코와 입으로 큰 숨을 몇 번 들이쉬며 그 찬 기운에 답답함을 씻어 내리다가 짙은 초록과 감청색으로 디자인된 포장지를 무심히 훑어봅니다.

차고 건조한 곳에 보관해주십시오.

차고 건조한 곳.

그 문장에 마음이 멎습니다. 차고 건조한 것…. 문득 차고 건조한 것의 쓸모에 대해 마음을 굴려봅니다. 차고 건조한 것이 무엇에 쓸모가 있을 것인가. 하물며 차고 건조한 사람이란…. 얼마 전 분쟁지역 전문언론그룹인 아시아프레스 네트워크의 노나카 씨가 그런 강연을 했습니다.

"사람은 왜 사람을 죽이는 것일까?"

그 물음이 내게 깊숙이 들어와 피곤한 몸이었지만 그 강연에 참석하지 않을 방법이 없었지요. 20년간 분쟁지역에서 생을 보냈다는 노나카 씨는 그 답을 알고 있을까요?

"저는 혈액형이 B형이에요. 차고 냉정한 사람이란 뜻이지요. 지난 20년간 베트남에서 시작해 캄보디아, 미얀마, 에티오피아, 동티모르, 세르비아, 보스니아, 아프가니스탄, 스리랑카… 20년간 아프리카와 아시아에서 일어났던 거의 대부분의 전쟁과 분쟁지역에서 일을 하며 살아왔습니다. 수많은 난민캠프를, 병원을, 싸움터를 다니고 있지요.

그 20년간 저 스스로를 가장 깊이 단련한 것이 있다면 차고 건조한 마음, 그것입니다. 나는 굶주리는 아이들에게 초콜릿이나 빵을 주지 않습니다. 나는 죽어가는 이의 신음 앞에서 울지 않습니다.

내가 죽어가는 아이 앞에서 카메라 대신 눈물을 흘린다면 나는 저널리스트로서의 내 길을 포기해야 해요. 한 조각 빵으로 내 양심을 달래는 대신 스스로에게 잔인할 만큼 차갑게 카메라를 죽음 위에 들이대면서 진실을 길어 올리는 것입니다. 내가 지금 여기에 서서 저 총구 앞에, 저 죽음 앞에 카메라를 들이대지 않으면 얻을 수도 알릴 수도 없는 이 참혹한 현실을 담아내야 하는 것입니다.

차고 건조한 마음. 그것이 20년간 제게 전쟁의 땅을 피와 죽음을 목도하고 기록하게 한 가장 큰 힘일 것입니다.

'사람은 왜 사람을 죽이는가?'

그 물음이 저를 20년이 넘도록 아시아와 아프리카의 수많은 전쟁터로 저 자신을 내몬 것인지도 모릅니다. 그 속에서 제가 언론인으로서 하나 더 깃게 된 질문이 있다면 그것은 어떻게 언론이 그 죽임을 부추기는가? 진실을 학살하는가? 입니다.

전쟁은 늘 두 가지 얼굴을 가지고 있습니다. 한 쪽이 죽는다면 다른 한 쪽은 이긴 것입니다. 사람은 이기기 위해 사람을 죽이는 존재입니다. 그리고 우리는 이긴 자의 눈으로 본 것만을 보게 되는 것이지요.

우리는 이 전쟁을 비디오 게임처럼 지켜보았습니다.

그러나 우리는 아직도 모릅니다. 얼마나 많은 이라크 군인들이, 사람들이 죽었는지. 다만 얼마나 많은 미국군인과 영국군인들이 죽었는지를 알 뿐입니다. 그것이 그들이 보여주고 싶어하는 것과 보여주고 싶지 않은 것의 경계입니다.

이라크전이 일어날 당시 얼마나 많은 사람들이 이라크 전쟁을 지지하거나 반대했는지 아십니까? 일본에서는 70%가 반대했습니다. 그러나 그렇게 많은 사람들이 전쟁에 반대했는데도 전쟁은 일어났습니다. 심지어 부시마저도 '평화'를 택하고 싶다고 했습니다. 그리고 결국 그는 '평화'를 지키기 위해 전쟁을 시작했습니다.

일본 역시 마찬가지였지요. 모든 시민들이 평화를 원하지만 일본 정부는 전쟁을 향해 나아가고 있습니다. 어제 제가 돌린 설문지에 100분이 넘게 응답해 주셨습니다. 여러분 중 90%가 이라크 전쟁을 반대한다고 했습니다. 그러나 여러분 중 60%가 북한에 대해서는 반대한다고 했습니다.

이라크와 북한이 왜 다른가요? 무엇이 다른가요?

여러분 마음 속에 생각은 무엇을 근거로 만들어진 것인가요?

일본 언론은 매일 북한뉴스를 틀어대고, 납북자 가족의 이야기를 보여주며 당장이라도 북한이 뭔가를 일으킬 것처럼 사건을 확대하고 과장하고 선동하고 있습니다. 그 뉴스들이 무엇을 말하고 있는지 생각해 보신 적이 있나요? 아니 하나 더 깊이 묻자면 그 뉴스들이 말하고 있지 않은 것은 무엇인가요?

여러분, 모두 평화를 원하나요? 그러나 지금 우리가 어디에 서 있는지, 무엇을 해야 하는지 묻지 않은 채 막연한 평화를 외치는 것, 그것으로 결코 평화는 오지 않습니다.

진실을 향해 냉철한 눈으로 다가서는 힘, 그것에 의해 판단하고 행동하는 움직임이 필요합니다. 결국은 평화를 지키기 위해 어떤 행동을 할 것인가가 전쟁을 막을 수 있느냐 없느냐를 결정하는 것이기 때문입니다.

우리가 접하는 뉴스의 모든 정보는 정부쪽에 의해 선택됩니다. 베트남전 당시 미국은 수많은 언론인들을 받아들였습니다. 미군이 얼마나 많은 베트남인들을 죽이는지 언론은 이를 기록했고 보도했습니다. 그것이 심한 반전운동을 불러일으켰지요.

그래서 1991년 걸프전 당시나 이번 이라크 전에서 언론인들은 맘대로 진실을 취재할 수 없었습니다. 미국은 종군언론, 즉 미군에 협력하고 통제와 검열을 수용하는 언론에만 정보를 주었기 때문입니다. NHK에서 보도하는 대부분의 정보는 CNN과 BBC로부터 오는 것입니다.

물론 우리(아시아프레스)가 만든 영상도 NHK에서 보도됩니다. 그러나 그것은 1% 미만의 것입니다. CNN과 BBC가 어느 나라의 언론입니까? 미국과 영국입니다. 누구의 시선일 수밖에 없을까요? 미군과 영국군의 보호와 통제 속에 있는 언론인들이 죽어가는 자의 시선에 설 수 있을까요?"

그는 NHK와 아시아프레스가 찍은 다큐를 비교해 주면서 시선의 차이가 길어올리는 다른 진실에 대해, 피스 저널리즘과 전쟁 저널리즘에 대해 세 번의 큰 강연을, 그리고 지구대학 학생들과의 피스 저널리즘 워크숍을 마쳤습니다.

저는 노나카 씨의 모든 강연과 지구대학 학생들과의 워크숍까지 스스로 청해 참여하였습니다. 다른 어떤 강연보다 그에게 깊이 귀 기울인 것은 제가 이라크에서 마주한 언론의 얼굴, 진실의 학살에 대한 기억 때문일 것입니다. 그리고 이제 노나카 씨와 마지막 인터뷰 약속이 남아있습니다. 그러나 나는 그에게 이미 묻고 싶은 것이 없습니다. 어제 그의 강의 내내 스스로 묻고 답을 구했기 때문입니다.

제 질문은 이것이었습니다.

과연 우리가 이 끊임없는 죽음을 넘어 평화에 다다를 수 있다고 생각하느냐고….

배는 점점 더 이라크를 향해 가까워지고 있습니다. 그러나 저는 지난 봄 내가 목도한 죽음들로, 내가 막을 수 없는 죽임들로 내가 두고 나와야 했던 생명들로 인해 얼마나 많이 울어야 했는지, 아무것도 하지 못한 채 보낸 날이 얼마나 많았는지 이제 그 헤아림을 멈추고 싶습니다.

그리고 이제 제 울음도 그치고 싶습니다. 차고 건조한 마음의 창고를 지니지 않으면 진실을 보관할 수 없을 테니까요. 실은 강의 내내 노나카 씨는 한번도 '차고 건조한 마음'이라는 표현을 쓴 적이 없습니다. 그것은 그의 말에 제가 입힌 옷일 뿐….

그런 차고 건조한 마음으로 나는 지금 이 바다 위를 유영하고 있습니다. 때로 너무 잔잔하고 때로 너무 큰 격랑으로 나를 흔들어 놓는 이 바다 위를. 내가 진정 하고 싶은 일은 무엇인가. 내가 진정 가고 싶은 길은 무엇인가. 더 이상 묻지 않기로 합니다.

내가 탄 삶의 배를 운행하는 것이 더 이상 내가 아님을, 그것이 내가 이 배 위에서 깨달아 가는 가장 큰 생의 진실이기 때문입니다.

내일이면 에리트레아에 닿습니다. 30년간의 전쟁 끝에 에티오피아로부터 독립한 아프리카의 신생국. 나는 아직도 그곳의 이름조차 정확히 발음하지 못합니다. 내일이면 그 작은 아프리카의 신생국에 도착합니다. 허나 나는 그곳의 이름 외에 아직 아는 것이 아무 것도 없습니다. 그럼에도 나는 그곳을 향해 지금 이 순간도 쉬임 없이 나아가고 있는 것입니다. 노트를 덮으며 한 구절, 마음의 경구를 옮겨 적습니다.

평화로 가는 길은 없습니다.
평화가 길입니다.
– A. J. 머스트

달콤 쌉쌀한 초콜릿의 나라 에리트레아

초콜릿을 마셔본 적 있나요?
아프리카 대륙 북동쪽 한 귀퉁에 자리한 400만 명이 사는 작은 나라 에리트레아. 그곳의 이름을 외는 일에도 며칠이 걸렸을 만큼 낯선 땅. 그 에리트레아의 기억은 달콤 쌉싸름했던 한 잔의 검은 초콜릿처럼 깊고 진하게 몸의 기억으로 저장됩니다.

어느 항구에서나 마주했던 활기나 설레임도 없이 황막했던 에리트레아 항에서 우리를 기다려주고 있는 것은 건조하고 뜨거운 황야, 그리고 사막의 검고 윤기 흐르는 뱀 같은 살아 움직이는 증기기관차였습니다. 석탄을 때는 증기기관차는 저지대의 황막한 사막 위로 함성 같은 기적 소리와 검은 연기를 뿜으며 내달렸습니다.

그 사막 위에 기나긴 난민촌이 이어져 있습니다. 건기에는 강물도 말라버리는 그 마르고 뜨거운 땅에 삶의 뿌리를 내린 사람들이 살고 있습니다.

우리는 증기기관차를 타고 사막을 건너 다시 버스를 타고 산꼭대기에 올라 비로소 해발 3천 미터에 위치한 수도 아스마라를 만날 수 있었습니다.

별천지. 그 말이 이런 것일까요? 이곳이 아프리카라는 사실이, 사막 위 난민촌과 같은 국적의 사람들이 사는 곳이란 사실이 믿어지지 않을 만큼 서늘하고 아름다운 유럽풍의 작은 도시가 나타났습니다. 이탈리아의 오랜 식민지(1889~1941)였던 에리트레아에는 이탈리아의 식민 유산이 이렇게 고스란히 남아있었습니다.

그곳에서 우리는 에리트레아의 청년들을 만났습니다. 대부분 영어가 유창한 대학생이거나 대학을 마치고 정부기관에서 일하고 있는 청년들입니다. 그들과 함께 아름다운 이탈리아 레스토랑의 뜰에서 저녁을 먹고 차를 마셨습니다.

조금 바람이 서늘해 핫 초콜릿 한 잔을 주문했는데 주문한 초콜릿은 한참이 지나도 나오질 않는 거예요. 왜 이렇게 늦게 나올까 투덜거렸더니 한 친구가 웃으며 제 근처에 있던 검은 잔을 밀어줍니다. 거기엔 검디 검은 초콜릿이 뜨거운 김과 함께 크림 상태로 담겨있었습니다. 핫 초콜릿을 주문해놓고도 진짜 초콜릿이 나오니 알아보지 못한 저 때문에 모두들 웃음을 터뜨렸습니다.

에리트레아 높은 고원에 있는 이탈리아 카페의 뜰에서 차를 마시고 있지만 그곳은 아프리카, 검은 초콜릿의 나라라는 것을, 초콜릿만큼이나 검고 짙은 역사를 가지고 있는 나라라는 것을 깨닫는 데 그리 긴 시간이 필요치는 않았습니다.

그 밤, 제가 잔 집이 어디인지 상상해 보시겠어요?

북아프리카, 에리트레아라는 처음 들어본 나라, 일본의 배를 타고 도착해 아프리카 대륙의 한 모퉁이 산꼭대기 도시에서 제가 잠든 것은 경남건설이 지은 경남아파트였습니다. 참, 재밌죠?

저를 재워준 친구는 샤이란, 스물 두 살의 에리트레아 국립대학에 다니는 여학생입니다. 그녀의 아버지는 그 학교 교수라 했습니다. 그녀가 살고 있는 집은 스무 평정도 되는 아파트지만 에리트레아에서 이정도 아파트 단지에 산다는 건 그들이 결코 평범한 사람들은 아니란 뜻입니다. 고위 공무원이나 교수가 아니면 그런 아파트에 살 수도, 외국인을 자유롭게 만날 수도 없는 것이 정치적 긴장 속에 있는 신생독립국 에리트레아의 상황이니까요.

저녁을 먹고 우리는 아스마라의 밤거리를 산책했습니다. 연소득 150불의 가난한 나라 살림을 쪼개어 운영하는 대학에서 교육을 받은 청년들, 겉으로 보면 힙합을 즐기며 한 잔의 맥주에 춤을 추기도 하고, 끝없이 신나게 노래를 부르는 거칠 것 없는 젊은이지만 그들의 역사는, 그들이 지금 서 있는 에리트레아의 상황은 젊음을 즐기기엔 너무 크고 무거웠습니다.

52년 동안의 이탈리아 식민지, 11년 동안의 영국 식민지 시대가 끝나고 1952년에 독립을 맞았지만 1961년 에리트레아는 에티오피아에 무력으로 강제 합병되고 말았습니다. 1993년 다시 독립을 이루기까지 32년 동안 그들의 부모세대는 에티오피아와 길고 긴 전쟁을 벌였습니다. 하지만 평화는 그리 쉽게 찾아오지 않았지요.

독립된 조국 에리트레아를 일구어 온 이 청년들이 짊어지고 있는 무게 역시 녹록지 않은 것이었습니다. 1993년 이후로도 에티오피아와의 강도 높은 무력충돌은 계속되었고, 그 속에서 그들은 총을 들거나, 국가를 위해 젊음을 바쳐야 했다고 합니다.

대학생은 군 입대를 면제받는 대신 국가를 위해 2년간 무보수로 의무 봉사를 해야 한다고 합니다. 그들 중 몇몇은 그 봉사를 수행하고 있는 중이기도 했습니다. 그들이 받고 있는 교육은 그들의 국가를 세우기 위한 투자이자 투쟁이기 때문이겠지요. 그들의 젊음이 더욱 안쓰러웠던 것은 우리가 지나온 삶과 그들의 삶이 그리 다르지 않아 보였기 때문일 겁니다.

오랜 독립투쟁으로 수많은 사람들이 죽고 난민이 되었지만 여전히 그치지 않는 충돌 속에서 에리트레아는 10만 상비군을 유지하는 군사적 긴장상태에 살고 있습니다. 뿐만 아니라 백만이 넘는 난민들을 정착시켜야 하는 무거운 과제는 풀 엄두조차 내지 못하고 있는 상황이지요. 남쪽으로 국경을 맞댄 수단에 있는 50만의 난민들은 아직 돌아오지도 못하고 있다 합니다.

12만㎢의 땅에 400만 명이 사는 작은 나라 에리트레아.

그 속에서 안정된 삶을 살고 있는 것은, 해발 3천 미터 고원의 숲에서 살고 있는 40만의 아스마라 시민들뿐인 셈입니다. 그러나 언제 다시 식민지의 나락으로 떨어질지 모를 긴장 속에서 그들 또한 한 번도 쉼이나 자유를 품어보지 못한 듯합니다.

다음날 아침, 그들은 우리와 다시 버스를 탔습니다. 함께 버스를 타고 3천 미터의 산길을 내려오는 동안, 누군가의 입에서 노래가 시작되었습니다. 산길을 내려오는 동안 쉬지 않고 불렀던 수많은 노래들, 그 노래가 에리트레아에서 들었던 모든 아픔을, 긴장을 쓸어내리는 아름다운 하행이었습니다.

친구들은 그렇게 노래로 피스보트까지 저희를 배웅해 주었습니다. 피스보트는 그들을 위해 배를 열고, 차와 식사를 준비해 그들의 환대에 고마움을 표했습니다. 하지만 그들이 배에 있는 동안 마음이 편치만은 않았습니다. 이 배는 한 사람당 1만5천 불이 있어야 탈 수 있는 일본 사람들의 크루즈, 그 배에서의 하루 비용이 그들의 1년 수입을 넘을 정도라는 걸 그들도 알아차릴 테니까요.

함께 아스마라를 방문했던 일본친구들, 에리트레아 친구들이 다함께 갑판 위에서 에리트레아의 산과 바다를 배경으로 사진을 찍었습니다. 언제고 자신도 피스보트에 한 번 타보고 싶다는 그들과 마지막 인사를 나누다 어젯밤 샤이란이 들려준 이야기가 떠올랐습니다.

"에리트레아에서 대학을 졸업한 이들은 10년간 해외에 나갈 수 없어요. 정부가 허락하지 않는 한 유학도 취업도, 여행도 마음대로 결정할 수 없어요. 에리트레아를 재건하기 위해 정부가 가진 건 사람뿐이거든요. 우리는 하고 싶어서 공부를 하기도 하지만 나라를 위해서 공부하고 있는 거예요. 그러니까 우리만을 위해서 살 수는 없는 거지요. 무엇보다 그런 법이 아니라면 누가 이 나라에서 젊음을 견뎌낼 수 있겠어요."

샤이란, 그리고 그녀와 같이 젊음을 볼모잡힌 그녀의 친구들을 항구에 내려놓고는 선실로 들어가지 못하고 오래도록 갑판 위에 서 있었습니다. 부두 위에 선 그 검푸른 젊음들이 이 거대한 배가 작아질 때까지 대양을 향해 손을 흔들고 있는 것이 보였습니다. 떠날 수 있는 자와 떠날 수 없는 자 사이의 경계가 주는 무거움이 산 아래와 산 위의 삶 만큼이나 깊고 크게 우리를 에이고 있습니다.

NO MUSIC, NO PEACE

현대 평화학의 아버지라 불리는 요한 갈퉁이 만든 온라인 평화대학에서 음악을, 아니 음악으로 평화를 가르치는 벨기에 사람, 올리비에. 그를 만난 건, 피스보트의 평화음악 강좌에서였습니다. 그의 강좌를 알리는 자원봉사자들이 손수 만든 포스터가 제 마음을 끌었지요.

No Music, No Peace.

음악이 없다면 평화도 없다는 그의 주장이 아름답고 재미있지 않나요. 강의실 안은 온통 피아노 선율로 술렁이고 있었습니다. 그는 끊임없이 피아노로 멜로디를 만들어 내며 사람들에게 물었습니다. 음악을 들으며 어떤 감정의 흐름을 느끼는지….

"이 멜로디는 어때요?"

구두가 저절로 따박 따박 리듬을 맞추는 흥겨운 멜로디에서 심장 깊은 곳을 울리며 지나가는 마이너의 슬픈 멜로디로 클래식부터 재즈까지 여러 장르를 오가며 그는 여러 음률을 들려주었습니다. 사람들은 그의 음악이 자기 속에 일으키는 감정의 흐름을 발견하고 수다처럼 그냥 툭툭 느낌들을 말했습니다. 그는 한창 장난기 어린 얼굴로 사람들을 쳐다보더니 이렇게 이야기 합니다.

"오늘 여러분에게만 특별히 음악의 비밀, 특히 블루스의 비밀을 알려드리

평화를 노래
평화를 자유
평화를
:
나의
여행

지요. 블루스의 맛을 내는 비법이 뭔지 아세요? 바로 이 두 가지 음색을 섞어서 만든다는 거죠.

밝음의 음악과 슬픔의 음악. 두 가지를 동시에 연주할 때 바로 블루스의 흡입력 있는 음악이 나오는 겁니다. 블루스란 음악이 그래요."

그는 곧 블루스의 역사에 대해 들려주기 시작했습니다. 갑자기 영어 대신 일본어로 말이지요. 이제까지는 완벽한 서구인이었던 그의 영어를 통역으로 듣고 있던 청중들은 깜짝 놀라 술렁이기 시작했습니다. 그의 일어가 너무 유창했던 까닭이지요. 그는 그제서야 일본에 온지 12년이나 된 사람임을, 그의 아내가 일본인임을 살짝 알려줍니다. 그리고는 장난기 어린 얼굴로 다시 블루스의 역사에 대해 이야기를 시작합니다.

"블루스는 아프리카에서 잡혀온 흑인들, 그들이 미시시피를 따라 노예로 팔려가며 아무것도 할 수 없는 절망 속에서 그들이 할 수 있었던 유일한 일이었습니다. 만약 그들이 그때 노래하지 않았다면, 연주하지 않았다면, 자신들의 절망을 곡으로 빚어내지 못했다면 그 슬픔을 견딜 수 없었을 거예요. 흑인들이 있어 블루스가 있는 것이 아니라 블루스가 있어 흑인들이 있다고 할까요.

블루스는 슬픔을 노래로 빚어낸 최고의 창조물이에요. 그 깊은 슬픔과 혼돈의 역사가 없었다면 나올 수 없는, 슬픔의 깊은 뿌리가 블루스에 담겨 있는 거지요. 지금 우리가 부르고 듣고 있는 모든 음악, 락에서 재즈까지 현대의 모든 음악 장르가 블루스에서 나왔다고 해도 과언이 아닙니다. 생명, 피, 죽음의 역사 속에서 건져 올린 아름다움이 지니는 힘이지요."

블루스는 평화의 상징이라고 말하는 평화음악가 올리비에. 피아노만 있다면 누구와도 블루스를 만들어 갈 수 있다는 열정적인 음악가 올리비에. 그는 소까 대학에서 12년째 음악으로 평화를 가르치고 있습니다. 벨기에에서 태어나 24살에 미국으로 가 음악으로 박사 학위를 받았다고 합니다. 그리고 불현듯 일본에 건너가 영어를, 음악을 가르치기 시작했다지요.

"우리가 아이들에게 지금 평화를, 평화의 음악을 만드는 법을 가르친다면 우리는 미래에 평화를 사랑하는 리더들을 얻을 수 있을 겁니다. 그러나 일본에서, 아이들은 음악을 배우지 못해요. 심지어 음악을 배울 수도 즐길 수도 의견을 말할 수도 없습니다. 다만 복종을 배울 뿐이죠.

복종을 강요하는 교육은 정치의 도구일 뿐입니다. 내셔널리즘을 생산하고 지탱하는 정치가 아니라 교육과 문화가 정치와 정부를 따라오게 해야 합니다.

나는 대안사회를 만드는 일보다 지금의 시스템을 개선시키는 데 중점을 두어야 한다고 생각합니다. 내가 속한 대학에 대해 만족하지는 않아요. 그러나 내가 선 곳에서 공감과 교감을, 비폭력의 운동을, 새로운 창조를 해 나갈 수 있다고 생각하죠. 나는 내 스스로의 삶으로 세계가 되기를 원합니다. 내 직업을 통해 사회 정의와 변화를 만들어 갈 수 있기를 바랍니다.

한국과 일본에선 90%의 과학자들이 무기회사를 위해 일하고 있어요. 90%의 지식인들이 이익을 위해 사람을 죽이는 일에 참여하고 있어요. 이 시스템으로는 평화로 갈 수가 없습니다. 평화는 눈에 보이는 그런 이익을 만들 수는 없지요. 때문에 사람들은 이익을 위해 전쟁을 택합니다. 전쟁은 구조적 폭력으로부터 옵니다.

지역적 폭력 또한 마찬가집니다. 그리고 그 폭력은 두려움의 문화에 의해 재생되고 지탱되지요. 리얼리즘, 안보주의는 우리에게 강해져야 한다고 가르칩니다. 강해지지 않으면 죽는 약육강식의 세계가 진짜라고. 평화는 허구일 뿐이라고.

안보교육이든, 국제정치든, 경제든 그 모든 것을 작동시키고 있는 것은 두려움입니다. 두려움의 문화를 내포한 교육이 복종하는 아이들을 길러내고 있는 거죠. 그 복종의 끝을 미리 보는 눈, 그것이 나의 호흡입니다. 그 두려움을 넘어서지 못한다면 이 아이들은 커서 무기를 만드는 과학자가, 무기를 사고 팔기 위해 일하는 기업과 정부의 일원이 될 뿐입니다.

내가 음악을 통해 해 나가는 것은 그 두려움의 문화를 평화의 문화로 바꾸어 가는 거예요. 전쟁보다 긴 음악의 호흡으로, 죽음보다 긴 삶의 호흡으로, 지금 내가 선 자리에서 내 스스로의 삶으로 미래를 바꾸어 가는 거예요."

그와 웃고 떠들며 함께 했던 강의, 한 잔의 차, 트랜샌드 워크숍(transcend workshop, 평화학자 요한 갈퉁이 창시한 갈등초월해결법), 그의 제안으로 함께 만들었던 트랜샌드 연극…. 그의 말처럼 그는 일주일 남짓한 여행에서 우리와 함께 음악을 만들고, 노래를 만들고, 관계를 만들어냈습니다. 그리고는 다시 그의 대학으로, 그의 아내 곁으로 돌아갔습니다.

일본으로 돌아가기 위해 배에서 내리는 그를 배웅하기 위해 서 있던 갑판 위에서 장난기 어린 표정으로 손을 흔드는 그를 보다가 그에게서 흐르는 어떤 선율을 듣습니다. 올리비에, 한없이 장난스럽고 한없이 진지한 그의 삶이 연주해 내는 블루스 음악을….

왜 하필 이번 배를 타셨어요

기세 씨, 그는 참 말이 없는 사람이었습니다. 대부분 20대 초중반인 스텝들이 가진 활기와 발랄함과 달리 낯을 가리는 듯 말이 없는 그는 좀처럼 친해지기 어려운 사람이었습니다. 몇 주가 지나도 도무지 곁을 주지 않는 그와 사귀어 보기 위해 어느 밤 일부러 그에게 인터뷰를 하자며 요트클럽의 이자카야(일본식 선술집)에 초대했지요.

"저는 너무 부족한 사람입니다. 그리고 제가 책임자로 있는 피스보트는 무언가 조금은 부족한 상태의 피스보트라고 생각하시면 됩니다. 하필 왜 제가 이번 기항의 책임자인지 안타까울 뿐이에요. 다른 배를 타셨다면 보다 피스보트의 정수를 맛보실 수 있었을 텐데 아쉽고 송구할 뿐입니다."

그가 말하지 않아도 이 사람이 소소한 감정을 드러내지 않으며 자기를 낮출 줄 아는 사람이구나 하는 것은 이미 눈치 채고 있었지요. 피스보트에서 만들어지는 무대 위에서 마이크를 잡고 주목을 받는 것은 늘 료 이치로나 아이, 조안나 같은 이십대 스텝들이었으니까요. 기세 씨가 앞으로 나설 때는 중요한 사안이 발생했을 경우 의견을 조정하는 회의, 기항지마다 게스트들이 타면 갖게 되는 게스트와 스텝들과의 만남 같은 작고 중요한 자리에서였습니다.

대학생으로 시작했던 그들의 동료들 역시 몇몇은 아버지가 되었습니다. 해서 피스보트를 타는 일은 점점 어려운 일이 되어가고 있었습니다. 피스보트의 20주년 기념항해라는 이번 크루즈의 스텝들은 대부분 이십대 초반과 중반의 젊은 친구들입니다.

전문 댄서, 디제이, 연출자, 퍼포먼스 그룹 등 다양한 친구들이 타고 있습니다. 스텝 중 한 명은 폭주족이었던 친구도 있습니다. 몇 년간 잘 나가는 외국계 회사에서 직장생활을 하다가 그만두고 인생의 의미를 찾고 싶어 피스보트에 탔다가 매료되어 스텝이 된 친구, 미국에서 살다 와 대학대신 피스보트를 택해 3년간 열 차례가 넘게 지구일주를 했다는 친구, 현지인 같이 유창한 영어 실력을 지닌 통역팀을 이끌고 있는 동성애자 친구, 일본에 교환학생으로 왔다가 피스보트에 승선한 후 매력을 느껴 일하고 있는 호주 미국 영국의 친구들, 선상 영어 연수 프로그램을 위해 승선하고 있는 수십 명의 외국인 영어강사들, 여행사 직원들, 배의 승무원들….

크루즈 책임자인 기세 씨가 책임지고 있는 600명의 사람, 그리고 항해의 규모는 이렇듯 그리 간단치 않은 폭과 깊이를 지닌 일인 것입니다.

15년 전, 그 역시 한 사람의 대학생으로 아시아의 역사를, 진실을 만나는 피스보트의 평화여행에 함께했다 합니다. 그러나 어느새 피스보트는 20주년 기념항해를 하고 있고, 그는 한 아이의 아버지로, 20주년 기념항해의 전체 책임자로 먼 길을 여행해 왔습니다.

한 해에 지구 일주만 세 번, 남북 크루즈를 한 번 이렇게 네 번의 정기적인 항해를 하는 피스보트는 '피스보트'라는 이름의 NGO로 60명, '자팡 그레이스'라는 여행사로 120명 규모의 직원이 일하고 있는 복합적인 구조를 가지고 있습니다.

그러나 무엇보다 중요한 것은 이들이 지난 20년 동안, 역사의 진실을 찾아 떠났던 평화여행의 첫 마음을 잃지 않기 위해, 사람과 사람 사이의 만남을 통해 평화를 이야기하고, 평화를 위해 행동한다는 그들의 정체성을 잃지 않기 위해 정부와 기업으로부터 전혀 지원을 받지 않고 독립적인 경영구조를 만들어 왔다는 점입니다.

"피스보트를 받치고 있는 두 기둥이 있다면 하나는 60인의 공동대표가 지닌 공동체적 책임, 그리고 또 하나는 독립성이라고 생각합니다. 그것이 우리를 스스로 투명하게 하고, 기대지 않게 하고, 타협하지 않게 하면서 스스로 발전하도록 밀어온 가장 큰 힘의 원천이라고 생각합니다."

기세 씨, 그 역시 피스보트의 가장 중요한 기둥인 60인 공동대표의 한 사람입니다. 공동대표는 모든 의사결정에 대한 권한과 함께 모든 손실에 대한 책임이라는 막대한 짐을 지고 있습니다. 때문에 스텝 중 삼분의 일은 공동대표와 스텝을 겸임하고 있었습니다.

"누구든 새로운 공동대표를 추천할 때는 만장일치로 통과가 되어야 해요. 그만큼 객관적 검증을 거친다는 이야기지요. 누군가가 자신이 아는 사람을 계속 데려와 인맥을 만든다거나 해서 의사결정을 좌우한다거나 하는 분열을 막기 위해 만든 제도가 만장일치제죠. 그 때문에 결정이 느려져 힘든 때도 있지만 그것이 우리가 끊임없이 모든 사람과 대화하고 설득하도록 노력하게 만드는 가장 중요한 소통의 장치이기도 합니다."

한 번의 지구 일주 크루즈에 들어가는 비용이 60억, 사스 혹은 전쟁 같은 예측불가능한 상황이 터지면 크루즈의 승객을 모으지 못해 실패할 위험이 커집니다. 그러나 피스보트는 그런 경우에도 약속대로 배를 띄웁니다. 다만 그 크루즈에서의 손실은 60명의 공동대표가 똑같이 나누어 지는 것이지요. 거기에는 젊은이든, 가난한 스텝이든 예외가 없다고 합니다.

"얼마 전에도 10억 정도의 적자가 난 일이 있었어요. 그때 모든 공동대표들이 약 2천만 원 가까운 돈을 내서 적자의 위기를 넘겼지요. 물론 피스보트의 스텝으로 일하는 대표들은 큰 돈이 없어요. 피스보트의 월급이 200~300만 원 정도, 그 돈으로 도쿄에서 생활해야 하니 어떻게 돈을 모을 수 있었겠어요. 부모님에게 사정을 하기도 하고, 어떤 이들은 집을 내놓아 마련하기도 했습니다. 그렇게 위기를 넘기고 다시 정상궤도로 돌아와 지금은 지속가능한 재정 상태를 되찾았죠."

화려해 보이기만 하는 피스보트의 스텝이 된다는 일은, 공동대표가 된다는 일은 그렇듯 무거운 책임을 나누어 져야 하는 일인 것입니다. 주 7일 근무라고 할 만큼 빡빡한 피스보트의 엄청난 업무량, 크루즈에 승선할 때면 3개월 내내 단 하루도 긴장을 풀고 쉴 수 없는 스트레스, 기상이변이나 분쟁 소식이라도 터지면 온통 난리가 나는 그 긴장 상태를 한두 해도 아니고 20

피스보트 승객들이
스스로 만들어낸 프로그램만으로
그 활력으로 배는 출렁입니다.
비늘을 반짝이며 물살 가르는
자유의 물고기가 됩니다.

년간 해내고 있다는 것은 이 일에 대한 소명과 헌신 없이는 불가능한 것이겠지요.

"제 역할은 사람들이 불편하지 않도록 하는 것이에요. 사람들이 무언가 더 나은 것, 새로운 경험을 하도록 돕는 것은 젊은 스텝들의 몫이지요. 피스보트는 어떤 정부나 기업으로부터도 돈을 받고 있지 않기 때문에 승객들이 편안한 여행에 대한 만족을 하고 돌아가는 것 또한 지속가능한 운영을 위해 아주 중요한 점이에요."

물론 1984년, 첫 배를 아시아로 띄우던 시절부터 모든 게 잘 돌아간 것은 아니었습니다. 일본에만도 지구 일주를 하는 크루즈 회사가 세 개나 있다고 합니다. 그러나 피스보트가 그런 회사들과 겨루어 살아남은 것은 그들이 추구하는 정신 때문이기도 하지만, 그들이 자신의 이익을 위해 일하지 않았기 때문이었습니다. 피스보트는 보다 많은 것을 승객들에게 되돌려 주었지요.

승객들의 식사와 잠자리, 비자 문제 처리, 기항지에서의 관광 등을 책임지는 '자팡 그레이스'는 필요에 따라 만들어진 여행사이기는 하지만 보통 여행사보다 이윤을 덜 남깁니다. 자팡의 이윤은 피스보트로 재투자되고 피스보트는 보다 풍성한 프로그램으로 자팡을 지원하는 순환구조를 가지고 있는 거지요.

그 힘은 피스보트를 아시아 일주에서 지구일주로 나아가게 했고, 지구 곳곳에 피스보트 국제 사무소를 만들고, 유엔 경제사회이사회의 협력기구라는 지위를 얻을 수 있게 했습니다.

국제 NGO로서 피스보트는 일본 내에서도 그들의 목소리를 내고 있습니다. 어디에도 의존하지 않는 이 젊은 그룹, 행동하는 그룹은 일본의 평화헌법 9조 폐기를 정면으로 반대하고, 북한에 대해 혐오에 가까운 뉴스를 쏟아내는 일본 사회에서 북한과 교류하자고, 북한과 평화로운 관계를 맺자고 소리내어 외치는 거의 유일한 그룹인 것이지요.

크루즈의 총책임자로서 너무 힘들지는 않은지 걱정했더니 기세 씨는 웃으며 말합니다.

"제 역할은 아무것도 하지 않는 거예요. 부채를 생각해보세요. 각 부채의 살이 한 곳에 모여있지요. 그것을 모으고 있는 고리는 움직이지 않잖아요. 저는 피스보트에서 그런 존재에요. 각 스텝들이 자신들을 펼쳐서 승객들에게 나아가도록, 그들과 함께 피스보트가 다다르기 원하는 세계의 아픔, 그리고 평화에 이르도록 돕기 위해 여기 이렇게 가만히 있는 존재라는 거죠."

하필이면 자기가 맡은 피스보트를 타 좀 부족한 여행을 하게 해 미안하다는 기세 씨가 실은 가장 훌륭한 피스보트 책임자가 아닐까요? 이 커다란 배의 가장 낮고 든든한 중심, 닻처럼 말이지요.

내가 웃고 있어요!

곧 배는 세상에서 가장 아름다운 빛을 지녔다는 바다, 수에즈 운하를 지나갈 것입니다.

이 여행을 준비하던 지난 가을, 도쿄에서 이스탄불에 이르는 십여 개의 지명 중 제게 가장 큰 설레임을 준 것은 이집트였습니다. 스핑크스 때문도, 피라미드 때문도 아니었습니다. 그것은 다만 수에즈 운하 때문이었습니다.

수에즈를 지날 때면 그저 배 위에서 아무 것도 하지 않고 침묵 속에서 수에즈의 눈부신 푸른빛을 바라보라고, 세상에서 가장 아름다운 햇살과 바다를 보게 될 것이라고 귀뜸해 주었던 한 벗의 이야기를 기억하고 있습니다.

점령의 피로 젖어드는 이라크의 뉴스로 마음이 아득해 지는 날이면 수에즈의 푸른빛을 그려보며 마음을 잠재우곤 했었지요. 그러나 저는 결국 그 아름다운 수에즈를 보지 못하게 될 듯합니다.

지난 밤, 프로그램 디렉터 료 이치로가 저를 급히 찾는다며 누군가 제 선실 문을 두드렸습니다. 밤 10시, 피스보트 사무실에 가 보니 료와 국제부 스텝 조안나가 기다리고 있었습니다.

"조안나와 마리아, 두 분은 내일 밤 12시에 이집트 항 연안 바다에서 먼저 하선하세요. 그곳에서 내일 아침 비행기로 바로 이스탄불로 가실 수 있도록 항공권을 준비해 두었습니다. 두 분은 우리가 이집트를 떠나 이스탄불로 항해하는 일주일 동안 터키 시민단체와 접촉해 한 · 일 · 터키 공동 파병반대 집회를 한국의 집회와 같은 시간에 열 수 있도록 준비해 주셔야 합니다. 그에 필요한 모든 비용은 피스보트 측에서 책임질 것입니다."

피스보트가 터키, 이스탄불에 도착하는 10월 25일, 한국에서 대규모 파병반대 집회가 열린다는 소식을 듣고 배에 타고 있던 동료들과 함께 제안한 한 · 일 · 터키 3개국 파병반대 공동 집회 안이 피스보트 도쿄 사무국과 배의 스텝회의에서 통과된 것이었지요.

이토록 확고한 눈빛으로 말하고 있는 사람이 대학도 가지 않은 22살의 청년이란 사실이 도무지 믿어지질 않았습니다. 19살, 처음 피스보트를 타고 난 후 4년째 지구일주를 한 해에 두 세 번씩 하고 있다는 료 이치로, 그는 피스보트에서 배우는 것이 대학에서의 것보다 크다고 생각해 대학진학을 하지 않았다고 합니다. 크루즈의 예산 가운데 배의 운영비를 뺀다면 가장 큰 단일 예산인 20억의 돈으로 3개월간의 모든 국제 프로그램과 기항지 프로그램을 총괄하는 그의 위치는 프로그램 디렉터.

상상할 수 있으실런지요. 22살의 청년에게 그 모든 프로그램의 책임을 질 기회를 주는 피스보트의 도전과 열린 공간이 주는 팽팽한 활력을…. 배에 처음 타던 날 본 그의 모습은 연예인 같이 깔끔한 정장을 입고 승선하는 이들을 맞이해 주던 호스트의 모습이었습니다.

그런데 그 다음날 승객들에게 피스보트의 프로그램과 스텝들을 소개하던 그는 스킨스쿠버 차림의 우스꽝스러운 모습이었습니다. 너무 재미있어서 왜 그 옷을 입었느냐고 물었더니 그가 야무지게 대답했지요.

"우리는 피스보트의 항해 의미도 전해야 하지만 그에 앞서 승객들에게 여행으로서의 흥분과 재미를 충분히 느낄 수 있도록 도와주어야 해요. 제 의상은 프로그램에 맞게 그때 그때 제가 선택하는 거죠. 스킨스쿠버 수트는 강한 인상을 주기 위해 고른 첫 의상이에요."

밤이면 그는 이자카야와 칵테일 바, 댄스클럽을 오가며 승객의 절반 정도를 차지하는 이십대 청년들과 밤늦도록 파티와 춤을 즐기는 고된 일정(?)을 너끈히 감당해 내곤 합니다. 또 아침이면 스텝회의를 주관하고, 게스트들이 승선하면 흠잡을 데 없는 영어로 그들을 맞이해 피스보트의 이번 테마와 전체 프로그램에 대해 설명하는 국제회의 진행자의 면모를 보여주고 있었습니다. 일주일이 아니라 석 달을 그렇게 살아야 하는 피스보트 스텝들이 이십대 초중반인 것은 그 일을 감당하려면 그 만큼의 체력이 아니면 안 되기 때문인지도 모르겠습니다.

그러나 무엇보다 그는 이미 팔레스타인과 중동을 수차례 오간 팔레스타인 전문가였습니다. 2002년 월드컵 때는 부산에 와서 팔레스타인 팀을 응원하기도 했고, 팔레스타인에 올리브 나무를 심는 피스트리 프로젝트를 진행하고 있기도 합니다.

료에게서 엿보았던 피스보트의 푸른 정맥을 뒤로 한 채 짐을 꾸리기 위해 선실로 걸음을 돌립니다. 일 년전 피스보트 국제부 스텝으로 일을 시작했다는 호주 친구 조안나는 조금 긴장된 모습으로 사무실에 앉아 도쿄로 이메일을 보내고 있었습니다. 피스보트가 터키를 향해 가고 있지만 터키의 시민단체들과 접촉하고 있는 것은 도쿄 사무실이기 때문입니다. 그들이 우리가 이집트에 내려 터키에 가는 시간 동안 터키의 평화단체에 공문을 보내 공식적인 연대를 요청하고 있는 것입니다.

이튿날 저녁, 작은 가방을 꾸려두고 밤 12시에 오기로 한 배를 기다리는 제게 몇몇 일본 친구들이 찾아왔습니다. 배를 함께 기다려주기 위해 요트클럽에 한 달간 함께 했던 자원봉사팀 친구들이 모여 있다는 것입니다.

밤이면 이자카야로 변하는 요트클럽 한켠에는 스무 명이 넘는 친구들이 긴 테이블에 모여 저를 기다리고 있었습니다. 제가 들어서자 그들은 모두 일어서더니 노래를 하기 시작했습니다. 생일 축하 노래였습니다.

생일을 앞두고, 수에즈를 포기하고, 이스탄불 평화집회를 위해 먼저 길을 떠나야 하는 저를 위해 함께 여행하던 이들이, 한 달간의 평화여행을 함께 해 온 자원봉사팀 친구들이, 우리들이 준비한 강연과 평화카페에서 만났던 일본 승객들이 미리 앞당겨 생일파티를 준비해 준 것입니다.

저마다 준비해 온 작은 선물을, 편지를 제게 건내며 부어주던 한 밤의 축하. 그 축하 속에서 얼굴이 발갛게 상기되도록 웃고 노래하고 마음을 적시며 저는 문득 깨달았습니다. 제가 다시 크게 웃고 있다는 것을. 제가 다시 노래하게 되었다는 것을. 지난 봄, 이라크에서 돌아오며 잃어버렸던 크고 환한 생의 웃음들을 다시 되찾아 가고 있다는 것을….

함께 불렀던 노래들이, 깊은 귀 기울임이, 함께 준비했던 크고 작은 평화행동들이, 연극이, 춤이, 노래가 달빛에 부서지며 생기는 검은 파도의 하얀 포말처럼 제 속의 무겁고 아픈 기억들 위로 웃음을 피워올리고 있다는 것을….

밤 12시부터 기다린 배는 웬일인지 오지 않고 있습니다. 10시부터 모여 저를 위해 생일파티를 준비해 준 친구들은 그 늦은 밤까지도 갑판 위에서 밤바람을 맞으며 저를 지켜주고 있습니다.

누군가 노래를 부르기 시작했습니다. 우리가 배에서 열었던 평화카페에서 함께 배웠던 노래, 아침이슬이었습니다. 한국말로 부른 아침이슬이 끝나고, 다시 하나송이 이어졌습니다. 이번엔 우리가 일본말로 그 노래를 따라 불렀습니다. 그렇게 몇 시간을 우리가 서로 함께 부를 수 있는 노래로, 함께 귀 기울일 수 있는 노래로 채우며 바닷바람 속에서 그 밤을 함께 보냈습니다.

새벽 3시, 드디어 배가 도착했습니다.

10층 건물 높이의 피스보트에서 줄사다리가 바다 위로 떨어지고, 거친 바람 속에서 흔들리며 조안나가 먼저 저 아래 작은 배로 내려갔습니다. 그리고는 저도 줄사다리를 타고 한 걸음 한 걸음 내려가기 시작했습니다.

갑판 위에 있는 한 사람 한 사람의 얼굴이 조금씩 멀어집니다. 자원봉사팀 친구들, 제 이라크 강연을 듣고 눈물 젖은 얼굴로 찾아와 오키나와 이야기를 들려주시며 언제고 꼭 이라크에 같이 가고 싶다며 제 손을 잡아주시던 오키나와의 의사선생님, 함께 트랜샌드 워크숍을 마치고 이제 해마다 평화를 위해 한국 친구들에게 연하장을 쓰겠다고 약속하던 세이 할아버지, "네 보물은 무엇이니?" 그 물음 하나로 지구를 일주하고 그 이야기를 책으로 묶었던 하나코, 피스 저널리즘 강의를 위해 배에 승선해 며칠을 함께 논쟁하기도 했던 독일사람 미카엘, 가나가와에서 라디오 방송을 진행하기도 했다는 아름다운 목소리의 유카.

바람 속에 줄사다리를 타고 10층 빌딩에서 내려오는 것이나 다름없던 한밤중의 하선. 그때 사다리에서 내려오는 제 걸음이 떨렸던 것은 사다리 아래의 파도 때문이 아니라 갑판 위에서 저를 내려다보고 있던 그들의 맑은 눈빛들 때문이었을 것입니다.

노랫소리도, 피스보트의 거대한 불빛도 파도와 어둠 속으로 묻히자 통통거리는 엔진을 켜둔 작은 배 위에는 우비를 입은 낯선 선원 몇 사람과 조안나, 그리고 저만이 남았습니다. 피스보트가 점점 멀어져가자 새벽의 이집트 항구가 조금씩 검은 윤곽을 드러냈습니다.

새벽의 이집트 항, 그곳에서 조안나와 저는 평화의 모험을, 이스탄불로 향하는 또 다른 여행을 시작합니다.

이스탄불 항에서 일어난 30분의 기적

이스탄불에서 우릴 맞아 준 건 피스보트의 육지 스텝들이었습니다. 각 기항지마다 배보다 먼저 도착해 현지 여행사 및 단체들과 승객들이 여행하게 될 기항지 프로그램과 여러 이벤트, 평화행동, 세미나, 기자 회견 등을 조직해 두는 만만치 않은 일을 겨우 두세 사람이 해 내고 있었습니다.

그들이 묶고 있는 호텔에 짐을 풀고, 조안나와 저는 도쿄 피스보트 사무실에서 명단을 보내준 평화단체를 찾기 위해 이스탄불의 중심, 탁심 거리로 나섰습니다. 우리가 제일 먼저 찾아간 것은 이라크 국제법정을 준비하고 있는 Peace Initiative였습니다. 탁심 거리의 대부분 건물들이 그렇듯 백년 혹은 이백년을 넘나드는 아름다운, 하지만 너무나 낡은 한 건물 4층에 자리하고 있는 조그마한 사무실이었습니다.

사무실 안은 낡은 책상 몇 개, 그리고 두 사람의 중년 여성이 일하고 있었지요. 지난 봄 터키 국회가 미국의 전쟁 지원문제를 두고 의결할 때, 국회 밖에 운집했던 십만 평화집회를 이끌어낸 강력한 평화운동 단체들을 상상하고 이스탄불에 갔던 우리는 걱정이 앞섰습니다. 이들이 우리를 도울 수 있을까….

역시나 자신들은 너무 바빠 실무를 돕기는 어려우니 우리를 도울 사람을 찾아주겠노라고 내일 아침에 다시 오라고 저희를 돌려보냈습니다. 조안나와 저는 탁심 거리를 터덜터덜 걸으며 낙심한 마음을 거리에 흐르는 아름다운 시타 소리로 달래며 하루를 보냈습니다.

다음날 아침, 우리가 만난 사람은 바로 굴샷입니다.

굴샷, 그의 인상을 어찌 설명해야 할까요. 백설공주의 착한 난장이 같다고 하면 상상이 될까요? 그는 서툰 영어로 우리를 돕기 위해 진땀을 흘리며 노력했습니다. 일주일 남은 시간이 하루 하루 촉박하게 다가오고 있던 탓에 어떤 선택도 할 수 없던 조안나와 저는 그와 함께 미로 같은 탁심의 뒷골목을 찾아다니며 반전평화 단체들을 만나기 시작했습니다.

신기한 것은 그 작고 마른 굴샷과 함께 거리를 걷노라면 5분에 한 사람쯤 걸음을 멈추고 굴샷에게 인사를 건네오는 것이었습니다. 그때마다 굴샷은 우리에게 친구들을 소개시켜 주었습니다.

양심적 병역거부자라는 우르, 반전평화와 세계화 문제를 다룬다는 다큐멘터리 감독, 이스탄불 소셜포럼에서 일한다는 핫산과 오야, 주말에 열릴 이스탄불 국제 문화페스티벌을 준비하고 있다는 예술단체 친구들…. 그와 함께 탁심 거리를 걷고 난 후 조안나와 저는 굴샷과 함께라면 우리가 이스탄불에서 만나야 할 모든 사람을 만날 수 있다는 걸 알게 되었지요.

토요일을 3일 앞둔 목요일, 굴샷은 탁심에 있는 한 카페에서 목요일마다 평화토론이 열린다는 소식을 알려주었습니다. 그 토론회의 주체자는 앙가라 십만 반전집회의 주요한 리더였던 이스탄불 정의평화연합으로, 그날은 마침 그 단체의 주요한 활동가인 터키의 유명한 영화배우 아말이 오는 날이라는 것입니다.

그 카페에 무작정 찾아간 조안나와 저는 토론회에 참여해 우리가 왜 이스탄불에 왔는지를 설명하고 거기 모인 단체와 사람들이 함께 토요일 파병반대 3개국 평화집회에 참여해 줄 것을 요청했습니다. 그날 토론회의 진행자였던 영화배우 아말은 선뜻 자신도 토요일 평화집회에 참여하겠다고 뜻을 밝혀주었습니다. 정의평화연합의 대표인 여성리더 이지디는 이스탄불 평화단체들이 벌이고 있는 반전평화 토요 침묵시위에 우리가 참여해 줄 것을 되려 요청하기도 했습니다.

그날 목요 토론을 마치고 이지디와 함께 토요일 오전에 발표할 평화선언문을 밤새 작성했습니다. 금요일에는 공동참여를 허락한 단체들에 공문을 보내어 검토를 받고, 일본과 한국에까지 보내어 교정과 승낙을 얻은 후 현장을 점검하기 시작했습니다. 그러나 정작 문제는 거기서부터 시작되었습니다.

〈미드나잇 익스프레스〉라는 영화로 유명한 악명 높은 터키의 치안경찰, 그들을 잊고 있었던 거지요. 집회에 모인 군중들을 강제 해산시키며 외국인이든 누구든 가리지 않고 체포한다는 터키의 경찰. 그래서 감옥에는 2만 명이 넘는 양심수로 넘치고 있다는 사실을 미처 신경쓰지 못하고 있었던 것입니다.

게다가 집회 후 탁심 거리에서 평화행진과 촛불집회, 평화페스티벌을 하려면 경찰의 승낙 없이는 불가능한 것이었습니다. 우리는 그길로 탁심 경찰서로 찾아갔습니다. 그리고는 서장을 만나 토요일의 행사가 집회가 아니라 문화행사라고 설득하기 시작했습니다. 그런데 뜻밖에 매듭은 이상할 정도로 쉽게 풀리는 게 아닌가요.

일본 영화를, 특히 만화영화를 좋아한다는 서장은 피카츄와 포켓몬, 캔디까지 읊어대는 우리 이야기에 한참을 웃더니 흔쾌히 허락을 해 준 것입니다. 게다가 그 날이 제 생일이라는 말에 자기 방에 전시되어 있던 이스탄불 기념 접시를 선물로 주기까지 했습니다.

낯선 경찰의 모습에 굴샷은 고개를 갸웃거리며 나오더니 내일 집회를 위해 평화밴드 멤버들과 연습을 해야 한다며 서둘러 돌아갔습니다. 조안나와 저는 숙소로 돌아와 다음날 아침 일찍 들어올 피스보트를 맞이하기 위해 밤을 밝혔습니다.

서서히 동이 터오기 시작하는 보스프러스 해협, 그 푸른빛은 비에 젖어

어둠 속에서 통통배를 타고 이집트 새벽항구에 도착하던 일,
대책없이 택시거리를 찾아가 헤매이던 일,
배가 들어오지 못한다는 터키경찰의 엄포에
가슴 졸이던 이스탄불 항의 아침,
그러나 마침내 긴 반전 배너를 걸고 입항하던
피스보트를 맞이하던 그 아름다운 순간들…
여행은 늘 그렇듯 놀라운 모험입니다.

회색빛을 띄고 있었습니다. 아침 일곱 시에 들어올 예정인 피스보트를 맞으러 우리는 새벽 다섯 시부터 항구에 나가 있었습니다. 여섯 시가 조금 넘어서자 터키의 반전평화단체 사람들이 하나 둘씩 나타나기 시작했습니다. 그리고 배가 다가올 일곱 시가 가까워지자 촬영일정까지 급하게 조정했다는 영화배우 아말이 요란한 카메라 세례를 받으며 부두에 들어섰습니다.

이상하게 쉽게 풀린 일은 거기서 다시 꼬이기 시작했습니다. 어제 만났던 이스탄불 경찰서장은 파병반대 기자회견 소식을 듣고 경찰들을 이끌고 득달같이 달려왔고, 배에 20미터가 넘는 4개국어로 만들어진 파병반대 현수막을 걸고 선상시위를 하며 입항하던 피스보트가 입항을 저지당하고 있다는 연락이 온 것입니다.

설상가상으로 피스보트의 선장까지 노발대발하며 그런 선상시위는 결코 허락할 수 없다며 피스보트 스텝들과 배 위에서 충돌하고 있다는 소식이었습니다. 그는 〈미드나잇 익스프레스〉도 못 보았냐며 터키 경찰에게 이런 행동을 하는 건 정신나간 짓이라고 노발대발하고 있다고 합니다.

피스보트로서는 여간 곤혹스러운 상황이 아닐 겁니다. 일 년에도 두세 번씩 이스탄불에 입항해야 하고 선장과는 남은 2개월의 항해를 계속해야 하는 상황에서 이런 대립은 앞으로의 항해에 너무 큰 파장을 남기는 것이기 때문입니다. 더욱이 승객이 체포되거나 다치기라도 한다면 정말로 문제는 걷잡을 수 없게 될 테니까요.

항구에선 경찰이, 배 위에서는 피스보트 선장이 노발대발하며 평화집회를 당장 멈출 것을 요구하고 있었고, 이미 온갖 언론사의 기자들이 카메라를 들이대며 기다리고 있는 사면초가의 상황입니다. 그때 갑자기 경찰서장이 저를 불렀습니다. 그는 제게 물었습니다.

"승객들이 모두 내리지 않고, 최대한 빠른 시간 안에 성명서만 읽고 평화롭게 집회를 마칠 수 있습니까?"

기적이 일어난 것일까요? 그는 연이어 말했습니다.

"그렇다면 딱 삼십 분만 집회를 허용해 주겠소."

국내 언론은 물론 외신들까지 카메라를 들고 나타나자 그 엄혹하다는 터키 경찰도 한 걸음 양보할 수밖에 없었던 것이겠지요.

거대한 피스보트를 뒤로 하고 터키, 일본, 한국 대표들은 차례 차례 3개국의 파병을, 이라크 전쟁 자체를 반대한다는 공동선언을 읽기 시작했습니다. 일본 측 대표가 한 줄을, 터키의 대표가 한 줄을, 그리고 한국 측에서 한 줄을….

쏟아지는 빗속에서 경찰과 기자들에게 둘러싸여 성명서를 읽는 것은 겨우 몇 십 명이었지만 그 성명서를 읽는 우리와 함께 하고 있는 것은 피스보트에 타고 있던 600명의 일본 시민들이었습니다. 그리고 같은 시각, 한국에 모여 파병반대를 외치고 있는 일만 명의 시민들이었습니다.

배 위에서는 물에 젖어 더욱 무거워진 거대한 현수막을 평화팀 친구들이 움켜쥔 채 버텨주고 있었습니다. 그들이 밤을 새워 한 글자 한 글자 바늘로 꿰매어 만들었다는 평화의 현수막. 그 글자들이 빗속에서 우리 대신 평화를 소리치고 있었습니다.

피스보트는 떠나고… 길은 다시 시작되고

이스탄불의 호텔에서 눈을 뜬 아침, 더 이상 제 방이 선실이 아님을, 동그란 창으로 보이던 늘 출렁이던 푸른 대양은 이제 저의 것이 아님을 깨닫습니다. 어젯밤 그 높디높은 갑판에서 배웅하는 이들을 향해 두 시간이 넘게 팔을 흔들었던 탓인지 어깨며 머리가 뻐근하게 저려옵니다.

배의 출발이 늦어지는 바람에 부둣가에서 두 시간이나 팔을 흔들고, 춤을 추고, 그것도 모자라 배 위에서 던져진 수백 개의 리본을 모아 커다란 평화 마크, 하트 모양을 만들며 배웅했으니 그럴 만도 합니다.

일주일간 같은 방에 머물렀던 조안나는 다시 피스보트를 타고 나머지 지구일주를 향해 달려가고, 이제 제 곁에는 어제 배에서 내려 이라크까지 함께 동행할 다른 동료가 남아있습니다. 가만히 누워서 조안나와 함께 했던 이집트에서 이스탄불까지 일주일간의 모험을 떠올려봅니다.

새벽 세시 거대한 피스보트에서 바람에 거세게 흔들리는 줄사다리를 타고 작은 통통배에 내려 새벽 어둠 속에 이스탄불 항구에 도착하던 일, 이집트에서 피라미드와 스핑크스를 안 보고 갈 수는 없다고 뜬 눈으로 새운 빨간 눈으로 굳이 피라미드가 있는 사막에 가 낙타를 타고 스핑크스를 만져보았던 카이로의 아침, 이집트 공항에서야 제가 여권을 잃어버렸다는 사실을 깨달아 조안나는 비행기를 타러 들어가 피스보트에 긴급 상황을 타전하고 저는 걸어서 호텔까지 돌아와 기적처럼 여권을 되찾아 비행기를 간신히 잡아탔던 일, 아무것도 모른 채 평화단체 주소 하나만 달랑 들고 탁심 거리를 헤매던 일, 이스탄불 경찰서장을 찾아가 피카추와 포켓몬에서 캔디까지 들먹거려 집회 허가를 받아내던 일, 탁심 거리 국제공연 페스티벌의 한가운데 평화의 촛불로 탑을 쌓고, 우리의 노래를, 그림을, 춤을, 공연을 하나 하나 이스탄불 거리 위에 펼쳐놓던 그 아름다운 밤.

조안나를, 아이를, 기세 씨를, 세이 할아버지를, 미카엘을, 피스보트를… 한 달간 함께 여행했던 사람들과 기억들을 떠나보내고 이라크로 향하는 가방을 든 채 이스탄불에 남겨진 아침, 폭풍이 지나간 바다처럼 혼곤한 고요가 제게 남아있습니다.

아침 일찍 다시 굴샷을 만나 일간지들을 사모았습니다. 몇몇 신문은 일면에, 몇몇 신문은 사회면에 어제 아침 빗속에서 피스보트와 함께 한 선상시위와 평화집회의 기사들이 실려 있습니다. 굴샷은 〈싱잉 인 더 레인〉에 나오는 남자 주인공처럼 비오는 골목길을 뛰어 두 발을 옆으로 타닥 부딪히며 신명에 겨워합니다. 일주일 전 들이닥친 한 동양여자와 호주여자, 그리고 터키사람 굴샷, 재미있는 이 삼인조가 함께 만들어 낸 3개국 공동시위가 굴샷에겐 재미있는 선물이, 추억이 될 듯합니다.

굴샷은 헤어지기가 못내 아쉬운지 자기가 리포터를 맡고 있는 독립 라디오 프로그램에 출연해 달라고 청했습니다. 터키 시민단체들이 만들어 독자적으로 운영한다는 작은 라디오 방송국은 탁심 바로 근처에 있었습니다. 작은 건물 3층에 따로 스튜디오까지 가지고 있는 이 라디오방송국은 대부분 자원봉사 진행자들로 운영되고 있었습니다.

귤샤이 출연하고 있는 프로그램은 한 주간 이스탄불에서 일어난 일을 전하는 이스탄불 NGO 소식 같은 것이었나 봅니다. 도쿄에서 피스보트를 타고 이스탄불에 선상시위로 요란하게 입성한 우리 소식은 신문뿐 아니라 그 라디오에서도 화제가 되었습니다.

귤샤과 저는 늘 그랬듯이 서로 서툰 영어로 웃고 떠들며 인터뷰를 나누었습니다. 그는 마치 처음 만난 사람처럼 제게 질문을 하기 시작했고, 저는 처음인 것처럼 그에게 대답을 하기 시작했습니다.

왜 이스탄불에 피스보트를 타고 오게 되었나요?

피스보트는 평화를 여행하는 배예요. 이라크로 가는 길도 평화여행이구요. 평화여행을 평화의 배로 하고 싶었어요.

피스보트는 무엇을 하는 배인가요?

평화를 여행하는 배, 사람과 사람의 만남으로 평화를 만들어 가는 배예요. 여행으로 세상을 바꾸어 가는 거죠.

왜 지구일주를 하지 않고 이라크로 가려는 결정을 하셨나요?

세계를 일주하지 않아도, 이라크 안에서 세계를 볼 수 있다고 생각했어요. 아니 어쩌면 평화를 찾기 위해 더 이상 세계 일주를 할 필요는 없다고 생각했어요. 세계는 지금, 이라크 속에서 신음하고 있으니까요….

그 말들이 제대로 전하여 졌는지는 알 길이 없습니다. 그의 영어도, 저의 영어도, 그 말들을 나누어 갖기엔 너무 서툴렀던 까닭입니다. 그러나, 그 마음은 이미 나누어 갖고 있다는 것을 그도, 저도 알고 있습니다. 기억하고 있습니다.

이제 피스보트는 떠나고 다시 길은 시작되고 있습니다.

3부 | 평화여행

슬픔의 경계 희망의 경계에 서서

삭제된 기억

어느새 6개월이 흘렀습니다. 죽음의 문 앞에 서 있던 사람들은 이미 죽음의 문턱을 넘었을 것이며 잘린 다리 위로 뭉툭한 새살이 돋았겠지요.

수아드의 편지 속에서 만나는 이라크는 조금씩 평화를 찾아가고 있었습니다. 이제 전기도 하루 몇 시간씩은 들어오고 전화도 연결되고 있다 합니다. 차를 구할 수도 기름을 살 수도 없었던 바그다드 거리는 이제 전쟁 이후 밀물처럼 들어온 차량들로 러시아워를 이룰 정도라 하지요. 그러나 수아드는 이라크에 산다는 것이 점점 더 힘겹게 느껴진다고, 전쟁 전보다도 깊은 어떤 절망이 내려앉고 있다고 말합니다.

오지 말라고, 이제 전쟁대신 평화를 여행하라고 저를 밀어내던 그녀에게 결국 다시 이라크에 간다고 편지를 보냈습니다. 그리고 그녀는 제게 다시 물었습니다. 처음처럼.

왜 이라크에 오려고 하느냐고….

바그다드에서 요르단 1천km의 광야를 혼자 건너며 묻고 또 물었던 그 물음, 어쩌면 나는 그 물음에 답을 찾고 싶어 다시 짐을 꾸렸는지도 모릅니다. 전쟁은 이라크인에게 무엇을 남겼는지. 종전 후 6개월, 미군은 그곳에서 무엇을 하고 있는지. 그러나 가장 중요한 질문은 나를 향해 있습니다. 내게 이라크는, 전쟁은, 평화는 무엇인지. 이제 이라크를 잊어도 좋은 것인지….

머릿속에 지워지지 않는 죽음의 풍경들은 평화의 기억으로만 닦아낼 수 있을 겁니다. 그러나 9월 26일 도쿄에서 출항한 피스보트를 타고 이라크를 향해 천천히 항해해 온 한 달 사이, 저항의 테러가 터지고 있는 이라크 땅은 다시 두려움에 젖어가고, 한국과 일본은 미국의 압력 속에 파병의 총을 닦기 시작했습니다.

하루에도 몇 건씩 사건과 사고들이 터져 나오는 바그다드, 그 하루 이틀 뒤면 미군은 바트당 잔당이나 후세인의 세력들을 체포했다고 발표하고 있습니다. 매일 아침 10시 Conference Palace에서는 미군 언론 담당자가 어제 하루 몇 명의 미군이 죽거나 다쳤는지, 혹은 몇 명의 범인이 잡혔는지 보도자료를 외신에 제공합니다. 그러나 바그다드에서 우리가 읽을 수 있는 것은 그 사건들의 행간, 10여 명의 범죄자를 체포하기 위해 100여 명 이상의 이라크인들을 영장도 없이 검거하고 있는 의도된 침묵, 그들이 말하지 않는 점령의 그늘이었습니다.

우리가 가장 먼저 찾아간 곳은 이라크 점령감시센터였습니다. 그곳에선 터키 국제법정회의에서 만나 이라크까지 동행했던 이만이 기다리고 있었습니다.

"지난 5월 이후 구금된 채 돌아오지 못하고 있는 사람들이 4천 명에 이릅니다. 불법적인 구금과 억류 자체도 문제지만 그보다 더 심각한 문제는 미군이 이라크에 대한 기초적인 이해도 없이 조사와 수색을 진행하며 엄청난 이라크인의 분노를 사고 있어요."

우리는 센터에 보관된 사건 파일들 몇 개를 더 열어보았습니다.

'8월 11일 죽은 여성의 시체를 넣어둔 채 불태워 버린 미군에 의한 차량 방화사건, 8월 30일 수색 중인 미군의 총격으로 죽은 아들과 아버지의 시체를 찾고 있는 가족.'

이만이 보여주었던 파일 속의 사건과 사람들을 우리는 얼마 지나지 않아 거리에서, 마을에서 우리의 눈과 귀로 마주할 수 있었습니다.

연합군 본부로 쓰고 있는 대통령 궁 앞에서 만난 압둘 하지즈(53세) 씨, 그는 한 달째 아들의 시신을 찾고 있는 중이라 했습니다. 미군의 무차별 총격으로 그의 아들은 집 앞 거리에서 즉사했습니다. 그러나 미군은 시신을 차에 싣고 가버렸으며 한 달이 지나도록 시신조차 돌려주지 않고 있다 했습니다.

그는 대통령 궁 안에 있는 미군병원에 아들의 시신이 있다고 확신하고 있었습니다. 왜냐하면 미군에 의한 모든 사상자 혹은 부상자들은 모두 연합군에 속한 두 개의 병원, Airport Hospital과 대통령 궁 안 연합군 병원에 보내지기 때문입니다. 그러나 이곳은 연합군 임시 행정처의 허가 없이는 들어갈 수 없는 곳입니다. 영어를 못하는 평범한 이라크 사람들이 그 허가를 받는다는 건 불가능한 일이었습니다.

"나는 보상을 원하는 게 아니라고 여러 번 설명을 해도 그들은 믿질 않아요. 다만 아들의 시신을 찾아 내 손으로 가족의 무덤에 묻어주고 싶은 것뿐이라고 제발 돌려달라고 한 달째 모든 미군부대와 병원을 찾아다니며 호소하고 있지만 아무도 들어주질 않아요. 왜 그들은 죽은 아이의 시신조차 돌려주지 않는 겁니까?"

거짓말 같은 일들을 보고 들으면 들을수록, 제 눈으로 확인하고 싶었습니다. 말해지는 것이 아니라 말해지지 않고 있는 것들이 무엇인지, 삭제당하고 소멸당하고 있는 것들이 무엇인지.

'바그다드 교외 아부 그레이브 지역에서 가두 상점 진열대를 철거하려던 미군 차량이 어린아이를 치어 숨지게 하자 이에 분노한 시민들이 즉각 궐기, 양측 간에 총격전이 벌어져 이라크 경찰관 1명과 시위대 3명이 숨지고 미군 2명과 이라크인 17명이 부상당했다. (10월 31일자. AP/연합)'

며칠 전 기사를 들고 바그다드에서 조금 떨어진 아부 그레이브를 찾아갔습니다. 인구 50만의 아부 그레이브는 꽤 넓었습니다. 그러나 단 몇 번의 질문으로도 우리는 희생당한 아이의 집을 찾을 수 있었습니다. 아이의 집에는 20여 명의 사람들이 찾아와 가족의 슬픔을 위로하고 있었습니다.

집에는 그날의 시위와 미군의 진압으로 가게를 송두리째 잃은 이웃, 아이와 함께 있다가 손에 총을 맞은 아이의 삼촌, 다리에 총을 맞아 목발을 짚고 다니는 아이의 할아버지, 그리고 미군의 총격에 숨진 오마르(16세)의 아버지 하비프(42) 씨가 앉아 있었습니다.

"금요일 낮이었는데, 갑자기 미군들이 탱크를 시장으로 밀고 들어오며 야채들을 짓밟고 상점 문을 닫으라고 소리치며 사람들을 때리기 시작했어요. 누가 그런 모욕적인 일 앞에서 가만히 있겠습니까. 미군의 거센 철거작업에

화가 난 상인들은 돌을 주워 던지며 저항하기 시작했어요. 그러자 미군이 더욱 거칠게 진압하기 시작했고 미군을 피해 우리 가게로 일곱 사람이 뛰어 들어왔습니다.

우리는 그들을 숨겨주었는데 거기엔 동생과 아들 오마르도 함께 있었어요. 사람들의 저항이 더 거세지자 미군은 갑자기 무차별 발포를 시작했어요. 그 사격으로 숨어있던 오마르가 이마 한 가운데 총을 맞았어요. 그때 한 여의사와 몇 사람이 죽고 여러 사람이 부상을 당했습니다.

사람들은 모스크로 숨어들기도 했는데 마침 금요일 예배를 드리고 있던 사람들이 모스크에서 나와 미군에게 소리치며 사격을 그만두라고 항의했지요. 미군은 그들에게도 총을 쏘았어요. 결국 4명의 이라크인이 죽고 20명이 부상당했습니다.

미군은 그런 식으로 시장을 돌아다닙니다. 사람들을 밀치고 나쁜 말을 하기 일쑤예요. 시장에 나와있는 사람들은 대부분 농부들입니다. 미군은 우리들을 장물아비나 폭도쯤으로 여깁니다. 미군은 우리들의 존엄성을 짓밟고 언제나 먼저 폭력을 휘두릅니다."

미군은 죽은 이들의 장례식조차 금지했습니다. 시신을 들고 모스크에 들어가려는 사람들을 총과 탱크로 저지하며 어떤 장례도 하지 말고 곧장 공동묘지로 가서 시신을 묻으라고 했다 합니다. 그리고 미군은 방송과 전단으로 이렇게 말했습니다.

"어제 시장에서 저항세력과 범죄자들에 의한 폭력시위가 있었다. 폭력이 폭력을 낳는다. 미군과 이라크 정부에 폭력으로 저항하는 자는 죽음을 맞을 것이다."

평소에도 미군은 주민들을 폭도로 몰아 무조건 검거하고 있었습니다. 그 날 사건 이후에도 이 지역에서 이유 없이 검거를 당한 주민들이 30여 명에 이른다고 합니다. 새벽 3시에 집으로 들어와 검거해 가는 일도 비일비재하다고 합니다.

남편과 아버지와 형제가 어디에 있는지조차 알지 못한 채 가족들은 무작정 기다리고 있습니다. 후세인의 감옥이었던 아부 그레이브 감옥 앞에는 미군이 잡아간 가족의 소식을 알기 위해 날마다 사람들로 장사진을 이루고 있었습니다.

한 달째 혹은 두 달, 석 달째 사라진 이들의 생사를 확인하기 위해, 사랑하는 이들의 시신이라도 찾기 위해 거리를 헤매고 있는 이라크 사람들. 아무도 귀 기울이지 않는 사건과 사고 이후 그들의 일상은, 그들이 견뎌내야 하는 피점령국 국민으로서의 수모는 그토록 깊고 시린 것입니다.

이라크에서 활동 중인 인권단체에 들러 현황을 듣고 나와 건너편에 세워둔 차를 타려는데 그곳을 서성이던 한 여인이 말을 걸어옵니다. 영어를 할 줄 아느냐고…. 그녀의 손에는 비닐 봉투가 들려있었습니다.

그녀의 이름은 비비안입니다. 지난 4월, 미군이 바그다드를 점령하던 때 미군의 거리 총격으로 남편과 세 아이가 한꺼번에 목숨을 잃었다고 합니다. 비비안은 앞 유리창이 모두 깨진 자동차와 죽은 남편과 아이들의 사진을 비닐 봉투에서 꺼내 우리들 차 위에 전시를 하듯 하나 하나 펼쳐놓았습니다.

말하지 않은 슬픔이 얼마나 많으냐
말하지 않는 분노는 얼마나 많으냐
들리지 않는 한숨은 또 얼마나 많으냐
그러그걸 자세히 헤아릴 수 있다면
지껄이는 모든 말들
지껄이는 모든 입들은
한결 결결 안하리...

정현종
말하지 않은 슬픔이

그녀는 지금까지 이 증거들을 가지고 많은 이들을 만나 도움을 청했지만 아무런 소용이 없었다고 합니다.

"저는 미군에게 더 이상 아무 것도 원하지 않아요. 그냥 남동생이 살고 있는 미국에 가고 싶어요. 가족을 모두 잃은 이곳에서 혼자 사는 게 너무 힘들어요…."

비자를 얻을 수 있는 증명서 한 장을 얻고 싶다고 도와달라고 애원하는 비비안에게 이탈리아에서 온 미군범죄 전문조사원 파올라의 연락처를 적어주었습니다. 메모지를 건네며 마지막 인사를 나누다가 문득 그녀에게 물었습니다.

"사고가 났을 때요… 집에 계셨나 봐요."

그녀는 망설이다가 말합니다.

"아니요…. 그 차 뒷자리에 저도 타고 있었어요."

그 대답에 저는 입술을 꼭 깨물었습니다. 비비안, 그녀가 울지 않는데 혹여 제가 울까하여…. 총을 맞고 괴로워하는 남편의 울음을, 차를 흥건히 적시던 가족들의 피 냄새를, 죽어가며 아프다고 울부짖는 어린 아이들의 울음을 혼자 고스란히 견뎌야 했을 차안의 풍경이 내가 겪은 일처럼 처참하게 떠오릅니다.

다만 혼자 살아남은 것 외에 아무것도 할 수 없었던 비비안. 그녀의 눈빛이 그토록 마르고 건조했던 것은 그녀가 울음마저 잃어버렸기 때문이라는 것을 깨닫습니다. 바그다드를 떠나며 마지막 눈인사를 건네는 내게 비비안이 웃음을 보내왔습니다. 그녀의 마른 웃음 위로 마음 깊은 곳에 고여 있던

시 한편이 천천히 살아옵니다.

말하지 않은 슬픔이 얼마나 많으냐
말하지 않은 분노는 얼마나 많으냐
들리지 않는 한숨은 또 얼마나 많으냐
그런 걸 자세히 헤아릴 수 있다면
지껄이는 모든 말들
지껄이는 입들은
한결 견딜 만하리…
– 정현종

비비안의 웃음을 마지막 기억으로 담은 채 바그다드를 떠나오는 길, 저는 왜 다시 이라크에 와야 했는지를 선명하게 깨달았습니다. 제가 이라크에서 보아야 하는 것은 이렇듯 말할 수 없는, 혹은 말하지 못하도록 학살당하는 분노와 슬픔의 기억이었습니다. 그 기억에 대한 귀 기울임, 고통의 나눔 없이 우리는 평화로 나아갈 수 없다는 것이었습니다.

평화여행자, 내 친구들을 소개합니다

가끔씩 어디가 아플 때면 아픈 부위의 맥박이 유난히 크고 거칠게 느껴지곤 하지요. 손끝이 아플 때면 손끝에서… 관자놀이가 아플 때면 관자놀이에서… 배가 아프면 배 위에서… 심장이 그곳으로만 피를 보내듯 숨가쁘게 펄떡이는 맥박에 온 몸의 신경이 쏠리곤 합니다.

늘 고동치던 맥박일 터인데 왜 그제서야 그곳에서 고동치는 맥박의 소리가, 펄떡임이 들리고 보이는 것일까요. 몸은 그렇게 아픈 곳의 소리에 귀 기울이라며 피로, 숨으로, 소리로 말하고 있는 것이겠지요. 가장 아프고 연약한 그곳에 마음을 모두어 달라고. 모든 기운을 그곳에 쏟아 부어 안으로 향하는 치유의 여정을 시작해 달라고.

2003년, 저의 맥박은 아니 세상의 맥박은 바그다드에서 뛰고 있었던 듯합니다. 저녁이면 강을 붉게 물들이며 저물어 가던 티그리스의 저녁 해, 아이들과 함께 노래하고 춤추며 평화를 이야기하던 광장의 키 큰 야자수들, 그 강가에서, 그 광장에서, 그 길목 길목에서 노래하고 춤추고 행진하며 우린 말하곤 했지요.

"이라크 속에 세계가 있습니다.

이라크를 공격하지 마세요."

그때 만난 내 평화여행 친구들을 떠올리면 내 마음은 금세 훈훈하게 덥혀

집니다.

날마다 위험하기로 소문난 빈민지역을 다니며 어떤 도움이 필요한지 조사하고 다닌다던 이탈리아 아가씨 시모나. 어느날 로비에서 밤새 같이 노트북 앞에 앉아 일을 하다가 두런두런 이야기를 시작하게 되었지요. 왜 지금 이곳에 있느냐고.

"이라크에 첨 와본 건 열아홉 살 때예요. 걸프전이 터지고 나서 몇 년이 지났지만 여전히 고통받고 있던 이라크 아이들 모습을 보고 많이 울었어요. 그땐 그냥 한 번 와보는 여행이라고 생각했는데 그 여행이 이렇게 길어졌네요. 벌써 십 년째예요.

지난 해 시월에 들어 왔어요. 이번엔 아마 제법 오래있게 될 것 같아요. 이탈리아에서 20여 개 단체가 힘을 모아 '바그다드로 가는 다리(Bridge to Baghdad)' 라는 네트워크를 만들었는데 그 단체의 이름으로 파견된 거거든요.

제가 지금 맡은 일은 가난한 지역을 찾아다니며 우물을 파주는 거예요. 전쟁이 일어나면 식수가 가장 큰 문제가 될 수 있거든요. 전쟁을 대비하는 거지요. 혹시 전쟁이 일어나면 긴급구호를 하고, 그러고 나면 병원을 만들 거예요.

위험이요? 위험하죠. 하지만 군인들도 위험하잖아요. 전쟁을 위해서는 목숨을 거는 사람들이 참 많은데 이상하게 평화를 위해서 일한다면 그 위험한 일을 왜 하냐고 해요. 참 이상하죠? 전쟁을 위해 죽는 것 보다는 평화를 위해 살다가 평화를 위해 죽는 게 더 멋지지 않나요?

위험하긴 하지만 재미도 있어요. 이렇게 힘겨운 곳에 있는 사람들이 참 사람을 깊이 사랑해 주잖아요. 그게 가장 큰 매력인 것 같아요. 이 일을 해 가는."

그녀는 참 오랫동안 이라크에 머물렀습니다. 그리고 그녀의 말대로 우물을 파주고 병원을 만들었지요. 뿐만 아니라 전쟁의 피해자들을 조사하고 기록하며 평화의 증언을 하는 일도 멈추지 않았지요.

그녀뿐이던가요. 광장에서 반전이라는 말이 잔뜩 써있는 깃발들을, 전쟁을 두려워하는 사람들을 그린 걸개그림을 걸다가 잠시 대립했던 로드리고. 그는 말했습니다.

"전쟁을 반대한다고 해서 전투적인 말과 참혹한 그림들을 아이들에게 보여주고 가르칠 필요는 없어요."

평화는 평화를 이야기하고 가르치는 것으로 전해져야 한다고 또렷이 주장하던 로드리고, 그를 팔레스타인 호텔 로비에서 우연히 다시 마주쳤지요.

"여기 오기 전까지 밀라노에서 모델로 활동했어요. 그런데 전쟁이 터진다는 이야기를 듣고 파리에서부터 달려왔다는 평화버스를 올라탔죠. 좀 멀긴 했지만 행진도 하고 노래도 부르고, 전단도 뿌리며 여기까지 여러 유럽 친구들과 육로로 왔어요.

어느새 한 달째 머물고 있네요. 그냥 크고 작은 집회를 만들기도 하고, 평화행진에 참여하기도 하고, 아이들이랑 놀아주기도 하고… 그래요. 아이들이랑 노래하며 손수 만든 그림들을 들고 평화행진을 할 때, 그때가 참 좋아요. 무대 위에 서서 화려한 조명 속에 워킹을 하는 것처럼. 그럼 평화모델인가요? 패션모델 대신? 하하하!"

요르단에서 이라크로 가려고 백방으로 방법을 찾고 있던 날들, 매일 매일 가는 이라크대사관에서 마주쳤던 작고 귀여운 일본 친구 쿠니. 우리를 도와주기 위해 바그다드로 연락을 취하고 우리 숙소까지 찾아오기도 했던 소중한 친구. 그를 바그다드에서 다시 만났습니다.

"대학교 1학년이에요. 이라크에 사람만 많이 모이면 전쟁을 막을 수 있다길래 아는 형이랑 같이 왔어요. 재미있어요. 세계 여러 나라에서 온 사람들 만나는 것도 재미있구요. 서로 돕는 모습 보니까 좋아요. 많이 배워요. 참 좋은 여행이 될 것 같아요 제게."

다들 깊은 곳의 긴장은 풀 길이 없었으나 자신이 원하는 곳에서 원하는 일을 하고 있는 이들의 얼굴에 넘치는 행복한 기운을 감추지는 못했습니다.

늘 아침이면 차를 마시며 하루 일을 의논하던 알파나 호텔의 로비, 우린 그곳을 평화활동가들의 로비라고 부르기도 했지요. 다른 숙소에 비해 체류비도 저렴하거니와 대부분의 활동가들이 거기 묵고 있어 아침저녁으로 오늘 어디 가서 무얼 했는지, 어디에 어떤 도움이 필요한지 서로 편안하게 묻고 소식을 나눌 수 있었으니까요.

아마 팀은 바그다드에 머무는 이들 중 가장 나이 많은 사람 중 하나였을 거예요. 백발의 구레나룻에 늘 십자가 모양의 귀걸이를 하고 CPT(Christian Peacemaker Teams)라고 써있는 빨간 모자를 쓰고 다니던 팀. 어느 날,

아침을 먹고 찻잔을 들고 그의 테이블에 앉은 저에게 자신의 이야기를 들려주었지요.

"난 베트남전 참전용사예요. 베트남전, 그건 전쟁을 위한 여행이었어요. 하지만 이건 평화를 위한 여행이에요. 그땐 참 어렸지요. 베트남전에 참전하는 게 조국을 위하고 민주주의를 지키는 길이라는 말을 믿었으니까요.

하지만 베트남 전쟁이 제게 진실을 가르쳐 주었어요.

전쟁, 그건 그냥 집단적 살인이죠. 나를 위해 남을 죽이는…. 전쟁에서 멀리 떨어져 있는 사람에게는 여러 근사한 이유를 댈 수 있지만, 전쟁터에 서 있는 사람에겐 그렇게 할 수 없죠. 이미 죄 없이 죽어가는 사람들의 피 냄새로 미치광이가 되든, 아니면 제 정신을 차리고 명령에 항의하든, 둘 중 하나를 택하게 되니까요.

난 여기 이라크 사람들을 위해서 오기도 했지만 미군들을 만나기 위해 왔어요. 나처럼 어려서 혹은 가난해서 전쟁을 위해 목숨을 건 여행을 하고 있는 그들에게 다른 진실을 이야기해 주려구요."

그의 이야기를 들으며 문득 성서의 한 장면이 떠올랐습니다. 십자가 위에서 자신의 옷을 찢고 제비뽑기를 하던 로마 병정들을 보며 예수가 하시던 한 말씀….

"저들은 저들이 하는 일이 무엇인지 모르고 있다."

우리가 여기 당신과 함께 있습니다

어느 날, 뜨거운 햇빛에 지쳐 로비에 앉아 무심히 밖을 내다보다가 미군병사와 함께 웃으며 한참을 이야기하고 있는 캐시를 보게 되었습니다.

이라크평화팀의 리더인 캐시 캘리는 미국의 유명한 평화운동가입니다. '평화를 위해서는 전쟁보다 위험한 용기가 필요하다' 던 그녀의 말이 어쩌면 저를 바그다드까지 데려왔는지도 모릅니다. 그녀가 미군과 그토록 오래 대화를 나누고 있는 것이었습니다. 미군이 이라크 사람들을 닥치는 대로 가두고, 문화재를 약탈하고, 민간인을 학살하는 점령군의 범죄로 한창 신경이 날카로워지고 있던 저에게는 그 모습이 조금 의아하게 느껴졌습니다.

"난 전쟁을 반대해서 이라크에 왔어요. 그러나 그것이 미군 개인에 대한 증오는 아닙니다. 저들도 저들이 하는 일이 무엇인지 알아야 할 권리가 있어요. 대부분 어린 군인들, 경험이 없는 사병들은 두려움에 떨고 있죠. 그 두려움으로 총을 쏘고 난폭해지고 있어요.

그러나 진실을 알게 되면 저들도 평화를 위한 일을 선택할 수 있게 되요. 우린 이미 베트남전을 통해 많은 참전 군인들이 평화를 위해 일하는 이들로 전향한 경험을 가지고 있어요. 팀을 보세요."

그렇지요. 저는 감정에 휩싸여 그런 마음의 균형을 잃곤 합니다. 존재 자체만으로도 평화로움을 느끼게 하는 그녀는 두 번이나 노벨평화상의 후보에 오르기도 했습니다. 하지만 그녀도 예전엔 평범한 교사였다 합니다.

"1996년까지 교사로 오랫동안 일했어요. 그 해 몇몇 사람들과 함께 이라크에 오는 여행을 했지요. 그 첫 여행에서 참 많이 울었어요. 경제제재라는 정치경제적 용어가 어떻게 사람들을 그토록 비참하게 유린하는지…. 전쟁은 끝났지만 그때 쓰인 무기들이 얼마나 오래, 얼마나 참혹하게 아이들을, 아니 태어나지도 않은 미래의 아이들까지 학살해 가는 것인지….

우는 것으로 평화가 오진 않아요. 그러나 타인의 고통에 울 수 있을 때, 평화는 시작돼요. 그때부터 더 많은 여행을 하기 시작했지요. 중동뿐만 아니라 남미, 아시아, 아프리카… 세상의 그늘을 향한 여행을 시작한 거죠. 이라크에 오갈 때 마다 혹은 쿠바나 콜롬비아에 오갈 때마다 경제제재로 수입이 제한되는, 그러나 사람들에게 꼭 필요한 물건, 연필이나 의약품 같은 것들을 가져다주었어요."

조용하지만 강한, 평화롭지만 단호한 그녀의 얼굴을 오랫동안 쳐다보다가 이라크에 오기 전 이라크평화팀의 웹사이트에서 보았던 그들의 세 가지 중심이 기억났습니다.

거리의 현존
고통의 나눔
평화의 증언

언론인들이 방탄차량에 방탄조끼에 헬멧까지 쓰고 땅 한 번 디디지 않으며 안전한 곳을 골라 다닐 때, 그들은 방탄조끼 대신 그들의 평화티셔츠를 입고, 빨간 모자를 쓰고, 걸어서 이라크 사람들의 집에, 학교에, 시장에 가 그들을 만나고 그들과 함께 차를 마시고 밥을 먹고, 아이들을 돌볼 뿐이었습니다.

팀의 빨간 모자는 '거리의 현존'을 알리기 위한 그들의 사인이었던 거지요. 그리고 전쟁이 터지자 그들은 그때까지 들고 있던 모든 구호를 내려놓고 이 한 문장을 손에 들었습니다.

"We are here with you"
우리가 여기 당신과 함께 있습니다.
우리가 여기, 당신과 함께 고통당하고 있습니다.
우리가 여기, 당신과 함께 두려움에 떨고 있습니다.
우리가 여기, 당신과 함께 울고 있습니다.
우리가 여기, 당신의 이름을 억울한 죽음을 목도하고 있습니다.

거리의 현존, 고통의 나눔, 평화의 증언
그것은 그토록 깊은 내려섬의 여행인 것이었습니다.

팀은 말합니다.

"CPT 멤버들은 미국 전역에서 온 이들이지요. 그러나 우린 돌아갈 때 꼭 워싱턴을 들러요. 그리고 우리가 여행에서 본 미국의 범죄에 대해 워싱턴

백악관과 의회를 향해 증언하지요. 그리고 저마다 고향으로 돌아가요. 그리고 그곳에서 우리의 여행을 지원해 준 모임, 교회 등에서 우리가 본 것을, 느낀 것을, 기록한 것을 증언하지요. 우리는 모두 평범한 삶을 살아가는 여행자예요. 그러나 그 여행을 통해 평화의 증인이 되는 거죠.

보다 많은 이들이 유럽과 미국을 여행하는 대신 중동을, 남미를, 아시아를 여행하며 세계의 그늘을 보게 된다면, 그 그늘 속에 살아가는 사람들과 관계 맺는다면 평화로 가는 길이 보다 넓고 깊어지지 않을까요."

캐시는 말합니다.

"누구나 다 평화운동가가 될 수는 없겠지만 생에 한 번쯤, 혹은 1년에 한 번쯤, 자신만을 위한 여행이 아니라 평화의 여행을 할 수 있지는 않을까요? 나의 기쁨이 아니라 타인의 고통에 귀 기울이는 여행을 할 수는 있는 것 아닐까요?"

세상의 맥박이 펄떡이던 2003년의 바그다드. 그곳에서 전 참 많은 이들을 만났습니다. 그리고 많은 이에게 물었습니다. 왜 이곳에 있느냐고…. 그들은 한결같이 답했지요. 다만 여행하고 있는 것일 뿐이라고. 그리고 그들의 여행은 아직 끝나지 않은 듯합니다.

2004년 시모나는 이라크 무장세력에 납치되어 참수될 뻔한 위험을 맞았었지요. 바그다드에서 만난 파올라는 팔루자에 고립되어 목숨이 위태로운 상황 속에서도 "세계의 시민들이여 팔루자로 들어와 달라."고 평화의 메시지를 타전했습니다. 일본인 평화운동가와 독립 언론인 세 사람 역시 납치되었다가 풀려났었지요. 2005년에는 CPT 멤버 네 사람이 납치되기도 하였지요. 결국 지난 봄 그 중 한 사람은 살해되고 나머지 사람들만 살아 돌아왔습니다.

오늘도 CPT 웹사이트에 들어가 봅니다. 그들은 여전히 팔레스타인에, 콜럼비아에, 아프가니스탄에 평화여행자들을 보내는 일을 멈추지 않고 있습니다. 시모나가 일하고 있던 'Bridge to Baghdad'는 여전히 이라크에서 병원을 운영하고 조사원을 보내 점령 범죄를 조사하고 있습니다.

일본의 피스보트는 쉬임 없이 여행하며 팔레스타인에 들러 올리브 나무를 심고 있습니다. 캐시와 그녀의 벗들은 전쟁을 위한 세금을 거부해 감옥에 있다가 얼마 전에 나와 다시 새로운 평화여행을 준비하고 있습니다.

뉴스 속에서는 전쟁만이 끊임없이 일어나고 있습니다. 그러나 이렇게 살아간다는 일은 여전히 지속되고 있습니다. 강이 흐르는 것은 반짝이는 윗물결 때문이 아니라 보이지 않는 도저한 밑물결 때문이듯, 평화를 원하는 많은 이들이 평화를 살아내고 있기 때문 아닐까요.

전쟁이 아니라 평화를 위해 여행하고 있기 때문 아닐까요.

우리는 난민이 아니에요

베이루트에 가기 전 레바논에 대해 알고 있었던 것은 솔로몬이 성전을 지었던 그 백향목의 땅이라는 것뿐이었습니다. 중동에서 유일하게 해발 3천 미터가 넘는 산맥이 있다는 레바논. 눈이 부시도록 푸른 지중해를 따라 산과 바다가 만나는 중동의 파리라 불리는 베이루트.

가을로 접어드는 이곳 베이루트에 세계 52국에서 온 250명이 넘는 평화운동가들이 모여 반전, 반세계화를 위한 국제회의를 엽니다. 저와 같은 방에 묵게 된 친구는 노르웨이에서 온 제니입니다. 대학교 2학년인 아직 어린 친구지만 노르웨이 월드소셜포럼의 대표 자격으로 회의에 왔다고 합니다. 한국에서는 꿈꾸어 보기 어려운 일이지요?

제니와 함께 한 저녁 식탁에서 우리에게 말을 걸어온 사람은 뜻밖에 이집트에서 온 의사들이었습니다. 그분들은 의사이면서 독립미디어를 운영하고 있다고 하네요. 한국의 1970년대만큼이나 독재가 심하다는 이집트, 그 삼엄한 사회 속에서도 5천 명이 넘게 참가한 반전 시위가 일어났다고 자랑스럽게 말합니다. 베이루트 회의에 참여하기 위해 세계 각처에서 온 이들 중에는 영국의 반전의원 죠지 갤러웨이 같은 유명한 사람들도 있지만 이렇듯 자기 일을 가지고 평화를 위해 일하는 평범한 이들도 수없이 많았습니다.

아직 회의가 시작되지 않은 16일 저녁에 프로그램을 알리는 작은 쪽지가 붙기 시작했습니다. 샤론 총리가 1982년 레바논 침공 시, 친 이스라엘파 레바논 기독교 민병대가 단 사흘, 40여 시간 동안 1천여 명이 넘는 민간인들을 살해했다는 학살사건의 참상을 알리는 내용입니다. 팔레스타인 난민들이 모여 살고 있는 샤틸라 캠프의 그 학살사건은 바로 22년 전 오늘, 9월 16일에서 19일에 일어난 일입니다. 그 학살의 총 자국이 고스란히 살아있는

눈부신 지중해 너머로
오늘도 노을이 물듭니다.
여행은
나를 또
어디로 데려갈까요.

땅에서, 살아남은 이들이 그 학살을 기억하고 기념하는 행사를 하는데 평화 운동가들을 초대하고 싶다고 합니다.

한국의 광주와 샤틸라…. 그들을 만나고 싶은 마음에 유네스코에서 초청한 공식 행사 대신 그 저녁, 택시를 타고 낯선 거리를 달려 샤틸라 캠프에 찾아갑니다.

택시기사가 내려준 길가에서 아무리 둘러보아도 캠프는 보이질 않습니다. 지나가는 사람에게 물었더니 그는 길 건너편을 가리킵니다. 그곳은 거대한 빈민가입니다. 그랬습니다. 22년이란 시간이 난민캠프를 7천 명이 모여 사는 거대한 빈민촌으로 바꾸어 놓았던 겁니다.

샤틸라 캠프 입구 너른 공터에서는 이미 행사가 시작된 모양입니다. 무슨 기념행사라고 하기에 연설과 증언 그런 것들이 이어질 것이라 생각하며 행사장에 들어서는데 금방 불이 꺼지더니 영화가 상영됩니다. 1970년대 한국의 시골 학교 운동장에 마을 사람들이 모여 영화를 보는 분위기랄까요.

공터에 놓은 간이의자엔 아이부터 어른까지 온 동네 사람들이 모두 앉았습니다. 영화가 시작되자 사람들은 환호성을 올렸고 이내 조용해지더니 반짝이는 수많은 눈동자가 스크린으로 모아집니다. 그 영화는 다름 아닌 바로 샤틸라 사람들, 그들 자신의 이야기였던 것입니다. 그것은 단지 사건에 관한 다큐멘터리가 아니라 22년 전 그들의 삶을 고스란히 담은 영화였습니다.

영화는 20여 년 전의 작은 마을, 샤틸라로 돌아갑니다. 그곳에서 어떤 작은 소녀와 소년이 부모님의 선택에 따라 결혼을 합니다. 결혼식이 열리는 날, 마을 사람들은 모두 모여 음식을 만들고 잔치를 벌입니다. 마을 사람들은 어깨를 걸고 발을 구르며 노래하고 춤을 춥니다.

"너의 아내는 희고 아름답고, 너는 많은 자식들을 둘 거야."

그 한 문장으로 된 노래를 끊임없이 부르며 땅에서 먼지가 일도록 춤추고 환호하며 신부를 맞이합니다. 손과 입으로 만들어 내는 온갖 환호성 속에서 얼굴이 하얀 아름다운 소녀는 땅 위에 융단처럼 깔린 싱싱한 포도를 즈려 밟으며 걸어와 소년의 손을 잡습니다.

영화 속 소녀가 소년의 손을 잡자 영화 속의 노래는 이미 사람들의 입술 위로, 영화 속의 춤은 이미 사람들의 어깨와 발 위로 내려앉아 있습니다. 그 땅에서 그렇게 결혼을 하고 그렇게 아이를 낳은 사람들이, 영화 속에 고스란히 살아있는 평화로운 샤틸라에서의 결혼식을 마주하며 춤추고 노래합니다. 상상해 본 적 없는 아름다운 결혼식입니다.

아이들에게 자신들이 잃어버린 보석같은 삶을 보여주는 것만으로도 아버지와 어머니들은 벅찬 자부심을 느끼는 듯합니다. 영화는 중간중간 필름을 바꾸느라 중단되곤 하지만 아무도 자리를 떠나지 않습니다.

중단되었던 영화가 다시 시작되자 소녀는 어른이 되어 있습니다. 엄마가 되어 여자로서의 생이 익어갈 무렵, 종교지도자인 시아버지에게 글을 배우기도 하고, 올리브 밭에서 올리브를 따며 흥겨운 추수의 잔치를 벌이던 아름다운 어느 날, 기독교 민병대는 총과 칼과 탱크를 가지고 저벅저벅 그들의 생으로 걸어 들어오기 시작합니다. 이내 한밤의 마을에 불붙은 드럼통들이 굴러들고 집들이 폭파되고 사람들은 비명을 지르며 쫓겨나가기 시작합니다. 잠옷 바람으로 뛰어가는 그들의 등 뒤로 군대의 방송이 칼날처럼 꽂힙니다.

"남자는 다 죽게 될 것이며, 여자는 강간당할 것이다."
"남자는 다 죽게 될 것이며, 여자는 강간당할 것이다."

끝내 항복한 마을의 아침, 젊은 남자들은 그들의 말 그대로 끌려가 한꺼번에 죽임을 당하고 여자와 아이들, 노인들은 발 밑으로 떨어지는 총알을 피해 뛰고 울며 그 멀고 황막한 길을 걸어 마을을 떠납니다. 피난을 떠나는 이들을 향해서도 사격을 멈추지 않는 군인들, 그 총알들 때문에 단 한 번 돌아보지도 못한 채 샤틸라를 떠납니다.

한 차례 학살과 피난이 지나가고, 영화는 새로운 이야기를 시작합니다. 시리아에 머물다 돌아와 마을의 상황을 본 그녀의 남편과 살아남은 남자들은 무기를 구하고 저항군을 조직합니다. 사람들을 훈련시키고 저항 운동을 조직해 가기 시작하는 것입니다. 그러나 그와 동시에 친 이스라엘파, 기독교 민병대는 이스라엘과의 협력 속에 팔레스타인 저항운동을 뿌리 뽑기 위해 그들을 잡아내고 고문하고 죽이는 탄압을 더욱 잔혹하게 벌입니다. 그 죽임과 저항 속에서 그들은 저항으로 더욱 단련되어 갈 뿐입니다.

투옥과 저항이 계속되는 속에 사람들은 그들의 전사들을, 그들의 영웅을 사랑하고 따르기 시작합니다. 그러나 다시 한 번 감옥에서 풀려나 돌아온 어느 날, 그는 변해 가는 사람들을 발견합니다. 저항은 일부의 몫이 된 채 샤틸라 학살의 기억마저 잃어버리고 베이루트의 한복판에서 빈민이 되어버린 사람들만이 남아있는 것입니다. 그는 캠프 한가운데 서서 하늘을 향해 총을 쏘기 시작합니다. 놀라 모여든 사람들을 향해 그는 아픈 몸으로 이렇게 외칩니다.

"우리는 우리의 땅으로 돌아가야 한다. 우리에게는 돌아갈 땅이 있다. 돌아가야 할 약속이 있다. 그러므로 우리는 난민이 아니다. 우리는 전사들이다."

사람들을 응시하다가 그는 다시 한 번 외칩니다. 영화 속의 사람들은 망설이고 망설이다가 따라 외칩니다.

"우리는 난민이 아니다. 우리는 전사들이다."

영화 속의 군중들이 외치기 시작하자, 영화 밖 샤틸라 광장의 사람들이 더 큰 소리로 따라 외칩니다.

"우리는 난민이 아니라 전사들이다."

그 함성과 더불어, 팔레스타인의 아름다운 음악으로 영화는 끝이 납니다. 샤틸라 학살 22주년 기념식도 끝이 납니다. 검은 지중해 위로 초승달이 빛나고 있습니다.

감옥으로의 여행

베이루트를 떠나기 전날, 회의를 마치고 남은 팔레스타인, 이라크 사람들, 그리고 몇몇 활동가들과 함께 우리는 남부 팔레스타인 국경지대를 향해 짧은 여행을 시작했습니다. 샤틸라 캠프에서 설핏 보았던 레바논의 아픔을, 팔레스타인의 상처를 눈으로 확인할 수 있는 수감자 캠프가 산 위의 국경에 있다는 것입니다.

국경이 가까울수록, 산이 높아질수록 총과 무기가 그려진 헤즈볼라의 노란 깃발이 자주 눈에 띄곤 합니다. 중동에 이토록 큰 산이 있었을까 싶을 만큼 높은 산을 꼬불꼬불 어지러운 길을 따라 달린지 두 시간여 만에 창밖에는 산 너머의 풍경이 펼쳐지기 시작합니다. 평온했던 마을들을 지나 깊은 골짜기로 접어드니 몇몇 군사시설이 모습을 드러냅니다. 우리의 DMZ와 다르지 않은 깊은 골짜기로 이루어진 군사경계지역, 그 너머로 팔레스타인 마을에 하나 둘 불이 들어오기 시작합니다.

우리가 가는 곳은 단순히 국경이 아니라 레바논과 이스라엘의 국경지역에서 이스라엘과 치열하게 싸운 저항세력을 구금하고 고문했던 악명 높은 감옥이라 합니다. 수감자 캠프라기에 샤틸라처럼 마을인 줄 알았던 그것은 진짜 감옥이었습니다 .

우리나라의 서대문 형무소처럼 이스라엘군이 레바논과 팔레스타인 사람들을 잡아 가두던 감옥을 박물관으로 개조한 것이었습니다. 다른 점이 있다면 서대문 형무소는 50여 년 전 문이 닫혔지만 이 감옥은 2000년까지도 5천여 명의 사람들을 수감하고 있었다는 것입니다.

입구의 작은 홀에서 이 감옥에서 벌어진 일들을 재연한 짧은 영화를 보여줍니다. 그리고 나서는 한 사람이 앞으로 나와 이곳에 대해 설명을 해주었습니다. 영어가 서툰 그가 잘 설명하지 못하자 한 나이든 아저씨가 자원해서 통역을 하기 시작합니다.

“먼저 이 사람을 다시 소개해야 겠습니다. 이 사람은 단순한 가이드가 아니라 저항운동에 가담했다가 이 감옥에서 11년간 수감되었던 사람이에요. 4년전 레바논 독립과 함께 풀려났지만 이 감옥에서 이스라엘이 저지른 잔혹 행위들을 증언하기 위해 이런 프로그램을 만들어 일하고 있는 것입니다.”

그의 이름은 알리였습니다. 젊은 시절을 감옥에서 보낸 알리는 감옥에서 그들이 당했던 고문을 그대로 설명해줍니다. 어떤 자세로 매달려 있었고, 얼마나 끔찍한 고문들이 있었는지, 어떻게 동료들이 고문 도중 죽어갔는지, 얼마나 많은 저항이 폭력적으로 짓밟혔는지….

남아공에서 온 분이 손을 들어 질문합니다.

“11년간 감옥에 있으면서 저항운동에 가담한 것을 후회한 적은 없나요?”

“11년은 참 견기기 어려울 만큼 긴 시간입니다. 이 감옥은 보신 것처럼 참 견디기 어려워요. 어떤 고문실은 누군가 동료의 이름을 댈 때까지 풀려날 수 없기도 하고, 죽을 때까지 끝나지 않는 고문도 있었지요. 아내와 누이들을 데려다가 발가벗겨 눈앞에서 욕보이기도 했어요.

단식 투쟁을 하는 감옥 안으로 최루 가스를 넣어 15명이 병원에 실려 간 적도 있어요. 두 명이 그 자리에서 죽고 나머지는 장애를 입었어요. 전기고문을 하고, 뜨거운 물과 차가운 물을 붓고, 조금만 저항을 하면 저 독방도 모자라 작은 우체통 속에 며칠을 웅크린 채 가둬두기도 했지요.

이곳에 들어왔던 어느 누구도 그런 고문과, 차고 햇빛 없는 캄캄한 감옥, 배고픔을 피할 수는 없었어요. 그 고문과 감옥이 너무 견디기 어려워 어떤 사람들은 배신을 하기도 했고, 감옥을 나와 조직을 떠나기도 했습니다.

그 긴 나날들 동안 후회한 적이 없다고 말하지는 않겠어요. 다만 이 저항이 부정의한 것이라고 생각해 본 적은 단 한 번도 없습니다. 때문에 나는 지금 여기 서 있는 것입니다. 이 자리에 서는 것이, 그리고 그 기억들을 설명하는 것이 내게는 아직도 고통스러운 일입니다. 그래서 5천 명의 수감자들 중 여기 이렇게 다시 서는 사람은 몇 명이 되질 않습니다.

그러나 그것은 우리 개인의 고통을 넘어서 우리들의 저항에 대한 기록인 것입니다. 지금 우리가 얻은 자유는 그 저항의 결과입니다. 그러나 우리가 그 저항의 고통을 기억하고, 기록하고 말하지 않는다면, 그래서 지켜내지 않는다면, 우리는 언제고 다시 이스라엘에게 우리의 독립을 빼앗길 수 있다는 것을 기억해야 합니다. 때문에 저는 여기 이 감옥에 다시 오는 것입니다. 지금은 이것이 저의 저항인 것입니다."

그의 설명이 끝나자 한 팔레스타인 사람이 앞으로 나옵니다.

"저는 오늘 아주 특별한 한 사람을 여러분에게 소개하고 싶습니다. 그녀는 2년 전 남편을 이스라엘 군에게 빼앗겼습니다. 이 감옥과 똑같은 한 감옥 안에 그녀의 남편이 있습니다."

한 여성이 앞으로 나옵니다. 자세히 보니 전시실이 된 감옥을 구경하는 동안 내내 너무 많이 울어 조금 이상하게 생각했던 바로 그 사람이었습니다. 그녀는 앞으로 나왔지만 여전히 눈물을 그치지 못해 말을 잇지 못합니다.

"남편이 지금 이런 감옥에 있어요. 제발 아이들에게 아버지의 얼굴만이라도 보게 해 달라고 매일 찾아가 요청을 하지만 그들은 문을 열어주지 않습니다. 아무 증거도 없이 잡혀간 그가 2년 반이 넘도록 돌아오지 못하고 있고, 무엇보다 언제 우리 곁으로 돌아오게 될지 모른다는 것, 그것이 너무 힘들어요."

그녀가 울음을 그치지 못하자 통역을 하던 팔레스타인 할아버지가 잠시 자신에게 시간을 달라고 합니다.

"저도 이스라엘 감옥에 그녀의 남편처럼 수감되어 있었던 사람입니다. 제게 잠시 시간을 준다면 그녀를 격려하고 싶어요."

그는 그녀의 손을 잡고 이야기를 시작합니다.

"라드와, 나는 십오 년간 이런 감옥에 있었어요. 내 아내도 지금 당신처럼 참 많이 울었어요. 그렇지만 울지 마세요. 내 아내가 나를 맞이한 것처럼, 그녀가 나를 위해 축하파티를 준비한 것처럼 당신도 당신 남편을 맞이할 날이 올 거에요. 당신 기다림도 우리의 저항이에요."

감옥을 나오는 길에 묻습니다. 지금 팔레스타인에는 몇 명이나 되는 사람들이 이런 감옥에 갇혀있느냐고…. 7천여 명이 넘는 수감자들이 이렇게 고통 받고 있다고 그는 말해줍니다.

감옥을 나와 우리는 국경마을로 갑니다.

레바논의 국경은 철조망뿐인데 이스라엘 쪽에서의 국경은 시멘트 벽으로 세워져있습니다. 거기 콘도미니엄처럼 깨끗하고 아름다운 이스라엘 정착촌이 세워져 있습니다. 그곳을 향해 돌을 던지며 한 레바논 사람은 외칩니다.

“점령촌을 반대한다.”

이스라엘 정착촌, 그것이 팔레스타인과 레바논 사람들에게는 점령촌인 것입니다. 이스라엘의 시오니즘, 그것이 이들에게 세계에서 가장 큰 테러리즘인 것처럼….

국경을 따라 나란히 늘어선 백향목 길을 되밟아 나오니 그곳엔 커다란 관광안내판처럼 그곳에서의 치열했던 전투를 소개하는 안내문과 기념비가 서 있습니다. 레바논의 한 청년이 차에 500킬로그램의 폭탄을 장착하고 이스라엘 군을 향해 돌진해 그들의 전선에 구멍을 뚫었고 이스라엘군은 그들 점령의 값을 혹독히 치루었다는 내용입니다. 설명 위로 폭발장면, 펄럭이는 깃발들과 함께 한 켠에 곱슬머리에 베레모를 쓰고 검은 수염을 기른 아름다운 청년의 얼굴이 크게 그려져 있습니다.

그러나 어디에 서서 그를 보느냐에 따라 누군가는 그를 테러리스트라 하고 누군가는 그를 투사라 하겠지요.

저 저항과 테러의 경계 위, 어느 곳에 서야 하는 것일까요. 비폭력평화운동은 저들의 목숨을 건 저항을 어떻게 받아들여야 하는 것일까요. 오히려 깊어지는 물음들과 함께 덜컹거리고 덜컹거리며 저물어 가는 레바논의 산길을 내려옵니다.

알프스에 깃든 영혼의 쉼터

추운 새벽공기에 깨어나 창밖을 보니 비가 내리고 있습니다. 추위가 너무 낯설어 한참을 침대에 누워 있다가 이내 깨닫습니다. 여기는 그 뜨거웠던 레바논, 저항의 도시 베이루트가 아니라 음악의 도시 비엔나라는 것을.

아, 나는 스위스로 가는 길이었지요. 스위스의 라브리에서, 프랑스의 떼제에서 제 안을 조금 깊이 들여다보려고 합니다. 파리에서는 베이루트에서 만난 일본 평화운동가 아저씨와 대안무역에 대한 안내를 받기로 약속해 두었습니다.

불어로 쉴곳, 혹은 피난처라는 뜻을 가졌다는 라브리. 지친 몸을, 곤한 영혼을, 마른 심장을 잠시 누이고 싶었던 것일까요. 베이루트에서 독일로 가는 길, 반전과 평화를 이야기하고, 남과 북의 평화를 이야기하기 위해 베를린으로 가는 길, 저는 가깝고 빠른 길을 두고 멀고 느린 길을 택해 이렇듯 에돌아가고 있습니다.

빈에서 탄 기차는 밤새도록 달려 제네바를 지나 아침 무렵 로잔에 도착했습니다. 하룻밤의 숙박비라도 아끼려고 야간기차를 타고 유럽을 누비는 배낭여행자들이 기차 곳곳에서 부스스한 얼굴로 내려섭니다.

라브리 사람들은 오늘 모두 산행을 나가 저녁 늦게 돌아올 것이라는 메시지에 기차역 보관함에 무거운 짐들을 넣어두고 잠시 로잔의 거리로 산책을 나섭니다. 로잔… 대학시절 로잔언약을 읽으며 하나의 고유명사로 기억하고 있을 뿐이던 그곳을 제 발로 한 걸음 한 걸음 디뎌봅니다.

언제부터였을까요. 라브리에 와 보고 싶다고 생각했던 것이. 대학시절, 대안을 만들어 가는 사람들과 공동체에 대해 함께 공부하던 날들, 생각하는 대로 믿는 대로 사는 삶을 위해 스위스에 공동체를 만든 프란시스 쉐퍼의 삶을 잠시라도 엿보고 싶다는 생각을 했었지요.

한 번 시작된 꿈은 그것을 포기하지만 않는다면 이루어지는 것일까요? 결국 십여 년의 시간을 훌쩍 뛰어 넘어 라브리에 다다르고 있네요.

반나절 남짓한 여유시간을 얻은 저는 지도를 살피다가 간선열차를 타면 30분 정도 걸린다는 레만호의 시옹성에 들리기로 마음먹었습니다. 스위스에서 가장 아름다운 성 중 하나라는 시옹성. 레만호의 고요와 아름다움 위에 섬처럼 떠있는 그 아름다운 성. 시옹이 주는 세월의 고요에 잠시 마음을 기대어보았습니다.

그러나 성보다 더 아름다운 것은 레만호 주변의 아름답고 정갈한 스위스의 집들입니다. 어느 집 하나도 창에 꽃을 걸어두지 않는 곳이 없습니다. 자신의 내면뿐 아니라 남이 바라보는 창을 위해서도 꽃을 거는 사람들. 거리뿐만 아니라 자신의 뒷마당까지도 흐트러짐 없이 깨끗하고 아름답게 가꾸며 살아가는 스위스 사람들. 스위스가 아름다운 것은 다만 알프스 때문이 아니라 스위스 사람들의 저토록 검소하고 부지런한 삶이 있어서가 아닐까 생각합니다.

여행은 제게
나눔을 가르칩니다.
약한자에 대한 논리
그 논리야말로
공동체를 만드는
가장 소중한 가치입니다.

다시 기차에 몸을 실어 로잔에 두고 온 짐을 찾아 웨이모 행 기차를 탔습니다. 한 시간 남짓, 아름다운 들판과 호수, 푸른 산맥들을 지나 알프스의 골짜기 마을 웨이모에 이릅니다. 기차에서 내리니 차 시간에 맞추어 운행되는 산간 버스가 기다리고 있습니다. 도시에서 장을 봐온 듯 꾸러미를 든 사람들이 몇몇 올라탑니다.

알프스 산자락을 지그재그로 오가며 버스가 라브리에 데려다줍니다. 버스 기사는 이미 라브리에 가는 손님들을 많이 태워본 듯 익숙하게 라브리에 도착하자 내리라고 안내해 줍니다. 가파른 산자락, 나무로 지은 정류장에 내려 올려다보니 거기, 라브리가 있습니다.

참 오랜 시간을 지나, 먼 길을 에돌아 이곳에 도착했습니다. 일이 그러하듯 쉼 또한 이토록 준비하고 찾아가고 선택해야 하는 일인가 봅니다.

산장에 들어서니 저를 알아본 라브리 가족들이 환성을 지르며 저를 맞아줍니다. 수고했다고, 참 먼 길을 왔다고, 잘 왔다고. 오래 못 본 반가운 친구를 맞듯 품어주는 이들의 환대가 오랜 여행으로 지친 제 마음의 끈을 투두둑 풀어줍니다.

짐을 내려놓자마자 저녁을 먹자고 저를 집 아래 산자락의 조그마한 공터로 이끕니다. 거기엔 이미 모닥불이 지글거리며 타고 있고, 세계 곳곳에서 온 청년들이 소시지며 마시멜로우, 야생사과 같은 것들을 나뭇가지 끝에 끼워 구우며 한껏 저녁을 즐기고 있었습니다.

멀리 서울에서, 베이루트에서 왔다고 저를 소개했더니 모두들 환하게 웃으며 맞아줍니다. 마치 저를 위해 준비라도 한 듯 어떤 이는 피곤할 터이니 먼저 먹어보라고 돌 위에서 뜨겁게 달군 쿠키 초콜릿을 녹여 건네기도 하고, 어떤 이는 먼저 구워진 소시지와 마시멜로우를 주기도 합니다.

그저 작은 몇 가지 음식이었을 뿐인데 그것을 먹는 제 목구멍이 자꾸 뜨거워집니다. 바삭한 빵도, 부드러운 감자도, 훈훈한 스튜도… 모든 것이 따스하고 맛있습니다. 알프스 산으로 분홍빛 노을이 천천히 지고 산 위의 눈이 붉게 물듭니다.

나무로 만든 집, 나무로 짠 침대에서 자고 나 창을 여니, 창으로 알프스의 능선들이 액자 속의 그림처럼 펼쳐집니다. 아직 가을 초입이건만 이곳은 벌써 겨울의 아침을 느끼게 합니다. 여름에서 겨울로 건너와 아직 몸도 마음도 설은 제게 라브리의 사무를 보는 로사는 라브리의 일과를 소개해 줍니다.

아침이든 저녁이든 두 세 시간의 정해진 노동 중 하나를 선택해서 참여하고 나면 도서관에 가서 책을 읽든 테입을 듣든 자유롭게 라브리의 삶을, 고민을 공부하면 된다고. 그러나 무엇보다 중요한 것은 자신이 직면한 문제를 정직하게 묻는 것이라고.

'정직한 물음, 정직한 대답'

그것이 그리 쉬운 일이 아님은 라브리의 존재가 이미 말해주고 있는 것이겠지요. 자신의 물음에 직면하고자 여행을 하고 있는 것은 저만이 아니었습니다. 미국, 캐나다, 영국, 프랑스… 여러 나라에서 온 젊은이들이 이미 석 달째 그곳에서 라브리의 삶을 배우는 공부를 하고 있었습니다.

알프스의 가파른 산자락 이곳에 1955년 프란시스 쉐퍼 박사의 가족이 깃들며 라브리는 시작되었습니다. 처음부터 이런 국제적인 공동체를 세우려는 계획은 전혀 없었다고 합니다. 프란시스 쉐퍼가 스위스에서 쫓겨날 위기에 처하자, 벗들은 그가 스위스 영주권을 얻을 수 있는 유일한 방법으로 집을 구해주었고, 그 집은 시대의 물음에, 고뇌에 빠진 개인들의 물음에 답해주는 작은 학교이자 쉴터가 된 것입니다.

라브리는 장기, 단기로 손님들을 맞이합니다. 어떤 이들은 쉐퍼 박사의 정신과 사상을 배우는 학기제 프로그램에 참여하기도 하고, 어떤 이들은 가족과 함께 3~4일 정도 짧게 머물기도 합니다.

라브리에는 1년 내내 시대의 고민에 대해 묻고 답하는 토론과 강의가 끊이지 않습니다. 매주 정해진 테마에 의해 토론이나 강의가 진행되지만 제가 도착했을 때에는 학기가 끝나고 다음 학기로 넘어가는 잠깐의 방학이었습니다.

평생을 자신이 믿는 대로 살다 간 프란시스 쉐퍼. 그의 가장 깊은 고민은 '앎과 믿음이 일치하는 삶' 이었다고 하지요. '그러면 우리는 어떻게 살 것인가?' 에 답하기 위해 그가 일구어 온 영혼의 쉴터 라브리에 전 세계에서 온 청년들이 깃들어 단순하고 소박한 삶을 배우고 익히며 그의 물음을 그들의 물음으로 품어갑니다.

라브리는 기독교에 바탕을 두고 있지만 수많은 이들이 다녀가는 열린 공간입니다. 힌두교인, 무신론자, 이슬람교인… 누구든 자신의 영혼의 물음에 직면해 묻고 대답하기를 원한다면 라브리에 들어올 수 있고 머물 수 있는 것입니다.

대학을 휴학하고 삶의 길을 묻기 위해 왔다는 영국 청년 샘, 의사로 일하다가 삶의 의미를 묻기 위해 왔다는 미국의 아름다운 아가씨 셸리, 대학원을 마치고 박사학위 공부를 시작하기 전 영혼의 목소리를 듣기 위해 왔다는 미카엘, 20년간 캐나다의 NGO에서 일을 하다가 잠시 삶을 갈무리하고 싶어 왔다는 피터….

깊은 사색, 땀 흘리는 노동을 하다가도 밤이면 삶의 고민으로 흐느끼기도 하는 이 아름다운 청년들. 그들이 긴 생에서 이렇게 머물 곳이 있다는 것이, 그들의 삶을 어떻게 살아가야 하는지, 이 세계 속에서 무엇을 해야 하는지 물을 곳이 있다는 것이 얼마나 소중하고 다행한 일인가요.

라브리 사람들은 쉐퍼가 그랬던 것처럼 계획을 세우지 않습니다.
함께 일할 사람을 구하지 않습니다.
돈을 구하지 않습니다.
다만 그들이 해야 할 일이 무엇인지 알고, 그 일을 해 나갈 뿐입니다.
그러나 그들은 지난 50년간 한 번도 돈이 없어 굶은 적이 없습니다.
하나뿐이었던 샬레는 일곱 채가 되었습니다.
스위스 산골짜기에서 시작된 라브리는 영국, 독일, 프랑스, 스웨덴…
세계 도처에 또 다른 라브리를 낳았습니다.
그 모든 일들을 계획한 적이 없고,
그 일들이 일어날 때 사람이 없어 중단된 적도 없습니다.
깊이 묻고, 정직한 삶으로 행동하는 라브리의 원칙은

꼭 필요한 일을 하게 했습니다.

꼭 필요한 일은 이루어지기 마련인 것이니까요.

라브리는 그러한 믿음을 증명하고 있는 게 아닐런지요.

라브리가 제게 그러하였듯이 저 또한 누군가에게 피난처가 되어 줄 수 있기를, 세상의 쉴터가 되어 줄 수 있기를 기도하며 라브리, 그 아름다운 알프스의 산길을 내려옵니다.

버스 기사 아저씨는 며칠 전 태워주었던 아시아 여자를 기억하고 눈인사를 건네며 트렁크를 실어줍니다. 라브리 앞에는 저를 향해 오래도록 손 흔들어 주는 이들이 있습니다. 언제고 가족과 함께 꼭 다시 오라며 저를 배웅해 주던 맑고 아름다운 이들. 그들이 준 깊은 쉼을 제 영혼 깊은 곳에 들인 채 다시 먼 길을 떠납니다.

레만호의 아름다운 마을들을 지나 기차는 다시 로잔으로 향합니다.

아름다운 레만호에 마지막 눈맞춤도 제대로 하지 못한 채 서둘러 기차역에 나왔건만 스위스의 시계는 정확함만 있을 뿐 친절함은 없는 모양입니다. 독일어로만 안내되는 기차 안내방송에 서툰 여행자는 기차역에 서서 프랑스로 가는 기차를 놓쳐버리고 맙니다.

늦은 밤 놓쳐버린 기차로 인해 일정에도 없던 낯선 도시 리옹에서 하루를 묵어가게 생겼습니다. 가지고 있던 정보들을 뒤적이다가 한 유스호스텔에 연락이 닿았습니다. 산악기차를 타고 가야한다는 그곳, 떨리는 마음으로 몇 번을 묻고 또 물으며 도착한 산자락의 오래된 마을은 인적없는 성처럼 고요하고 적막합니다.

그러나 막상 유스호스텔에 들어서니 그곳은 별천지처럼 여행자들로 북적이고 있었습니다. 바를 겸한 호스텔 카운터에서 간신히 도미토리의 침상을 배정받고 돈을 지불하기 위해 지갑을 열었지만 숙박을 예상하지 않았던 일정인지라 남은 유로는 방값에 턱없이 모자랍니다.

한참을 이 주머니 저 주머니를 뒤적이며 난감함에 막막해지던 그 밤, 갑자기 누군가 뚜벅뚜벅 카운터 쪽으로 걸어오더니 저 대신 숙박비를 내 주었습니다. 깜짝 놀라 바라보니 그는 그저 여행자에 대한 도네이션이라며 제 길을 가 버립니다. 천사가 잠시 제게 왔던 것일까요?

프랑스 어느 작은 도시에서 마주친 똘레랑스의 얼굴은 온통 두렵기만 하던 리옹의 밤을 한순간에 안온하게 만들어 주었습니다.

다음 날 아침 리옹의 고성이며 아름다운 도시를 살필 겨를도 없이 서둘러 다시 역으로 향했습니다. 산악기차를 타러 나오는 길, 아침 햇살을 받으며 책을 읽고 있는 여행자의 모습이 아름다워 가만히 살펴보다가 깜짝 놀라고 말았습니다. 어젯밤 그 여행자였던 것이지요.

반가운 마음에 그에게 다가가 돈을 건네었습니다. 그러나 그는 돈을 받지 않겠답니다. 자기도 누군가에게 그런 도움을 받은 적이 있으니 고맙다면 여행길 위에서 누군가 다른 이에게 환대를 베풀어 주라고.

똘레랑스.

약한자에 대한 환대.

누군가 그런 말을 했던 적이 있지요. 그 환대야말로 공동체를 만드는 가장 소중한 가치라고.

거절하는 그에게 돈 대신 작은 선물과 고맙다는 말을 건네고 저는 다시 길을 떠났습니다. 이번엔 꼭 떼제로 가는 기차를 타야하니까요.

유럽의 심장은 떼제에서 펄떡이고 있다

작고 한적한 기차역 바로 곁에 있는 버스터미널에서 배낭을 맨 청년들과 떼제마을로 가는 버스를 탔습니다. 버스는 아름다운 능선과 들판들을, 프랑스의 아늑한 시골마을들을, 오래된 수도원을 지나 낮은 언덕 위에 크고 작은 집들로 이루어진 아름다운 떼제 공동체에 다다릅니다.

공동체 입구의 낮은 집과 오래된 나무 그늘 아래에는 세계 각국에서 온 청년들이 접수 시간을 기다리고 있습니다. 드디어 접수가 시작되고, 입구의 큰 건물 속에서는 십여 명의 청년들이 새로 온 청년들을 맞아 떼제의 생활에 대한 안내를 시작했습니다.

떼제의 일상은 단순합니다.

하루 세 번의 기도, 아침의 공동체 대화와 노동, 그리고 고요하게 자신을 묵상하는 자유로운 하루. 그러나 더 깊은 침묵을 원한다면 침묵의 한 주간을 보낼 수 있도록 따로 숙소와 생활을 배려해줍니다. 떼제가 유럽의, 세상의 젊은이들에게 주고 싶은 가장 소중한 것이 바로 침묵과 고요, 그 속에서 일어나는 자기 비움이기 때문일 것입니다.

일주일간 머무는 데 드는 비용은 온 나라에 따라, 나이에 따라, 가지고 있는 돈에 따라 자신이 선택할 수 있습니다. 같은 조건이라도 그가 가난하다면 덜 낼 수도 있고, 부유하다면 더 낼 수도 있습니다. 그러나 더 낸다 해도 떼제에서 받는 돈은 유럽 어디에서도 본 적 없는 저렴한 숙식비입니다. 그래서 유럽의 비싼 물가에 지친 친구들은 이곳에서 정신적 쉼뿐 아니라 경제적 쉼을 얻기도 하는 듯합니다. 저렴한 비용 때문인지 북유럽은 물론 동유럽의 친구들도 제법 많은 것 같네요.

저보다 3일 먼저 왔다는 친구의 안내로 숙소에 가 짐을 풀었습니다. 숙소에는 인도네시아에서 온 친구들, 또 옆 나라 독일에서 온 친구들이 이미 기다리고 있습니다. 며칠이지만 이 작은 방안에 세계가 깃들어 있습니다. 짐을 풀고 첫 식사를 하러 갑니다. 첫 저녁 기도를 하러 갑니다.

저녁 기도를 드리러 가는 제 걸음이 저도 모르게 설레입니다.

얼마나 오래 그려보던 떼제의 기도인가요.

얼마나 오래 들었던 떼제의 노래인가요.

1962년에 지어졌다는 화해의 교회.

그저 큰 텐트처럼 간소해 보이던 건물 안에는 상상해 보지 못한 아름다운 고요가 깃들어 있었습니다. 긴 휘장들이 높은 천정에서 바닥까지 노을처럼 붉고 아름답게 드리워져 있습니다. 곳곳엔 떼제의 수사들이 직접 빚은 떼제의 십자가가, 촛대 속에 흔들리는 촛불들이 달처럼 은은한 빛을 발하고 있습니다.

고요의 아름다움이 이런 것일까요. 그 깊은 고요 속에 깃들어 여행자들은 떼제의 노래를 부릅니다.

떼제는 아픔이 있는 땅을 위해 기도합니다. 그리고 그 아픔이 깊어지면 그들은 그들의 형제들을 그곳으로 보냅니다. 그 마르고 갈한 땅에 그들은 화해의 공동체로 뿌리내립니다. 누군가에게 변화하라고 말하지도, 개혁하려 하지도 않습니다. 다만 그곳에 씨앗처럼 심겨지고, 고요히 그들의 삶으로 화해와 일치의 싹을 키워갈 뿐입니다.

로제수사는 말했지요.

"우리가 평화를 위해 할 수 있는 가장 적극적인 행동은 기도이며 가장 깊은 행동은 경청입니다."

그가 말한 기도가 나의 기도와 무엇이 다른지를

그가 말하는 침묵과 세상의 침묵이 어떻게 다른 것인지를

세계 각처에서 온 젊은이들의 물결을 통해 마주하는 떼제의 언덕

이곳에서 조금씩 깨달아가는 듯합니다.

아침 기도를 마치고 나면 어김없이 찾아간 곳은 떼제의 언덕 한켠, 햇빛이 맑게 비치는 아름다운 책방이었습니다. 그곳에서 떼제의 수사들이 직접 그린 엽서와 그림들을, 떼제의 노래들이 담긴 악보를 보고, 나무로 깎은 십자가를 매만지며 두고 온 이들을 그려보곤 했지요.

그러나 무엇보다 제게 소중했던 것은 그곳에서 본 책들이있습니다. 아침

이면 그 아름다운 책방 한 귀퉁이에 가만히 앉아 떼제의 역사와 로제 수사의 삶을 읽었습니다.

1940년 8월, 스물다섯의 청년 로제는 2차대전으로 폐허가 되다시피한 동부 프랑스의 작은 마을 떼제에 홀로 와서 정착했습니다. 고난의 한복판에서 매일 구체적인 화해를 실현하며 살아가는 공동체…. 그것이 그의 꿈이었다 합니다. 그러나 처음에는 그를 따라 공동체를 일구겠다고 그 마을에 와 준 이는 아무도 없었지요.

그는 첫 2년 간, 고독과 함께 모든 일들을 혼자 감당해야만 했습니다. 그는 우선 피난민, 특히 나치 독일의 점령을 피해 스위스로 탈출하려는 유대인들을 숨겨 주었습니다. 1944년 프랑스에 해방이 찾아왔으나 떼제는 화해와 일치의 기도를 쉬지 않았습니다.

그들은 이제 해방과 더불어 목숨이 위태로워진 독일군 포로들을 주일 아침에 초대해 함께 예배하며 식사를 대접했습니다. 화해와 일치의 문은 누구를 향해서도 잠겨서는 안 된다는 것이 떼제의 정신이었기 때문이지요. 양측으로부터 오해와 고난을 겪은 것은 어찌 이루 말할 수 있을까요.

그 어려운 시절을 겪으며 차츰 다른 형제들이 동참하여 1949년에 가서야 공동 생활과 독신 생활 안에서 일생을 봉헌할 것을 서약한 떼제 공동체가 시작되었다 합니다. 첫 수사들은 다양한 개신교회 출신이었지만 1969년 가톨릭 형제가 들어오며 떼제는 신구교, 교파를 넘어서는 공동체가 되었습니다.

이제 떼제의 형제들은 오롯이 세상을 담고 있지요. 25개국 이상의 다양한 나라에서 비롯되고 모든 대륙을 망라합니다. 형제들 중 일부는 분쟁 지역에 들어가 화해와 일치의 공동체로 살아가고 있습니다.

지금까지 떼제의 낮은 언덕에는 수십만 명의 청년들이 머물다 갔습니다. 일주일 단위로 연중 계속 열리는 젊은이 모임에는 매주 다른 대륙 35~70개국으로부터 참가자들이 모입니다. 어떤 주간에는 그 수가 6천여 명에 이르기도 한다 합니다. 이들은 제가 그러했듯이 노동을 하고 기도를 합니다.

그러나 떼제는 자신을 중심으로 한 어떤 '운동'도 조직하지 않았습니다. 오히려 로제 수사는 이렇게 말합니다.

"공동체의 가장 큰 유혹은 '우리'를 세워가는 것입니다."

그 대신 젊은이들이 자신이 속한 교회, 이웃, 마을이나 도시에서 다양한 세대의 사람들과 더불어 더 열심히 그들의 '화해와 일치'를 만드는 일에 삶을 쓰도록, 떼제의 언덕에서 시작된 그 경청과 치유의 삶이, 화해와 일치의 삶이 일상의 선 자리에서 시작되도록 독려하고 있는 것입니다.

그런 젊은이들을 돕기 위해 떼제는 1974년 '지상에서의 신뢰의 순례'를 시작했습니다. 자기가 선 곳에서 깊이 묻고, 스스로 대답하고, 기도와 화해의 삶으로 희망을 일구어 가자는 젊은이들의 공회를 시작한 것입니다.

이 순례는 이제 연말이면 수만 명의 젊은이가 유럽의 한 도시에 모여 며칠간 펼치는 화해와 일치의 축제가 되었습니다. 유럽뿐만 아니라 아시아, 남북미, 아프리카의 다양한 지역에서 보다 깊고 넓은 여행으로 펼쳐지고 있습니다.

우리가 평화를 위해 할 수 있는
가장 적극적인 행동은 기도이며
가장 깊은 행동은 경청입니다.

단순하고 소박한 삶

덜 갖고 많이 존재하는 삶

생각한대로 살아가는 삶

앎과 삶이 일치하는 삶

자신을 사랑하고 세상을 돌보는 삶

화해와 일치의 삶으로

세상을 향해 화해의 문이 되어 주는 삶

떼제에서 그 말들은 추상적 선언이 아니라 손으로 매만져지는 일상으로 제게 걸어오고 있습니다.

떼제에서의 마지막 밤, 다음날 아침 일찍 떠나기 위해 미리 가방을 싸두고, 친구들과의 마지막 인사를 마친 후 마지막 저녁 기도를 드리러 화해의 교회로 들어섰습니다. 여느 때처럼 수사들이 흰 수도복을 입고 고요히 들어오고 맨 뒤에 로제 수사가 들어오셨습니다.

이미 눈이 잘 보이지 않고 무릎이 약해져 누군가의 부축 없이는 걷기 힘든 로제 수사. 그가 흰 수도복을 입고 저녁기도의 촛불들이 그득한 제대 앞에 섭니다. 사람들이 고요히 일어나 그의 앞으로 가서 무릎을 꿇고 성호를 받습니다. 그는 천천히 팔을 들어 한 사람 한 사람의 이마에 십자가를 그려 줍니다.

제 차례가 되었습니다.

그의 따스하고 부드러운 손이 제 이마에 닿습니다.

가로로 한 번, 세로로 한 번 작은 십자가가 그려집니다.
사람의 체온을 가진 따스한 십자가가 제 영혼에 깊이 스며듭니다.
그 예배에서 고요히 읽은 단 한 줄의 말씀이
제 영혼 위에 그득히 내려앉습니다.

너희에게 평화를 두고 가며, 내 평화를 너희에게 주노라.
– 요한복음 14:27

앗살라말라이쿰
앗살람…

:: 로제 수사는 2005년에 기도 중 한 정신이상자 여성의 칼에 찔려 돌아가셨습니다. 떼제는 그의 죽음을 슬픔과 원한이 아니라 화해와 용서로 치환하기 위해 고뇌하며 노력하고 있습니다. 평화의 사람 로제 수사, 그 영혼의 평화를 빕니다.

골목에서 꽃 핀 창조적 수공예품

떼제에서 올라탄 떼제베는 이제 파리로 향하고 있습니다. 파리에서의 여정을 챙겨보기 위해 베이루트에서 받아둔 고바야시 선생님의 명함을 찾습니니다. 그러다가 툭, 나무 한 그루가 그려진 아랍어 명함이 떨어집니다.

올리브 나무 로고 옆 '아실라 여성협동조합(Aseela women's cooperative)'이란 큰 글씨 아래 작은 글씨로 '올리브 비누와 공정무역을 통한 팔레스타인 여성들의 경제적 기회' 라고 써졌습니다. 와파 카이납, 그녀가 건네준 명함입니다.

베이루트에 모였던 평화활동가들이 헤어지며 서로 인사를 나눌 때, 저는 독일에 가는 길인데 가능하다면 유럽의 공정무역이 어떻게 이루어지는지 보고싶다고 했었지요. 그랬더니 일본에서 온 분들이 눈을 크게 뜨며 자기들은 일본에서 공정무역을 하고 있는 사람들이라고 반가워하며 제게 와파를 소개시켜 주었습니다.

와파, 그녀는 얼마 전까지 아이들을 가르치는 선생님이었던 아름다운 팔레스타인 여성입니다. 그러나 이제 분리장벽으로 아이들도, 그녀도 그들의 학교에 갈 수 없게 되었지요. 그녀는 어떻게든 가족의 생계를 책임져야 하는 여성들의 힘을 모아 올리브 비누를 만드는 작은 여성 생협을 만들고 있는 중이라 했습니다.

그녀의 주소는 팔레스타인 서안지구 데이쉐 난민촌.

그녀가 건네준 명함을 받아 쥐고 이번 여행에서는 당신을 따라 갈 수 없지만, 언젠가 당신의 마을에 찾아가 머무르고 싶다고 말했습니다. 그때 나를 재워 달라고, 그리고 당신의 작은 생협에서 나도 올리브 비누 만드는 법을 배우고 싶다고.

그녀는 웃으며 말했습니다.

"지금도 한 일본 친구가 한 달 째 머무르고 있어요. 언제든 당신이 오고 싶을 때 오세요. 와서 함께 올리브도 따고, 기름도 짜고, 비누도 만들어 보세요."

지중해의 햇빛에 반짝이는 올리브 잎은 얼마나 아름답던가요. 올리브 열매를 따면서 부르는 노래는 얼마나 흥겹던가요. 이스라엘이 팔레스타인에 분리장벽을 건설하며 불도우저로 올리브 숲을 파괴해 가고 있다지만 그 장벽 너머에서도 희망을 일구어 가는 많은 사람들이 이렇게 있습니다.

그녀와 인사하고 돌아서자 로비에는 일본의 공정무역 단체 얼터 트레이드의 파리 자문위원인 고바야시 선생님이 기다리고 계십니다.

"우리도 팔레스타인 여행을 계획하고 있어요. 얼터 트레이드 재팬(Alter Trade Japan, ATJ)도 이제 곧 팔레스타인의 올리브를 수입하기 시작할 계획이거든요. 언제고 가고 싶다면 같이 가도 좋겠네요. 혹시 파리에 오게 되면 연락하세요. 파리에 30년 째 살고 있으니 파리에서 보고 싶거나 만나고 싶은 사람이 있다면 도와 줄 수 있을 거예요."

곧 파리에 도착할 거라는 안내 방송과 더불어 그가 건네준 명함을 드디어 찾았습니다. 파리, 생나자르 역에 내려 그에게 전화를 합니다. 파리에 왔어요. 선생님을 만나고 싶어요.

첫날은 떼제에서 만난 유진이 소개시켜 준 미라보 민박에서 여정을 풀었습니다. 배낭여행을 온 대학생들부터 추석을 낀 황금연휴를 틈타 유럽으로 날아온 직장인까지 참 다양한 이들이 이곳에 머물고 있습니다.

미라보 민박 주인아주머니는 떼제에서 왔다니 너무 반가이 맞아주십니다. 왜 그런가 했더니 남편은 신학을 공부하고 한신대에서 강의를 하고 계신다 하네요. 그분은 여기서 아이들을 키우며 파리에 들르는 젊은이들에게 떼제처럼 의미있는 여행지를 추천해 주는 길라잡이가 되어주고 있구요. 참 자유롭고 편안한 곳입니다.

제가 공정무역을 처음 알게 된 건 책이 아니라 길 위에서였지요. 2004년, 인도 뭄바이 소셜포럼에서였습니다. 뭄바이 거리 곳곳은 세계 각국에서 온 참가단들의 노래와 춤, 챈트가 흥겹게 울려퍼지고 있었습니다. 그러나 십만의 인파가 모인 그곳에서 가장 많은 사람들이 오가던 곳은 주제 강연장이 아니라 공정무역 전시관이었습니다. 옥스팜, 공정무역협회 등에 소속된 인도의 수백 개 공정무역 생산자들이 코엑스 전시회처럼 거리에 부스를 차린 것이지요.

고통의 땅 카슈미르에서 온 파시미나, 학대당하는 아이들이 치유의 과정으로 만들어 낸 그림과 재생노트들, 농약을 치지 않은 유기농 면으로 만든 옷들, 재배하는 과정에서 만드는 과정까지 유해물질을 넣지 않은 목재 장난감, 생계를 책임져야 하는 빈곤지역의 여성들이 만든 수백 가지의 가방이며 헝겊 인형들…. 하루 종일을 구경해도 다음날이면 또 발길은 그곳을 향하곤 했지요. 그 가게들이 그토록 사람들을 잡아 끈 것은 한 가게 한 가게가 지닌 삶과 이야기 때문이었습니다.

며칠 후 소셜포럼 폐막을 앞두고 같은 숙소에 머물던 '아름다운가게' 공정무역 팀 사람들이 숙소 근처의 한 공정무역 공동체를 방문한다는 말에 저도 얼른 따라 나섰지요. 릭샤로 십 분 남짓 갔을까요. 우리가 도착한 동네는 굽이굽이 골목길을 미로처럼 펼쳐놓고 있었습니다. 그 미로 같은 길을 지나 언덕배기에서 '창조적 수공예품(Creative Handicrafts)' 이라는 조그마한 간판이 붙은 작은 사무실을 만났습니다. 한켠에는 사람들이 북적북적 무언가를 나르고 있고, 사무실을 지키던 한 백인 할머니가 우리에게 매니저를 소개해 주었습니다.

매니저는 다시 한 사람도 통과하기 어려울 만큼 좁고 구불구불한 골목길을 지나 우리를 작업장에 데리고 갔지요. 그곳에서 우리는 자신들이 만든 물건을 자랑스럽게 보여주며, 일하는 게 너무 즐겁다고, 자기가 남편보다 더 많이 번다고 까르르 소녀처럼 웃는 여성들을 만났습니다.

엄마가 일하는 동안 옆 골목 놀이방에서 선생님과 신나게 놀고 있는 눈이 큰 인도 아이들의 행복한 얼굴을 보았습니다. 사채를 빌려 썼다가 끊임없이 늘어나는 이자 때문에 아이들은 학교를 그만두고 열악한 작업장에서 저임금에 시달리다가, 이제 자신의 노동으로 아이를 교육시키는 어머니의 자랑스러운 얼굴을 보았습니다.

수공예품 전시장, 디자인 개발실, 탁아소, 작업장, 사무실 등을 두루 돌아본 뒤, 창립자 이자벨 마틴 수녀님을 뵙고 싶다고 했더니 마케팅 담당자는 우리에게 되묻습니다. 아까 안내해 주신 분이 이자벨인데 몰랐느냐고. 그 허름한 책상 한켠에 앉아 조용히 일을 하고 있던 그 할머니가 이 빈곤의 늪을 살만한 공간으로 거듭나게 한 이자벨 수녀였던 것입니다.

30년전 수녀로서의 종신서원을 마치고 스페인에서 부임해 온 땅, 인도.

여러 빈민가에서 그들을 섬기는 사역을 하다가 그녀는 생각했다고 합니다. 그냥 구호품을 주는 것만으로는 결코 이 가난을 벗어날 수도, 저들과 내가 친구가 될 수도 없다고. 그때 그녀가 만났던 것이 공정무역입니다.

그녀는 스페인의 교회와 유럽의 여러 단체들에 편지를 쓰기 시작했습니다. 우리는 더 이상 구호품을 원치 않는다, 우리가 원하는 것은 구호품이 아니라 노동과 노동에 적합한 임금, 그리고 삶의 존엄이라고. 그녀는 그렇게 이곳, 뭄바이의 빈민가로 들어왔습니다. 그리고 아무 일거리를 찾지 못해 집에서 절망을 헤아리던 여성 몇몇을 모아 이 공정무역 공동체를 시작한 것입니다.

이제 창조적 수공예품은 일본, 영국, 미국 등 7개국으로 수출하고 있습니다. 그전에는 그들의 품삯이 완제품 가격의 1%에도 미치지 못하는 것이었지만 그들이 함께 일하고 난 후 이제는 제품마다 15~50%의 이익을 보장받습니다. 뿐만 아니라 유럽에서 디자인 전문가와 마케팅 전문가들이 와서 그들의 제품 개발과 판매를 도와주기도 합니다.

그들은 이제 더 이상 사채를 쓰지 않아도 됩니다. 아이들이 공부 대신 마약에 물들고 거리에서 구걸하는 것을 보지 않아도 됩니다. 자신의 딸에게도 자신이 가꾸어 온 아름다운 일터를 물려줄 수 있습니다.

그들은 얼마 전부터 외식사업을 시작하기도 했습니다. 혼자일 때는 아무것도 하지 못했지만 힘을 합하기 시작하면서, 국경을 넘는 연대를 시작하면서 그들은 자신들이 상상했던 것보다 훨씬 큰 꿈을 이루고, 큰 변화를 일으키고 있었습니다.

그때 인도의 골목에서 엿본 공정무역이 일으키는 변화, 그곳에 선 사람들의 얼굴이 제겐 신선한 희망으로 다가왔습니다.

공정무역, 그것 참 멋진 아이디어죠

다음날, 고바야시 선생님을 만나러 낯선 도시 파리를 지도 한 장을 들고 나섰습니다. 오스트리아나 스위스에서는 독어로만 된 안내판 때문에 여간 헤맨 게 아니었지요. 파리는 불어 안내판이 버티고 있으니 미리부터 각오하고 길을 나섰습니다.

이상하지요, 이라크에서도 요르단에서도 길 한 번 잃은 적 없이 온갖 곳을 드나들며 많은 이들을 만났건만, 모든 교통통신 수단이 발달된 유럽에서 저는 이토록 자주 길을 잃고, 곤경에 처하며 헤매고 있으니 말입니다.

여러 번을 묻고, 내렸다 다시 타기를 반복해 겨우 고바야시 선생님과 약속한 장소에 도착! 그곳은 아름다운 공원가에 있는 노천카페였습니다. 고바야시 선생의 집이 그곳 가까이 있어 늘 거기에 와서 차를 마시고 신문을 읽는다고 합니다.

"ATJ는 지금 필리핀에서 바나나를 수입하고 있지요. 1986년, 사탕수수 가격이 폭락하자 네그로섬의 사탕수수 플랜테이션 농장에서 일하던 농업노동자들은 굶어 죽을 위기에 처하게 되었어요. 그때 이를 지원하기 위해 일본 네그로스 캠페인 위원회가 조직되었죠. 미국의 다국적 자본에 의해 바나나 생산지가 거대한 노예농장처럼 되어가고 있었어요.

생활자립사업의 하나로 재배하기 시작한 네글로스 섬의 재래종 바나나가 발랑곤 바나나에요. 대규모 농업플랜테이션 대신 가족단위의 소농이 생산을 책임지고 출하를 전문적으로 담당할 조직을 만들도록 지원했어요.

그때부터 지금까지 유기농 설탕과 바나나를 수입하고 있어요. 일본에선 바나나가 과일 중에 가장 많이 팔리는 품목이에요. 수입되는 과일의 88.8% 정도가 바나나니까요. 100만 생협을 가진 일본 생협운동의 기반에 대한 믿음으로 우린 바나나 수입을 시도했지요. 하지만 쉽지 않았어요. 현장에서의 생산성, 체계적인 관리, 유통 등 기반을 닦는 일이 쉬운 일은 아니었죠. 우리도 그쪽도 경험이 부족했으니까요.

콘테이너로 바나나를 수입해서 열어보면 바나나가 다 무르고 썩어 있는 거예요. 그런 일이 되풀이되어 우리는 조사를 시작했습니다. 그랬더니 우리가 다국적기업이 사는 가격보다 훨씬 높은 가격으로 바나나를 매입하니 현지에 그 여파가 미칠까봐 미국의 다국적 기업들이 필리핀 정부에 압력을 넣었던 거예요. 필리핀 정부는 주요 고객이자 동맹외교 상대인 미국 기업들의 요구를 거절하지 못 한 거죠.

그래도 우린 수입을 그만두지 않았습니다. 당연히 그 무역은 계속 적자를 기록했죠. 무려 5년간 우린 적자를 보면서도 그 일을 계속했어요. 그 오랜 시간을 버티자 필리핀 정부도 더 이상 그렇게 하지 못했죠. 다국적 기업들도 포기한 건 물론이구요. 지금은 내주 두 콘테이너씩 필리핀에서 바나나를 가져옵니다.

공정무역, 그것 참 멋진 아이디어죠. 그러나 그 일을 해 내기 위해선 더디고 지루한 과정과 실패의 경험을 통과하지 않을 수 없는 일입니다. 삶의 호흡으로 나가는 운동은 그만큼 긴 시간이 걸리고, 천천히 변해가는 거니까요."

ATJ가 수입하는 발랑곤 바나나가 전체 바나나 수입에 차지하는 비중은 아직 1.4% 정도라고 합니다. 그러나 전 세계의 공정무역이 일반 무역에서 차지하는 비중이 0.1%밖에 안 된다는 것을 생각하면 상당한 약진이라 할 수 있겠죠. ATJ는 바나나뿐 아니라 인도네시아의 양식새우, 쿠바산 커피, 네글로스 섬의 마스코바도 설탕 등을 취급하고 있었습니다. 그리고 이제 팔레스타인 올리브유 수입으로 붕괴되는 지구 한 편의 삶을, 다른 한 편의 삶으로 지지하고 다시 세우는 사람의 교역을 시작하는 중이었습니다.

그는 프랑스의 공정무역 운동에 대해서도 소개해 주었습니다.

우리말로는 공정한 무역, 영어로는 Fair Trade인 '코르메스 에퀴타블', 그 단어는 프랑스의 뜻있는 소비자들에게는 이미 유행어처럼 널리 알려진 단어라 합니다. 공정무역을 알고 있는 사람이 지난 2000년에는 9%에 불과했지만 2004년에는 56%로 증가했다 하네요. 프랑스 소비자 운동 단체들은 '소비는 투표다' 라는 슬로건 아래 그들의 삶을 지배하는 다국적 기업의 제품에 배인 제 3세계 노동자들의 고혈대신, 깨끗하고 정직하게 만들어진 공정 무역 상품들을 사용하자는 캠페인을 펼치고 있습니다.

소비자들의 수요가 확산되면서 프랑스의 거대유통업체인 까르푸에는 공정무역 제품 코너가 만들어졌고, 공정무역 제품만 전문적으로 파는 매장이 150여 곳 정도 생겼다 합니다. 실제 매장에서 팔고 있는 커피는 250g에 약 2.5유로, 일반 커피와 비교해 보면 0.2유로(약 300원) 정도 비쌉니다. 그러나 생산자에게 돌아가는 이익은 일반커피가 0.15유로인데 비해 공정무역 커피는 0.65유로로 네 배가 넘는 것이지요.

고바야시 선생님은 제게 파리에 있는 한 공정무역 가게의 주소를 적어주었습니다. 그곳에 가면 어떻게 공정무역 단체들이 일하고 있는지, 또 시민들에게 공정무역 상품을 판매하고 있는지 인도에서는 보지 못한 다른 한쪽 현장을 볼 수 있을 것이라고.

다음 날 고바야시 선생님이 가르쳐 준 공정무역 가게를 찾기 위해 조금 일찍 게스트 하우스를 나섰습니다. 세느강 건너 소르본느 대학 근처에 있다는 공정무역 가게를 찾아가는 길에 노틀담 성당을, 퐁피두 센터를, 루브르를, 세느강을 천천히 걸으며 음미해 봅니다.

관광지도 위에는 나와 있을 리 없는 그 작은 가게를 찾기 위해 여러 사람에게 주소를 보여 주며 헤매어 보지만 근처라는 말만 들을 뿐, 그 가게를 정확히 알고 있는 이는 아무도 없습니다. 거의 포기하는 심정으로 주위를 걷다가 연두빛의 깔끔한 가게가 보이기에 쉴 겸 문을 열고 들어가 보니, 여기가 그렇게 찾아 헤맨 그곳이 아닙니까!

열 평 남짓한 아담한 가게입니다. 손님이 많이 없는 시간인 듯 해 천천히 물건들을 하나 하나 만져보았습니다. 유아용 유기농 면 의류제품, 목욕용

품, 장난감 같은 것들이 다양하게 구비되어 있습니다. 아직 손님이 많지는 않은 모양이어서 하루에 열다섯 명쯤 손님이 온다고 합니다.

여주인은 1년 전 다니던 직장을 그만두며 이 가게를 시작했다고 합니다. 무언가 자신의 생을 지속하게 하면서도 세상을 살리는 일을 하고 싶어서.

"다행히 집세가 싼 가게를 얻었고, 혼자 운영하니까 인건비가 안 나가요. 하루에 손님이 열다섯 명쯤 오는데 대부분 물건을 사가지요. 손님이 많지 않고 머무는 시간이 기니까 제품에 대해서, 어디서 만들어지는지 누가 만드는지 이런 걸 설명해 드릴 수 있어 좋아요. 저도 손님도 인간적인 거래를 하게 되는 것 같아서요. 손님들이 단순한 쇼핑이 아니라 의미있는 일에 참여하는 기쁨을 가지는 모습을 보는 것도 재미있구요."

그녀가 그 가게를 혼자서도 경영할 수 있는 것은 전 세계에 펼쳐져 있는 공정무역 네트워크를 가진 단체들이 그녀의 가게에 품목별로 물건을 대 주고 있기 때문입니다. Oxpam, Eaual Exchange, Tradfraft, 아르튀장 드몽드 같은 단체들이 1,500종이 넘는 다양한 상품들을 개발하고 운송해 소비자의 손에 전달하도록 지원하는 체계를 가지고 있는 것입니다.

그러나 아직 전체 무역량의 1%도 안 될 정도로 공정무역의 불씨는 작습니다. 열악한 환경에서 장시간 노동을 해도 가난의 굴레를 헤어나올 수 없는 사람들이 그만큼 많다는 뜻입니다. 지구 위에 살아가는 이웃의 삶을 염려하는 마음이 공정무역의 씨앗입니다. 세상의 변화란 그런 마음이 쌓여야만 이루어지는 것 아닐까요.

마지막 여정은 고바야시 선생님이 소개해 주신, 한국인 번역가 선생님 댁에서의 식사입니다. 이 먼 곳에서 베이루트에서 만난 일본인이 파리에 사는 한국인을 소개해 주다니….

일본사람 고바야시 선생님이 소개해준 한국 선생님 댁에서 송편을 빚었습니다. 파리에 30년을 사셨다는 선생님은 제가 갔을 때 마침 송편을 빚으려고 준비중이셨다며 중국 녹두며 멥쌀가루를 꺼내기 시작하셨습니다. 집에서도 빚기 어려운 송편을 파리에서 빚으며 살아오신 이야기를 두런 두런 들습니다.

30여년 전 파리로 유학을 와서 공부를 하다가 한국어를 공부하는 프랑스 남자를 만나 사랑에 빠졌다 하시네요. 선생님은 고통 속에 있는 두고 온 나라를 위해 무언가 하고 싶어서 남편과 함께 한국 문학과 영화를 번역하기 시작하셨다고 합니다.

변영주 감독의 영화 〈낮은 목소리〉를 번역해서 파리에서 영화 시사회를 하기도 하셨다는 두 분입니다. 고바야시 선생님이 낯선 제게 그렇게 선뜻 두 분을 꼭 뵙고 가라고 한 이유를 알 것 같습니다.

"고바야시 선생과는 친구처럼 오랫동안 친하게 지냈어요. 지금 직장생활을 하고 있는 우리 큰 아이와 고바야시 선생 아이가 같은 반이었어요. 그 인연으로 서로 알게 되었지요. 이곳 프랑스에서 아시아인으로 살면서 약자의 눈으로 사회를 본다는 것, 그리고 그냥 웅크리고 살기보다 작지만 무언가 조금이라도 바꾸어 보려고 노력한다는 점이 서로 닮은 것 같아요.

고바야시 선생이 그런 사람이 아닌데 갑자기 전화해서 소개해 줄 한국 사

도시를 아름답게 하는 것은
그 도시가 지닌 건물들이 아니라
거기에 깃든 사람들,
그들이 살아가는 삶의 결이겠지요.

람이 있다며 당장 보낸다고 해서 놀랬어요. 근데 마침 잘되었지 뭐예요. 송편 빚으려구 쌀이랑 소랑 준비해 놓았는데 아이들은 모두 바빠서 늦게 온다 하고, 남편은 오래 같이 살아도 송편까진 빚을 줄 모르고… 준비된 인연인가봐요."

추석에 시댁에도 친정에도 가뵙지 못하고, 아이들과 예쁜 송편도 빚지 못하는구나 했더니 이렇게 먼 곳에서 외로운 추석을 맞이하는 분과 송편을 빚습니다. 안국동, 정동 거리의 기억을 더듬으며 1970년대, 아름다운 이십대 초반의 학생으로 떠나오던 한국의 이야기를 듣습니다.

여행은 이렇듯 뜻밖에 깊은 만남을 열어주고 있습니다. 그래요. 여행은 이렇듯 계획하지 않은 만남이 있어 아름다운 것 아닐까요.

짧았던 파리에서의 여정. 노틀담도 세느강도 에펠탑도 루브르도 그저 풍경처럼 지나며 잠시 스치듯 보았을 뿐이지만 제게 파리는 참 아름다운 도시로 기억됩니다. 파리에 살고 있는 사람들의 삶이 지닌 아름다운 결을 설핏이라도 엿보았기 때문입니다. 결국, 그 도시를 아름답게 하는 것은 그 도시가 지닌 건물들이 아니라 거기에 깃든 사람들, 그들이 살아가는 삶의 결일 테니까요.

떠나온 세월을 헤아리는 사람들

프랑스 국경을, 벨기에 국경을 그저 하나의 기차역을 지나듯 아무 철책 없이 넘어선다는 일이 주는 생경함. 그것은 우리 속에 내재되어 있는 분단의 흔적이겠지요. 파리 북역에서 올라탄 기차는 하루를 꼬박 달려 베를린에 도착했습니다.

한밤중이건만 기차역에 마중을 나와 주신 한민족 네트워크 선생님들의 따스한 배려에 유레일 패스를 잃어버려 가방마저 못 챙기고 어느 시골 역에서 쫓겨나 천신만고 끝에 베를린에 다다른 사고의 긴장이 모두 녹아내리는 듯 했습니다. 빈손으로 기차역에서 나타난 저를 보더니 선생님들은 웃으십니다.

녹초가 되어 잠들었다 아침에 깨어나보니 생각지 못한 아름다움이 저를 맞아줍니다. 오래된 벽돌 건물의 위엄과 격자 창의 고즈넉함이 방안 가득하고, 창밖에 펼쳐진 잔디 밭과 숲, 사람들이 조정 연습을 하듯 힘차게 노를 저어가는 호수의 아침. 그 아름다움에 잠시 마음을 빼앗겨 창밖을 보고 있는데,

"아름답죠? 근데 역사를 알고 보면 좀 다른 느낌이 들기도 해요. 여기서 히틀러가 요인들과 함께 유태인 암살을 결정했거든요."

독일 녹색당에서, 뮌헨시에서 오랫동안 일해 오셨다는 강정숙 박사님이십니다. 독일에서 남과 북의 평화를, 여성의 힘으로 만들어 가는 평화와 통일과 교육을 이야기하는 그 자리가 만들어진 것은 강정숙 선생님을 비롯해 독일에서 오랜 동안 살면서 한반도의 평화와 통일을 위해 일해오신 분들이 계셨기 때문입니다.

모임 첫날, 멜버른, 본, 마인, 저 남쪽 뮌헨에서까지 독일 전역에서 오신 수십 명의 선생님들이 한 사람 한 사람 자기 소개를 시작하셨습니다.

"한국을 떠나온 지 36년 6개월 되었습니다. 지금도 간호사로 일하고 있습니다."

"떠나온 지 28년 되었습니다. 떠나올 때는 2년만 있다가 돌아간다고 했는데 30년 동안 돌아가지 못한 채 살아가고 있네요."

"독일에 살기 시작한 지 32년 되었습니다. 저도 3년만 있을 줄 알았는데 30년이 흘러버렸습니다."

간호사로 유학으로 여러 이유로 조국을 떠나온 분들. 자신을 소개하며 한결같이 이름보다 먼저 떠나온 세월을 헤아리는 사람의 가슴에는 무엇이 흐르고 있을지요….

1966년 1차 파독 128명을 시작으로 11,000명의 수많은 간호사들이 파독되었다 했습니다. 반 이상 되는 분들은 여전히 독일 병원에서 일하고 계셨습니다. 몸은 독일에 있지만 젊은 그들에게 두고 온 조국의 현실은 가슴에서 떠나지 않았겠지요. 한국에서 민주화 시위가 있을 때마다 독일의 거리로 징을 들고 북을 들고 나섰다 합니다. 아이들이 어렸을 때는 아이를 업고 손을 이끌고, 아이가 자라서는 아이들에게 징과 장고를 가르쳐 함께 치고 함께 춤추며 독일 거리 거리를 평화를 위해 걸었다 합니다.

대부분 육십이 넘는 어르신들이 명찰을 나누어 주고 접수를 받고, 자료집을 만드는 실무를 손수 다 해 내시고 계셨습니다. 이분들의 초청으로 저는 이 먼 독일 땅에 온 것입니다.

북한을 평화의 마음으로 안기 위해 우리가 무엇을 해야 하는지 이야기합니다. 독일의 흡수통일 과정에서 독일 전문직 여성 80%가 공적 탁아 시스템의 붕괴로 직업을 잃고 실업자가 되었다는 이야기를 듣습니다. 세계화와 자본주의가 함께 밀려오며 동독이 서독의 내재적 식민지가 되어버린 냉엄한 현실에 대해 듣습니다. 북한 정부의 반대로 북측 여성들을 초청하지 못해 끝내 중국교포들을 초청하는 것으로 대신해야 했던 우리들의 오래고 깊은 단절에 대해 듣습니다.

그 단절을 넘어서 만들어 갈 수 있는 평화의 길에 대해 서로에게 묻고 서로에게 귀 기울이던 반제 포럼에서의 날들. 냉면 한 그릇 먹으러 베를린의 북 대사관에 오가던 유학생들을 줄줄이 체포했던 동백림 사건부터 지난 해 송두율 교수 체포 사건까지. 조국이 안겨준 것은 외면과 냉대, 심지어 체포와 구금의 기억일 뿐이건만 이들의 삶 속에서, 저는 오히려 그분들 가슴 속에 와 있는 통일을 보았습니다.

이제 내일이면 각자 다시 함부르크로, 프랑크푸르트로, 뮌헨으로 먼 길을 달려 돌아가야 하는 마지막 밤, 선생님들은 좀처럼 자리에 들지 않으셨습니다. 같이 토론하고 이야기하던 그 강당에 모여 밤늦도록 노래를 부르기 시작하십니다. '아리랑' 부터 '돌아와요 부산항에' 까지, 자신의 몸속에 담긴 노래는 모두 풀어 놓아야 잠이 올 듯 노래하고 또 노래합니다.

일 년에 한 번쯤 모여 밤새 그렇게 모국어로 노래하고 수다 떨고, 춤을 추고 나면 가슴에 쌓인 어떤 것이 풀어지고 다시 한 해를 살아갈 힘을 얻곤 한다는 선생님들…. 내일이면 독일인 직장 동료들 곁으로, 남편 곁으로 돌아가 다시 독일사회의 규칙들을 따라야 할테지만, 오늘 밤 하루 만큼은 그냥 한국 사람으로 편안하고 뭉근한 스무 살 한국 아가씨로 돌아가고 싶으신 모양입니다. 저도 그 노래들을 따라 불러봅니다. 아는 노래보다 모르는 노래가 더 많지만 노래야 뭐 입으로 부르는 것이던가요. 그 노래가 흥겨운데 저는 자꾸 마음이 젖습니다.

우리와 똑같은 사람입니다

선생님들은 모두 저마다의 도시로 돌아가셨지만 저의 여정은 아직 끝나지 않았습니다. 기억하는 교회에서 한참을 머물렀습니다. 기억하는 교회. 베를린 장벽. 국회의사당 앞에 서있는 나치에 협력한 국회의원들을 기억하는 돌비석들. 유태인 학살에 대한 기록을 담은 조형공원. 베를린은 온통 기록으로 가득한 도시였습니다.

43킬로미터의 베를린 장벽이 관통하던 도시 베를린에는 베를린 장벽을 넘다가 군인들에 의해 사살된 이들의 얼굴과 이름을 담은 하얀 십자가들이 길게 늘어서 있습니다.

그 기억의 도시에서 마르크스와 레닌 동상을 봅니다.

라이너 마리아 릴케의 시를 읽습니다.

윤이상 선생님의 무덤에 가 봅니다.

베토벤 거리를 지납니다.

로자 룩셈부르그가 암살당해 던져졌다는 강변을 거닙니다.

마틴 루터가 종교개혁을 선포했다는 화려한 개혁교회를 방문합니다.

포츠담선언으로 수많은 이들의 운명을 뒤바꾼 포츠담을 방문합니다.

이라크 전 이후 독일에 살고 있는 수십만 이슬람계 사람들에 대한 두려움으로 베를린 미국대사관 앞에 쳐진 바리케이트를 봅니다. 프리드리히 에버트 재단을, 미제레오를, 독일의 평화를 만드는 여성들의 네트워크를, 독일 내에 있는 이라크 이민자, 혹은 망명자들의 문화센터를 방문합니다.

어디에도 희망만 있거나 절망만 있는 곳은 존재하지 않겠지요. 이렇게 희망과 절망은 공존하며 한 걸음 한 걸음 나아가는 가 봅니다.

베를린을 떠나기 하루 전, 베를린에서 두 시간 여 떨어진 라벤스 부르크 여자수용소를 방문했습니다. 그날 라벤스 브루크 여자 수용소에서 제가 기억하는 가장 강렬한 것은 햇빛입니다. 독일에서 보기 드문 맑은 가을날이었지요. 그 아름다운 햇살이 비치는 강변에 공원처럼 깔끔하게 꾸며져 있던 라벤스 브르크 여자수용소. 하지만 그 역사가 품고 있는 것은 무서운 학살이었습니다.

1933년부터 1945년까지 유대인 학살은 12년이나 계속되었습니다. 오스트리아, 폴란드, 체코 등 유럽 전역에서 잡혀온 집시들, 동성애자들, 지식인 여성들은 지맨스 같은 독일 기업들을 위해 강제 노역을 하다가 독가스로 최후를 맞이했지요.

그곳에 머물던 9만 2천여 명의 여성과 아이들, 그들이 머물었던 수백 개의 방들은 이제 기억의 박물관으로 바뀌었습니다. 방문을 열 때마다 우리를 맞이해 주는 것은 그들의 고통을 형상화 한 작품들이었습니다. 그러나, 그 기억의 박물관에서 우리를 가장 깊이 울게 한 것은 절규하는 이들의 모습과 고문받는 여성들의 기록이 아니라 환히 웃고 있는 얼굴들이었습니다.

공놀이를 하며 환하게 웃고 있는 소녀, 세 아이를 바라보며 행복한 얼굴로 미소짓는 엄마, 교단에 서 있는 여교사, 춤추는 집시, 바이올린을 배우며 음악가가 되고 싶었던 통통한 뺨의 한 소녀….

그 사진 밑에는 그녀가 살고 싶었던 삶이, 그녀가 빼앗긴 삶이 고스란히 기록되어 있습니다. 그녀가 가지고 있던 꿈을, 삶의 자리를, 아름다웠던 시절을 기록하고 기억함으로써 그녀가 빼앗긴 것이 무엇인지를 말해 주고 있었습니다. '유태인 학살' 이란 역사적 사건에서 한 사람 한 사람의 이야기로 살아나고 있었습니다.

도망치지 못하도록 좁은 벽에 사람들을 몰아넣고 총살을 하곤했다는 골목을 지나, 사람들의 시체를 소각했다던 거대한 오븐 같은 화장터를 지나,

다시 호숫가에 나왔습니다. 여전히 햇살은 눈부시고 호수는 아름답습니다.

밖을 서성이다 들어갈 때는 보지 못했던 작은 교육관 하나를 발견했습니다. 교육관에 들러 전시된 작은 노트나 사진들, 기록들을 보다가 저는 깜짝 놀라고 말았습니다. 그 노트는 라벤스 부르크 인근의 학교 학생들이 수업을 통해 조사한 결과물들이었는데 라벤스 부르크 수용소에서 악명 높은 간수였던 한 여성의 삶을 조사한 내용이었습니다.

그녀는 아이들의 학교가 있는 마을에 살았다고 합니다. 그 마을 속에서 그녀는 착한 아내였고, 좋은 엄마였으며, 성실한 주민이었다 합니다. 그러나 매일 아침 제복을 갈아입고 수용소에 들어서면 그녀는 수감자들을 학대하고, 서슴없이 죽이고, 학살의 집행자로 일하는 상상할 수 없는 이중적 삶을 살아왔다는 것을 학생들은 발견한 것입니다.

독일에서 묻지 말아야 할 질문이 그것이라 했던가요?

"당신의 부모님은 히틀러 시절 무엇을 했습니까?"

그러나 독일 사람들은 그들의 아이들에게 이렇게 묻고 있습니다.

"다시 나치 정권이 온다면 학살에 동참하시겠습니까?"

히틀러는 광인이었다고, 나치의 유태인 학살은 시대의 광기였다고 말하는 사람들에게 그들은 말하고 있습니다.

"히틀러는 광인이 아니었습니다. 음악과 미술을 사랑했고, 채식주의자였으며, 검소하게 살았던 성실한 사람이었습니다. 또한 나치에 동조하고 협력했던 독일 사람들 또한 당신과 나와 똑같은 평범한 사람이었습니다."

히틀러가 유태인들을 배제했듯이 당신이 히틀러와 나치의 행동을 '그들만의 광기' 였다고 기억한다면 그것은 당신 안의 나치즘을, 당신 안의 배타주의를 그들에게 떠넘기는 것에 다름 아닐 것이라고.

라벤스 부르크를 떠나 오는 길 저는 수첩에 적어 봅니다.
히틀러는 광인이 아니었습니다.
죠지 부시는 광인이 아닙니다.
이라크 사람들을 학살하고 있는 미군들 또한
우리와 똑같은 사람입니다.
사람은 누구나 그런 일을 할 수 있고,
저 역시 그러합니다.
그러나 사람은 또한 누구나 말할 수 있습니다.
유태인 학살이 죄였던 것처럼 이라크 전쟁은 죄라고.
그것은 지금 당장 멈추어 져야 한다고.

당신은 평화를 믿나요?

필리핀 민다나오 섬의 북부 코타바토에 있는 분쟁의 땅, 피킷. 그곳은 1997년, 2000년, 2003년… 계속되는 전쟁으로 아직 상처조차 아물지 않은 땅입니다. 하지만 한국, 네필, 스리랑카, 인도, 미얀마, 라오스 등지의 평화활동가들이 이곳 피킷을 찾은 이유는 '분쟁' 때문이 아니었습니다. 그들을 돕기 위해서도 아니었습니다. 오히려 피킷에서 시작되고 있다는 '평화'를 배우기 위해서지요.

민다나오의 무슬림들이 정부군과 대치해 무장투쟁을 벌인 것은 어제 오늘의 일이 아닙니다. 그것은 스페인 식민지 시대(1571~1898)로 거슬러 올라갑니다. 스페인 정부는 식민통치의 두 가지 도구로 언어 말살과 개종을 강요했지요. 그리고 봉건제와 지주제로 몇몇 필리핀 사람만 부자가 되고 나머지 모두는 노예가 되는 사회제도를 유지했습니다.

가장 큰 섬인 루손을 지배하고 난 스페인은 두 번째 큰 섬인 민다나오를 지배하기 위해 먼저 이주민을 보냈습니다. 침략자의 속셈을 모르는 민다나오 주민들은 그들을 환대해 주었지요. 땅을 나누어 주고, 환영 행진까지 벌였으니까요. 그러나 스페인에게 민다나오는 '황금알을 낳는 거위'로 보였을 뿐입니다. 수많은 지하자원들, 최대의 바나나와 파인애플, 허브 농장이 민다나오에 있었으니까요.

주민의 대다수가 무슬림이었던 민다나오가 스페인의 가톨릭 개종정책과 착취에 맞서 무장봉기를 일으킨 것이 길고 힘든 역사의 시작이라고 할 수 있습니다.

1898년, 스페인은 미국에게 전쟁에서 진 대가로 필리핀을 양도했습니다. 그러나 해방은 오지 않았습니다. 미국은 1902년에 토지 등록법을 만들어 소수의 가톨릭 지주들이 무슬림에게 빼앗은 땅을 합법화하도록 도왔고, 지주제와 봉건제를 그대로 유지했습니다(1898~1946). 다시 일본의 점령(1942~1945)을 지나 필리핀은 독립을 맞이했지요. 그리고 마르코스의 시절이 왔습니다.

무엇이 낫고 무엇이 더 나쁜지조차 판단할 수 없을 만큼 길고 오랜 수탈이 계속되었습니다. 민다나오 사람들이 더 참을 수 없었던 것은, 다른 나라가 아니라 자국민에 의한 수탈과 학살이었습니다.

1972년 계엄령 아래서 수많은 사람들이 죽어갔습니다. 법정에서 조차도 정의를 찾아볼 수 없었습니다. 결국 사람들은 민다나오 독립을 요구하며 법 대신 무기를 들고, 마을을 등지고 산으로 들어갔지요. 1972년부터 1976년 사이 정부군과 치른 지독한 전쟁 뒤로 서로에 대한 비방과 증오는 걷잡을 수 없이 커졌습니다. 무슬림들은 가톨릭 사람들이 정부군을 돕고 있다고 생각하고, 가톨릭 사람들은 무슬림이 반군을 돕고 있다고 생각했으니까요.

결국 무장투쟁기간 동안 무슬림과 가톨릭의 아이들은 서로가 원수라고 교육받았습니다. '그들은 너의 노예들이며, 죽여도 좋은 쓰레기들이다' 라고. 1972년 이래로 지금까지 수차례 전쟁과 학살로 12만 명의 민다나오 사람들이 죽었습니다.

다바오에서 네 시간 가까이 내륙을 향해 달려 도착한 우리를 맞아 준 것은 착한 얼굴로 웃는 시골 사람들이었습니다. 그 속에 '평화 건설자' 토토와 아드레나얄도 있었습니다.

2004년 5월부터 피킷에 있는 42개의 바랑가이(전통적인 마을 공동체) 가운데 7개의 바랑가이가 '평화와 아이들을 위한 평화지대' 임을 선언했습니다. 토토와 아드레나얀은 주민들과 함께 그 평화의 공간 속에서 지속적인 협상, 정책개발, 평화교육, 전쟁상처 치유, 수입증대 및 지역개발 프로젝트 같은 다양한 활동을 펼쳐가고 있었습니다.

1997년, 정부와 평화협상을 시작하면서부터 피킷 사람들은 오히려 평화를 잃어버리게 되었습니다. 평화협상과 동시에 군을 투입해 전쟁을 야기한 정부의 기만으로 민다나오에서는 평화를 위한 대화, 혹은 '평화' 라는 단어 자체가 기만의 상징이 되어버렸지요. 그런 피킷에서 어떻게 이런 평화를 위한 몸짓이 시작될 수 있었던 걸까요.

마을회관 같은 평화센터의 벽은 빈틈이 안 보일 만큼 온갖 이야기로 가득합니다. 평화지대 선언에 참여한 일곱 바랑가이를 예쁘게 색칠해 놓은 피킷의 지도, 피킷에서 만들어진 평화노래, 함께 만든 평화지대 선언문, 아이들과 함께 했던 평화 카라반, 보건위생 활동, 수입증대 활동, 수백 개의 종교간 대화 워크숍, 평화로운 말하기 훈련, 여러 평화교육 사진들, 보도된 기사들…. 힘들지만 즐거웠을 지난 2년간의 여정이 고스란히 스며있었습니다.

우리를 맞이해 주던 아드레나얀은 천천히 그녀의 이야기를, 피킷의 이야기를 들려주었습니다.

"모로민족해방전선(MNLF 민다나오 독립주의자들)의 한 군인은 전투 중 한 가톨릭 마을에 들어가 그 마을의 모든 남자들을 죽인 일이 있습니다. 그 군인과 직접 만나 그에게 물었습니다. 왜 그렇게까지 잔인한 일을 했느냐고. 그는 말했지요. 누가 잔인한지는 잘 생각해보아야 한다고.

그가 두 살이었을 때 자기 앞에서 임신한 어머니가 동생과 함께 살해 되는 것을 고스란히 지켜보고 있었던 것입니다. 그 기억은 그의 평생을 뒤바꾸어 놓았습니다. 그의 유일한 꿈은 군인이 되는 것이었고, 엄마의 죽음에 대한 복수를 하는 것이었으니까요. 결국 그는 군인이 되었고, 자기 어머니의 죽음을 수백 배의 크기로 되갚아 준 것이지요. 트라우마(외상후 스트레스 장애)가 그들을 모두 죽인 거죠.

그러나 지금 그때 그에 의해 가족을 잃은 누군가는 또 다른 복수를 꿈꾸며 자라고 있을 거예요. 전쟁은 지나갔습니다. 그러나 전쟁의 상처는 우리 속에 터지지 않은 폭탄처럼 내장되어 있습니다.

수백 명의 죽음은 수만 명의 죽음이라는 열매를 낳는 산술을 우린 모두 알고 있습니다. 그 증오의 덫에 걸려든 사람들은 누군가에 의해 시작된 전쟁을 자신의 것으로 삼아 모두가 죽을 때까지 죽고 죽이는 일을 계속 하게 되는 것이 전쟁의 끝이라는 것도….

그 깨달음이, 우리 아이들의 미래가 평화지대 선언을 시작한 가장 큰 이유입니다. 우리가 지금 전쟁을 거부하지 않는다면 우리 모두가 서로를 죽이게 될 거예요."

마을 분들이 준비해 주신 바나나 잎사귀 쟁반에 담긴 맛난 점심을 먹고 우린 민다나오 평화의 노래를 배웠습니다. 그 자리에는 그들이 일구어 놓은 소중한 결실들에 대해 멀리서 찾아와 귀 기울이고 있는 외국 사람들을 바라

당신은 평화를 믿나요?

보는 마을 사람들이 처음부터 끝까지 미소 띤 얼굴로 함께 하고 있었습니다. 그곳에 간 것이 자신을 위한 여정이었다고 생각하고 있던 우리는 그들을 보며 깨달았지요. 우리가 그곳에 머무르고 있는 그 시간들은 마을 사람들을 위한 것이기도 하다는 것을. 그들이 지난 2년간 일구어 온 아름다운 열매들을 맛보기 위해 멀리서 온 손님들을 보는, 그들의 행복을 위해서도 만들어진 자리라는 것을.

점심을 먹고 우리는 이번엔 토토의 이야기에 귀를 기울였습니다.

"1997년 전쟁이 났을 때 우리는 최선을 다해 피해를 복구했습니다. 그러나 2000년에 다시 전쟁이 터졌지요. 피난을 가고 다시 돌아가고 또 복구를 하고…. 채 복구도 끝나기 전 우리는 또다시 2003년 전쟁을 겪었습니다. 그제서야 깨달은 것이 있었습니다. 우리가 복구하고 있는 것은 눈에 보이는 피해뿐이라는 것을.

우리가 그 전쟁으로 잃은 가장 큰 것이 있다면 그것은 '관계' 였습니다. 전쟁 전에는 함께 더불어 사는 것은 물론 결혼을 하기도 했던 가톨릭과 무슬림 주민들이, 세 번의 전쟁을 겪으며 깊이 갈라지고 분열되어 서로를 증오하게 되었으니까요.

그러나 우리는 분명히 알고 있었습니다. 그 전쟁은 정부군에 의해 시작되었으며, 역사적으로 무슬림에 대한 정당하지 않은 대우와 땅 문제 때문에 일어난 것이라는 것을. 그리고 무슬림 주민들도 가톨릭 주민들도 이 일의 피해자일 뿐이라는 사실을. 그러면서도 우리는 서로를 증오하기만 하고 있었습니다.

하지만 피킷에서 우리는 우리를 희생자라고 부르지 않습니다. 우리가 우리를 무엇으로 부르느냐는 우리의 미래를 위해 가장 중요한 출발점입니다. 우리 모두는 평화 건설자들입니다.

이 전쟁은 우리가 선택한 것이 아닙니다. 무력을 무력으로 통제하려는 정부의 정책이 전쟁을 낳고 있습니다. 우리는 집을, 가족을, 농사지을 땅을, 그리고 이웃과의 관계를, 너무 많은 것들을 잃었습니다.

우리는 여전히 정부의 전쟁과 무력을 막을 수는 없습니다. 그러나 우리는 평화를 만들 수 있다는 것은 알고 있습니다. 그래서 바랑가이를 찾아다니며 평화의 대화를 시도한 것입니다. 들판에서, 마을회관에서, 모스크에서, 교회에서, 사랑방에서… 수백 수천 번의 대화를 통해 '피킷 민중들에 의한 G7 평화지역 선언'은 탄생했습니다.

지금, 우리가 관계 맺는다는 것은 전쟁에 저항한다는 것입니다."

저는 그의 마지막 말을 마음 깊숙한 곳의 주머니에 담았습니다.

'관계 맺는 것은 저항한다는 것이다.'

센터에서의 이야기가 끝나자 우리는 서로 두근거리는 눈빛으로 그밤 우리를 초대해 준 마을 어른들을 찾기 시작했지요. 한두 명 이름이 호명되면 그 검고 환한 미소를 찾아가 손을 잡고 오토바이를 타고, 저마다의 집으로 출발했습니다. 떠나가는 우리를 향해 아드레나얄이 말했습니다.

"가서 진짜 역사를 들으세요."

제가 묵었던 그 집은 깔끔하고 단출 했습니다.

장작불을 피워 밥을 지어 차려 주시던 저녁, 씻으라고 펌프에서 길어다 놓으신 한 양동이의 물, 한국의 1970년대 시골 같아 마음이 편안하기도 했지만, 사실 멀리 떨어진 진흙 밭을 건너가야하는 컴컴한 화장실도, 씻지도 못하고 잠들어야 하는 무더운 밤도 그리 쉬운 것은 아니었습니다.

저녁을 먹고 나서 필리핀에 열풍을 일으키고 있는 한국 드라마를 보고 두런 두런 이야기를 나누다가 전쟁에 이야기가 가닿았습니다. 그러자 그때까지 한 번도 고단한 표정을 보인 적 없는 어머니가 조심스레 입을 여셨습니다. 1996년부터 지금까지 지난 10년간만 12번이나 피난을 가야 했다 합니다.

그제야 집 안에 나무로 짠 평상 외에는 가구라 할 만한 것은 하나도 놓여 있지 않았던 이유를 알았습니다. 오늘이라도 전쟁이 나면 옷가지 몇 개만 담아 피난을 떠날 준비가 되어 있는 듯한 단출한 살림살이. 그것이 가난 때문인 줄 알았으나 전쟁 때문이었던 것입니다.

농사짓는 이가 땅을 들고 피난할 수는 없어, 난민센터에 피난 나와 있던 시절에는 하루 몇 시간을 걸어 두고 온 논밭에 가서 농사일을 하고 폭격과 총성을 들으며 돌아오기도 했다는 고단한 시절…. 그러나 그녀의 고단한 삶은 아직 끝난 것이 아닌 듯합니다.

딸의 방에 제 이부자리를 봐주고 11시가 넘어 잠자리에 든 그녀는 날마다 새벽 3시에 일어나 바나나를 튀깁니다. 그리고 이른 아침 학교 가는 아이들에게 팔아 살림을 꾸려가는 것이지요. 자는 시간은 하루 서너 시간, 그럼에도 벗어날 길은 막막한 가난.

다음날 아침, 저는 그녀가 새벽에 일어나 튀겼을 바나나를 먹고 그 집을 떠나왔습니다.

피킷에 머무르는 며칠 동안 우리는 코타바토의 평화학교, 평화교육을 하는 유치원, 청소년 센터에 이르기까지 많은 이들을 만나고, 저마다의 목소리를 통해 그들이 만들어 가는 평화를 볼 수 있었습니다.

모든 여정이 끝나던 날, 다른 여정에 올랐던 팀과 함께 우리는 다시 체육관에 모였습니다. 그리고 거기서 G7 바랑가이 대표들을 통해 공동체의 이야기를, 앞으로 나아갈 여정에 대한 계획과 비전들을 다시 한 번 그들의 목소리로 들었지요. 하나같이 모두 검게 그을린 얼굴의 농부들이었습니다.

우리를 그곳으로 안내해 주었던 올손은 우리에게 감사장을 한 장씩 나누어 주었습니다. 그리고 그 자리에 저마다의 이름을, 그리고 감사의 말을 적어 초대해 주었던 가족들에게 전해주자는 것입니다. 한 사람 한 사람 앞으로 나가 자신이 적은 감사의 메시지를 읽고 그 가족을 앞으로 모셔 한 장 한 장 감사장을 전달했습니다. 서른 가족 모두가 그렇게 앞으로 모셔졌지만 그 시간이 그리 길게 느껴지지 않았던 것은, 가슴속에서부터 길어 올린 감사의 말들이 그분들을 얼마나 행복하게 하고 있는지를 우리 모두 깊이 느낄 수 있었기 때문입니다.

그렇게 공동체 어른들과의 모든 인사를 끝내고 다시 저마다의 먼 길을 떠나던 그 체육관에서 저는 아드레나얄에게 물었습니다.

"왜 평화를 위해 일하나요?"

"난 피킷에서 태어났어요. 그 말은 나도 트라우마로 고통받았던 사람이란 거죠. 그러나 다바오에서 대학을 졸업하고 NGO에서 일하며, 내 기억의 상처를 치료하는 법을, 내 증오와 불신을 넘어서는 법을 배웠어요. 학교에서도 집에서도 증오만 배우고 자란 내가, 용서하는 법을, 다시 신뢰하는 법을, 대화하는 법을 훈련받으며 치유된 거지요. 그래서… 그래서 돌아왔어요. 여기 어떤 아이들이 어떻게 살아가고 있는지 누구보다 내가 잘 알고 있기 때문에.

그래요. 올해 또 전쟁이 일어날지도 모르지요. 하지만 전쟁이 오는 건 우리가 무슬림이거나 가톨릭이기 때문이 아니라는 사실을 우린 알고 있어요. 정부와 다국적 자본이 우리를 쫓아내고 댐을 짓고 우리의 땅과 자원을 빼앗아 가려고 증오를 이용하고 있어요.

우리가 서로를 증오하는 것으로는 이 전쟁과 수탈을 막아낼 수 없다는 것 또한 분명하게 알고 있지요. 때문에 전쟁이 또 온다 하더라도 우리는 평화지역을 포기하지 않을 거예요. 평화는 평화를 위해 일하는 것으로만 지켜질 수 있는 거니까요.

우린 평화를 믿어요."

그녀와의 이야기는 거기서 그치고 말았습니다. 우리 곁에 한국 사람과 함께 사진을 찍고 싶다는 소녀들이 기다리고 있었기 때문입니다. 날마다 한국 드라마를 보며 코리안 드림을 품고 있는 소녀들입니다.

우리는 함께 기념사진을 찍었습니다.

아드레나얄, 피킷의 십대 소녀들, 그리고 저….

민다나오를 떠나오던 비행기 안, 제 카메라에 담긴 피킷에서의 그 마지막 사진을 들여다보며 저는 뒤늦게 깨닫습니다. 그때 그 체육관에서 제가 미처 듣지 못한 마지막 말이 있었다는 것을…. 사진 속의 아드레나얄이 제게 소리없이 묻고 있습니다.

"당신은 평화를 믿나요?"

돌멩이국을 끓이듯

여행하던 배고픈 곰이 마을에 도착했습니다.
곰은 여우네 집 문을 두드리며 말했습니다.
"길을 가는 곰이에요. 배가 고파 그러니 먹을 것 좀 주세요."
"없어요." 여우는 문을 꽝 닫았습니다.
"길을 가는 곰이에요… 배가 고파…" "꽝!"
토끼도, 다람쥐도, 어느 누구도
불쌍한 곰에게 먹을 것을 나누어 주지 않았습니다.
그러자 곰은 마을을 나와 숲으로 갔습니다.
잠시 후 곰은 커다란 돌멩이 하나를 손에 들고
다시 여우네 집을 두드렸습니다.
"맛있는 돌멩이국을 끓이려 하는데 솥 좀 빌려주세요."
여우는 돌멩이국이란 말에 귀가 솔깃해졌습니다.
국이 다 되면 나누어 준다는 약속을 하고 솥을 빌려주었습니다.
다람쥐에게는 국자를 빌렸습니다.

그리고 그 커다란 솥에 돌멩이를 넣고 국자를 저으며

곰은 노래를 불렀습니다.

"맛있는 돌멩이국, 누구랑 나눠 먹지.

배추 한 줌 넣으면 더 맛있을 텐데."

곧 토끼가 배추를 들고 나왔습니다.

"고기 한 점 넣으면 더 맛있을 텐데."

늑대가 고기를 한 점 들고 나왔습니다.

소금도, 후추도 모두 그렇게 가지고 나왔습니다.

돌멩이국은 정말 맛있게 끓여졌습니다.

그리곤 돌멩이국을 함께 끓인 숲 속 동물 모두가

돌멩이국을 먹으며 잔치를 벌였습니다.

아이들에게 이 동화를 읽어주던 저녁마다 저는 돌멩이국의 그 맛깔스런 냄새를 상상하며 아이들과 함께 그 따스한 국물을 한 그릇 얻어 후루룩 쩝쩝 마시는 시늉을 해 보곤 하였지요. 자신을 박대한 동물들에게 비난도, 원망도, 눈물도 없이 숲으로 가 돌멩이를 들고 나오던 곰의 지혜로운 걸음.

아이들과 저는 마을이 아니라 곰의 숲으로 가 잠시 머뭅니다.

그 숲에서 곰은 얼마나 오랜 시간을 보냈던 것일까요.

곰은 숲에서 무슨 생각을 하였던 것일까요.

곰은 숲에서 제 감정을 어찌 다스렸을까요.

곰은 숲에서 가져온 돌로 왜 자기를 거절한 동물들을 때리지 않았을까요.

곰은 힘이 센데 왜 뺏어 먹지 않았을까요….

곰에게 '돌멩이 하나'가 무기가 아닌 화해의 돌이 될 수 있었던 것은 그 숲이 있었기 때문이라고 생각해 봅니다. 그 숲에서 곰이 보냈을 시간과 물음들 때문이라고…. 우리에게 자신의 분노를 돌아볼 그런 숲이, 그런 고요가, 그런 물음들이 있다면 우리의 삶은, 세계는, 전쟁은 조금은 다른 얼굴을 갖게 되지 않을런지…. 그 물음들을 던지고 생각의 오솔길을 걷는 사이 아이들은 어느새 스르르 잠들어 버리곤 하지요.

평화교육….

평화도, 교육도, 가르쳐야 할 아이들도 잘 모른 채 안산에서 제천까지 먼 길 오가는 버스에 몸을 실었던 지난 봄, 열 서너 명 남짓 앉아있는 간디학교의 작은 교실에서 아이들은 '평화'라는 이름의 들어본 적 없는 과목에 한없이 낯을 가리며 고개를 떨구고, 안으로 웅크리기만 하였지요. 그 아이들과 한 학기, 평화라는 이름의 여행을 하였습니다.

그러나 첫 걸음을 떼며 가졌던 설레임들은 시간이 흐를수록 때론 안타까움으로, 때론 답답함으로 변하곤 하였습니다. 내게 아이들의 언어가, 아이들과 소통할 심장이 살아있는 것인지, 혹은 아이들과 나눌 평화가 있는 것인지 스스로에게 묻던 날들, 오랜동안 평화교육을 공부하고 연구한 캐나다 친구 미셸에게 물었습니다.

"미셸, 평화를 가르치려면 어떻게 해야 하나요?"

그녀는 말해주었지요.

“평화를 가르치려면 아이들이 교실에서 평화를 경험해야 해요.”

“어떻게 하면 평화를 경험할 수 있나요?”

“아이들을 가르치려 하지 말고 아이들의 소리를 들으세요.

아이들에게 귀 기울이고, 아이들에게 배움의 자리를 내어주세요.

칠판 위에는 당신의 말이나 지식, 경험 대신

아이들의 말을, 아이들의 생각을, 아이들의 질문을 써 주세요.

자기 질문을 가지고 그 교실에 있을 때, 자기만의 자각에 다다를 수 있으니까요.

교사는 다만 그것을 도와주는 길잡이 같은 거죠.

무엇보다 어떤 아이가 독점하거나 어떤 아이가 소외되지 않도록

평화를 골고루 경험하게 해 주세요.”

제 자리를 비우고, 아이들에게 자리를 내어 주라는 말, 제 목소리를 낮추고, 아이들의 소리에 귀 기울이라는 말, 평화를 가르치지 말고 평화를 경험하게 해 주라는 그 말, 그 말은 아이들보다 먼저 제게 귀한 가르침이 되었습니다. 제가 그 교실에 가져가야 하는 것은 다만 숲의 돌멩이 같은 것이라는 것을 깨달은 것이지요.

가르쳐 주고 싶은 것 대신 아이들이 궁금해 하는 것을, 말하고 싶은 것 대신 아이들이 하고 싶어 하는 말을, 가르쳐 주는 자리에 서는 대신 아이들이 발견하는 자리에 서도록 저의 자리를 조금씩 비우기 시작했습니다.

아이들은 꼭 제가 물러서는 만큼 나아오고, 꼭 제가 다가서는 만큼 물러나는 듯 했습니다. 분쟁지역을 오가는 이들과의 만남을 통해 거리에서 평화

를 위해 행동하는 젊은 활동가들과의 만나면서, 미군기지 건설에 맞서고 있는 평택에 오가며, 민다나오 사람에게서 아픔과 평화의 꿈을 들으면서 아이들은 조금씩, 아주 천천히 문을 여는 듯하였습니다.

늘 졸기만 하던 아이가 눈을 비비며 일어나기 시작했습니다. NGO도 평화도 필리핀도, 도통 관심 없다던 무관심한 녀석들도 평화여행을 해보고 싶다는 생각을 품기도 했습니다. 세계 여러 곳에서 일어난 평화행동의 이야기들을 들으며 저희들 스스로의 행동을 해 보겠노라 하였습니다.

무언가 하나를 만들어 내려면 의견이 엇갈려 늘 힘겨웠다던 개성 강한 아이들이 몇 번의 회의를 거쳐 결국 자신들의 힘으로 마지막 수업의 과제로 '명동 간디 평화행동' 을 기획해 내기도 하였습니다. 그리고는 스스로의 힘으로 모든 과정들을 하나 하나 준비해가기 시작했습니다.

제 손으로 평택에 관한 자료들을 찾아 보도자료와 시민들에게 나누어줄 전단을 만들고, 그날 입을 신문지 의상을 디자인하고, 밤새도록 군화에서 꽃이 피어나는 아름다운 평화티셔츠를 만들었습니다. 부모님들께 신문지를 보내달라 하여 자기만의 평화 메시지와 그림을 그려넣어 거리행진을 위한 아름다운 신문지 옷을 만들었습니다.

사물놀이로, 노래로, 몸짓으로…. 그렇게 평화에 무관심하고 무표정했던 그 아이들이 지난 유월의 어느 날 명동 한복판에 서서 평화를 노래하고, 춤추고, 외치고, 행진하였습니다.

아이들과의 마지막 수업을 마치고 아이들의 축제를 보고 싶어 다시 간디

학교를 찾았습니다. 그곳에서 저는 뜻밖에 아이들이 끓인 맛깔진 돌멩이국 한 그릇을 대접받은 것 같습니다.

명동의 거리에서 춤추고 행진하던 날 처음 배운 설은 손놀림으로 영상을 촬영했던 아이들이 2주일 만에 인터넷을 뒤져 영상편집을 배워 그날의 평화행동을 영상으로 편집해 내었습니다. 그리고는 학부모님들을 초대해 자신들의 한 학기 삶과 배움에 대해 발표하는 자리에서 그 영상으로 자신들의 수업을 발표를 한 것입니다.

한켠에선 다른 아이들이 티셔츠를 만들어 축제에 오신 학부모님들께 팔고 있었습니다. 민다나오 평화여행을 위해 아이들이 제 손으로 직접 만들었다는 그 티쳐츠. 뜻을 세우고, 길을 만들어 가기 위해 몸의 수고로 만들어 낸 아이들의 작은 열매…. 저는 이제까지 그보다 더 아름다운 티셔츠를 저는 본 일이 없습니다.

두렵고 떨리는 마음으로 시작한 아이들과의 여행, 아이들보다 먼저 제가 배워야 했던 그 설익은 한학기의 평화수업은 그렇게 끝이 났습니다. 9월이면 아이들은 필리핀으로 떠나겠지요. 11월, 아이들보다 늦은 걸음으로 저 또한 아이들을 따라 민다나오에 다다를 것입니다.

그 아름다운 섬에서 아이들과 더불어 민다나오의 아이들을 만나 함께 평화의 여행을 떠나야지요. 크리스천으로, 무슬림으로, 원주민으로 나뉘어 오랫동안 피 흘리는 어른들의 전쟁, 그 속에서 평화와 화해를 배우며 스스로의 상처를 치유해가고 있는 민다나오, 평화의 아이들을 만날 것입니다.

전쟁 속에서 그 아이들에게 노래를, 그림을, 춤을, 평화를 가르쳤다는 민다나오의 예술가들, 평화 운동가들과 함께 노래하고 춤추고, 여행할 것입니다. 배움은, 그 길 위에서 우리에게 축복처럼 찾아오는 선물 아닐런지요. 한 학기를 오간 길을 혼자 되짚어 오며 아이들의 노래를 조용히 불러봅니다.

"꿈꾸지 않으면 사는 게 아니라고
별 헤는 맘으로 없는 길 가려네
사랑하지 않으면 사는 게 아니라고
설레는 마음으로 낯선 길 가려 하네
아름다운 꿈꾸며 사랑하는 우리
아무도 가지 않는 길 가는 우리들
누구도 꿈꾸지 못한
우리들의 세상 만들어가네
배운다는 건 꿈을 꾸는 것
가르친다는 건 희망을 노래하는 것"

제 입술에 익은 노래처럼, 아이들 또한 제 삶의 어떤 부분을 나누어 가졌겠지요. 먼 길이 멀지 않게 느껴지는 마음의 거리처럼 그렇게 서로에게 조금씩은 스며들어 있는 것이겠지요.

아이들이 가진 평화가, 제가 가진 평화가…

우리들이 맺은 '관계' 를 통해….

평화를 원한다면 평화여행을!

여행의 길 위에서 많은 이들이 묻곤 했습니다. “어떻게 하면 평화여행을 다닐 수 있어요?” 그 대답을 여기 준비해 봅니다. 여행 가이드북에는 안 나오는 정보를 모으고, 현지 상황을 조사하고, 만나고 싶은 사람들과 연락하는 일을 혼자서 하기는 쉬운 일이 아닙니다. 당신의 평화여행에 좋은 친구가 될 국내외 단체들을 소개합니다.
당신의 길 위에, 당신의 가슴 속에, 당신의 눈 속에 평화가 함께 하길 빌며.

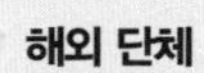

해외 단체

피스보트 www.peaceboat.org

피스보트란?

“역사상 거대한 배는 우리에게 무기와 종교의 강요, 질병 따위의 몹쓸 것들만 가져다 주었다. 그러나 피스보트는 평화의 메시지를 건네주는 첫 배가 될 것이다.”
타히티 마오이의 토착 원주민이 쓴 표현처럼 피스보트는 세계 곳곳의 사람들과 단체들을 연결해 평화의 메시지를 전하는 평화의 배입니다. 유엔 경제사회이사회의 협력기구로서의 지위를 가지고 있는 피스보트는 스스로 국제 비정부기구(NGO)라 일컫듯 단순한 여행단체가 아닙니다. 이들은 스스로의 목적을 평화, 인권, 지속가능하고 민주적인 발전, 환경에 대한 존중이라 표방하고 있으며 이를 위해 다양한 활동을 펼치고 있습니다.

피스보트 참가비

3개월간의 세계일주 비용은 방의 수준이나 선택투어에 따라 차이가 나긴 하지만 우리 돈으로 약 1,200~1,500만 원 정도가 듭니다. 일본의 다른 여객선에 비해 저렴한 편이지만 젊은 학생들에게는 결코 만만한 돈이 아닙니다. 그래서 이들은 자원활동제도를 통해 운임을 할인받기도 하는데, 한 시간 자원활동에 약 1,000엔(1만 원) 정도가 할인됩니다. 지역화폐운동을 떠올리게 하는 이러한 제도를 통해 피스보트는 엄청난 양의 업무를 자원활동가의 도움을 받아 처리하고 있으며, 더불어 돈이 없는 이들에게도 기회의 문을 열어놓고 있습니다.

수백 가지의 프로그램

600여 명이 함께 타고 있는 배 안은 그야말로 '물 위를 떠다니는 평화의 마을' 입니다. 일정표를 빼곡히 채우는 각종 강연과 토론회, 취미활동모임 등으로 배 안은 쉴새없이 북적댑니다. 물론 쉬고 싶은 사람은 마음껏 잠을 자도 되고, 소파에 앉아 책을 보든 하루종일 장기를 두든 자유입니다.

대표적인 활동은 평화교육. 피스보트에 탄 승객들을 대상으로 여러 가지 교육이 펼쳐집니다. 주제에 맞는 전문가를 각국으로부터 초빙하여 여러 가지 강좌를 열고 곳곳에서 토론을 벌입니다. 특히 주목할 만한 것은 자주기획自主企劃이라는 방식입니다. 배 안에는 참으로 다양한 사람들이 함께 타고 있는데 이들의 끼와 재능, 지식을 적극적으로 북돋아 참가자들이 스스로 다채로운 기획행사를 만들어내고 있습니다.

매일 아침 갑판에서는 태극권 강좌가 열리고 역사비디오를 함께 보고 토론하는 모임, 과거청산을 이야기하는 모임, 별을 보며 이야기하는 모임, 축구를 직접 하거나 야구에 대해 이야기를 나누는 모임, 샌드백을 치는 모임, 술 마시는 모임 등 이루 헤아릴 수 없는 다채로운 행사가 배 안을 가득 채우지요.

또 하나 눈에 띄는 것은 GET(Global English/Espanol Training) 프로그램. 이름 그대로 영어와 스페인어 강좌인데 무료강좌와 유료강좌로 나누어지는 이 어학교육에 상당히 많은 사람들이 참여하고 있습니다.

피스보트에서 역점을 두고 있는 것이 지구대학(Global University)이라는 프로그램입니다. 매번 항해마다 15명에서 20명 정도의 학생을 모집하여 특별 프로그램을 운영하는데 이들은 200만 원 정도의 추가비용을 내고 특별강사와 함께 평화에 대한 이해와 기술을 습득하는데, 이러한 석 달의 과정은 대학 학점으로 인정되기도 합니다.

배 안에서 뿐만아니라 피스보트가 방문한 곳에서도 다양한 프로그램이 펼쳐집니다. 기항지에서 보통 하루나 이틀 정도 머무는데 이때에 현지의 사회단체나 주민들과 연결하여 현장체험, 교류행사를 벌이는데 보통 예닐곱 가지의 선택 투어가 준비되고, 참석자들은 각자의 취향에 맞게 선택할 수 있습니다. 물론 자유여행을 할 수도 있습니다.

이밖에도 지속가능한 세계를 위한 제3세계 구호활동, 각국의 정치적 이슈에 대한 연대활동, 반전 캠페인 등을 펼치고 있습니다.

한국에서 피스보트 타기

1. 성공회 대학 교환학생 프로그램

2003년부터 성공회 대학과 성공회 대학 NGO 대학원은 피스보트 지구대학과 교환학생 프로그램을 실시하고 있습니다. 학부 2명(일본어학과 1인 외), 대학원생 1명으로 구성되는 교환학생들은 성공회 대학에서의 한 학기 수업 대신 피스보트의 3개월 지구일주 및 지구대학 프로그램에 참여할 수 있습니다. 성공회 대학은 등록금의 절반을 지구대학 지원금으로 돌려주며, 피스보트 측은 지구일주 비용을 부담합니다.

2. 피스 & 그린 보트 프로그램 www.greenboat.org

'아시아 평화와 미래를 위한 항해 – The voyage for Peace & Future in Asia'라는 주제로 2005년부터 시작된 피스앤 그린 보트는 한국의 환경재단과 피스보트가 공동으로 주최하는 아시아 교류프로그램입니다. 한·일 양국의 각계 인사들과 시민들이 아시아의 주요 지역을 함께 돌아보며 역사, 사회, 경제, 환경 문제를 생각하고, 현지인들과 함께 그 대안을 찾고자 만들어졌습니다. 2005년 첫 출항을 시작으로 2014년까지 10년 동안 아시아의 평화와 환경을 위한 항해를 계획하고 있습니다.

15일간의 아시아 항해 참가비는 300~500만 원으로 대학생 할인이 있습니다. 참가 자격은 따로 없으며 누구나 참가할 수 있습니다.

3. 개인적으로 피스보트 타기

피스보트는 게스트와 승객, 자원봉사자와 영어 강사 등으로 구성됩니다. 피스보트를 개인 자격으로 타려면 피스보트에서 운영하는 프로그램의 주제와 관련된 활동을 하고 있는 전문가나 운동가 자격으로 초청되거나, 자원활동, 통역활동(일본어 가능해야 함) 등으로 참여하는 방법, 정식으로 비용을 모두 지불하고 승객으로 타는 방법이 있습니다.

전체 지구일주 일정과 비용이 부담된다면 일본부터 터키까지, 터키부터 유럽까지 등 전체 일정을 고려해 한 달 혹은 한두 주정도 원하는 항구에 비행기로 가서 원하는 기항지까지 부분적으로 크루즈에 참여하는 방법도 열려 있습니다.

서바스(SERVAS) www.servas.org

서바스는 여행을 통한 교류로 평화를 일구려는 국제 비영리 여행단체입니다. SERVAS란 이름은 에스페란토어로 '모시다, 봉사하다'란 뜻으로 2차 세계대전 후 평화를 위해 여행하는 대학생들에 의해 1949년부터 시작되었습니다.
각국의 회원들이 서로 무료로 숙박을 제공해 자신의 삶을 나눔으로써 서로의 편견을 없애고 인종간의 벽을 허무는 것입니다. 전 세계적으로 130여 나라에 지부가 있고 14,000여 명의 Host(민박제공자)와 Traveler(여행자)가 여행을 통해 평화로운 세계가 정착되도록 노력하고 있습니다.

SERVAS를 통해 여행자는 원하는 호스트에게 그의 집에 머물며 가족과 친구를 만날 기회를 신청할 수 있습니다. 신청이 받아들여지면 대개 한 호스트의 집에서 2박 3일 정도 머물며 그들의 인생에 참여하게 되는 거지요. 여행 계획을 세워 미리 각 지역에 있는 호스트들에게 신청을 해두면 이런 만남의 여행을 계속할 수 있습니다.
호스트의 이름과 주소, 나이, 직업 등은 SERVAS에서 승인된 여행자가 이용할 수 있도록 해마다 각국에서 새로운 목록을 만들어 공유합니다. SERVAS 호스트는 특별한 사람이 아니며 평범한 보통 사람들입니다. SERVAS와 만나기 위해서 필요한 것은 단지 다른 인종, 다른 문화를 가진 여행자를 기꺼이 이해하고 베푸는 마음 하나면 충분합니다.

- **회원 요건** : 여행을 사랑하고 평화를 바라는 사람이면 누구나 가입할 수 있습니다. 자원봉사 정신을 바탕으로 하므로 호스트는 돈을 받지 않습니다. 호스트로 참여하는 방법은 두 가지가 있는데 숙박을 제공하는 Home Stay형태와 낮시간에만 여행자들을 도와줄 수 있는 Day Host가 있습니다.
- **가입 방법** : 한국 서바스 회원이 되려면 먼저 홈페이지(www.servas.or.kr)에서 가입신청을 하고 지역 지부장과 인터뷰를 거쳐 정식 회원이 됩니다. 회원은 년 2만 원의 회비를 내야 합니다.

글로벌 익스체인지 www.globalexchange.org

글로벌 익스체인지는 정치, 사회, 환경, 정의를 위해 일하는 국제 인권단체입니다. 미국에 본부를 두고 1988년에 시작되었습니다. 특히 미국의 외교적 폭력과 경제정책에 반대하며 반세계화 반전운동을 펼치고 있습니다. 글로벌 익스체인지는 작은 행동으로 지구적 변화를 만들어 가는 대안행동들을 제안하고 이끌어왔는데, 그 중 가장 대표적인 것이 1989년에 시작된 리얼리티 투어 프로그램입니다.

이들은 여행이라는 것이 그 자체로 재미있으면서도 의미있고, 또 무엇보다 여행을 통해 한 개인 개인이 매스미디어에 의존하지 않고 세계와 직접 소통하고 국제적인 이슈를 이해할 좋은 기회라고 생각했습니다.

글로벌 익스체인지는 해마다 30개 이상의 국가에서 50개가 넘는 투어프로그램을 진행합니다. 북미 사람들은 이 여행을 통해 그들의 그늘 아래에 살고 있는 사람들을 만나게 됩니다. 아프가니스탄 여성들의 고단한 삶과 저항에, 탄자니아의 공정무역 현장에, 에쿠아도르 원주민 공동체의 한가운데에, 팔레스타인과 이스라엘의 끝날 줄 모르는 분쟁 앞에 서게 되는 거지요.

리얼리티 투어는 관광이 아니라 여행입니다. 그래서 사람들은 여행의 의미를 다시 발견하게 됩니다. 투어의 가장 큰 목적은 국경, 언론, 편견을 넘어선 만남으로 얻은 자각과 기쁨을 통해 사람들 사이의 연대관계를 만들어 가는 것입니다.

방문 지역의 공동체에서 일하는 활동가들이 짠 프로그램으로 그곳의 삶을 만나게 됩니다. 그들은 그저 평범히 살아가는 시민들을 끊임없이 초청합니다. 평범한 사람들이 여행을 통해 평화의 그물망을 짜 나가고 있는 거지요. 그들은 우리에게 이렇게 제안합니다.

"진실을 만나는 여행을 시작하십시오. 그 모험은 당신의 인생을 바꿀 것입니다."

프로그램 참여하기

글로벌 익스체인지는 해마다 그 다음해까지의 여행 계획을 웹사이트에 공지합니다. 아프가니스탄을 여성의 시선으로 만나는 여성주의 여행, 전쟁 피해자를 만나는 평화여행, 환경문제를 주제로 하는 여행 등 여러 종류의 여행프로그램이 만들어집니다.

글로벌 익스체인지 웹사이트에서 나라, 이슈, 기간 등으로 여행 프로그램을 검색할 수 있습니다. 달마다 평균 3~4개의 여행이 1년 내내, 아시아부터 아메리카까지 6대륙에 걸쳐 진행되므로 자신이 원하는 기간, 원하는 주제, 원하는 지역을 선택해 신청하면 됩니다. 온라인 신청이 가능하며 신청이 접수되면, 자신이 직접 여행 현지로 날아가 첫 일정에 조인하면 됩니다.
여행의 전 여정은 식사(3식), 숙소(2인1실), 이동(랜탈), 가이드, 인터뷰 등 모든 프로그램이 글로벌 익스체인지와 현지 코디네이터에 의해 짜여지는데, 지역의 독특한 문화유산, 아름다운 장소 등을 깊이 있는 눈으로 볼 수 있는 여정도 포함됩니다. 피스보트에 비해 일정이 다양하고 이동에 소요되는 기간이 적어 짧은 시간 밖에 활용할 수 없는 사람에게 적합합니다.

크리스천 평화사역자 팀 CPT www.cpt.org

CPT(Christian Peacemaker Teams)는 1984년 평화를 위한 자기 희생, 원수를 위해 자기 목숨까지 내어 주라는 성서의 말씀에 대한 믿음과 응답으로 시작되었습니다. 그들은 칼이 아니라 평화를, 폭력이 아니라 비폭력의 힘을 믿는 사람들입니다. 그들에게 평화는 전쟁처럼 목숨을 걸고 지키고 구해야 할 무엇입니다. 남을 죽이는 일에 목숨을 거는 군인들이 있는 것처럼 그들은 평화를 위해 목숨을 거는 사람들의 용기가 있을 때에 평화는 올 수 있다고 믿는 거지요.
그들의 가장 깊은 철학은 평화를 위한 자기희생, 평화의 현존, 평화의 증언입니다. 그들은 끊임없이 사람들이 평화를 위해 일하도록 돕고, 훈련하고, 보내고, 지원합니다. 또한 한 사람의 영웅이 아니라 평범한 사람들이 자기가 속한 공동체의 지원을 받아 분쟁지역에 가고, 돌아와 주변의 사람들에게 그것을 깊이 알리고 소통하도록 돕는 것을 통해 공동체적인 평화를 경험하고 확산하도록 돕고 있습니다.
CPT는 팔레스타인, 이라크, 볼리비아, 콜롬비아, 민다나오 등 세계의 그늘 속에서 그곳의 평범한 이웃들과 함께 살면서 평화를 위해 일하고, 평화를 가르치고, 평화로 존재합니다. 진실과 정의, 사랑과 평화를 믿는 평화 건설자들의 존재가 그곳에서 평화가 무엇인지를 보여주고, 평화를 퍼뜨리며, 비폭력 평화의 힘으로 세상을 바꾸려고 합니다. 무엇보다 CPT는 평범한 사람들이 평화를 위해 일하고 싶다는 소망을 가지면 어떻게 평화를 위해 일해야 하는지, 어떤 정신과 철학을 가져야 하는지, 어떤 행동을 할 수 있는지, 평화의 증인이 된다는 것은 무엇인지를 교육합니다.

그들은 단기 분쟁지역 방문팀인 평화순례단을 통해 평범한 사람들이 보이지 않는 것 너머의 진실을 마주하도록 돕고, 그들이 평화를 위해 일하고 싶다면 다양한 훈련 프로그램들로 평화운동을 할 수 있도록 돕고 있습니다. 3년간 일하기로 헌신하고 분쟁지역에 가서 사는 현역 활동가부터, 자신의 활동을 마친 후 또는 자신의 직업을 유지하며 1년에 한 번, 한두 주씩 현장을 오가고, 주변에 이슈를 알리고, 나가 있는 사람들을 지원하는 후방의 평화활동까지 다양한 형태의 평화운동에 시민들이 참여할 수 있습니다.

참가 자격

그들은 이라크 전쟁 전부터 현재까지 이라크에서의 활동을 쉬지 않고 있으며 해마다 이라크에 방문단을 보내고 있습니다. 이런 활동에는 위험이 따르기 때문에 반드시 18세 이상의 자기 결정에 의한 참여자만을 받아들이며 반드시 훈련에 참여해야 현장 활동에 나갈 수 있습니다. 그에 비해 평화의 순례를 떠나는 방문단에 참여하는 것은 그리 까다로운 규정이 없습니다. 누구든 평화의 순례에 참여해 평화의 눈으로 분쟁지역의 안쪽에서 평화를 마주해 보고 싶다면 CPT의 평화여행보다 더 좋은 프로그램을 찾기는 쉽지 않을 것 같습니다.

광야의 소리 www.vitw.org

광야의 소리는 1996년 이라크 사람들에 대한 경제제재 철폐운동으로 시작되었습니다. 예술가, 교사, 베트남전 참전용사, 보건의료 전문가 등으로 구성된 70명의 방문단이 이라크를 향한 여행을 떠났습니다. 그리고 그들은 이라크 안에서 미국와 유엔이 저지르고 있는 전쟁의 참상과 경제제재의 잔혹함을 목격했습니다. 그 여행으로 이들은 이라크를 향한 장단기 여행을 계속하고 있으며 이라크에 오갈 때마다 경제제재 제한 품목, 예를 들어 연필, 의약품 같은 것을 들고 들어가는 저항을 하기도 했습니다.

2002년 10월에는 이라크전에 반대하기 위해 이라크에 활동가들이 건너가 상주하는 한편, 미국을 비롯한 전 세계에서 이라크에 들어가 이라크 사람들과 함께 고통을 나누고 평화의 증인이 될 이라크 평화팀(Iraq Peace Team)을 모으기 시작했습니다.
한 달여의 훈련을 마치고 이라크에 들어간 이라크 평화팀은 전쟁과 폭격 중에도 방독면 하나 없이 이라크 사람들과 똑같이 먹고 마시며, 학교, 병원, 고아원등을 방문해 이라크 사람들의 고통과 두려움, 아픔에 귀 기울였고, 그 아픔의 기록을 전 세계에 타전했습니다. 그들은 전범 재판을 대비해 민간인 피해를 꼼꼼히 기록했으며 그 기록들은 CNN, BBC 등이 보여주지 않는 진실을 드러내기에 충분했습니다.
그들은 현재까지도 이라크에서의 활동을 쉬지 않고 있습니다. 전쟁 직후에는 이라크 사람들이 스스로 자신들의 독립매체를 만드는 활동을 지원하기도 했으며, 이라크의 작은 평화단체들이 만들어 지는 것을 돕고 있습니다. 그들의 가장 근원적인 철학은 비폭력 평화이며 그에 기초한 비폭력 직접 행동, 평화의 여행, 평화의 증언을 통해 사람과 사람 사이에 평화의 다리를 놓아가는 아름다운 평화운동을 펼치고 있습니다.
또한 2003년, 전쟁에서 돌아온 일부 평화의 증인들은 한 대의 버스를 빌려 인디언, 외국인노동자 등 사회적 소수자들 및 평화를 위해 일하는 참전군인들, 이라크 전쟁을 경험한 이라크 평화팀 들과 함께 미국을 횡단하는 "정의의 바퀴(Wheels of Justice)"라는 특별한 여행을 떠나기도 했습니다.

국제연대운동 ISM www.palsolidarity.org

국제연대운동 ISM(International Solidarity Movement)은 2001년 8월, 이스라엘의 팔레스타인에 대한 군사적 침략과 점령에 대한 국제적 보호를 호소하고, 팔레스타인 내에서 점령에 저항하는 사람들을 돕기 위해 시작된 작은 비폭력평화행동 그룹이었습니다. 그들은 그 활동의 경험을 통해 팔레스타인에 대한 이스라엘의 불법적 공격을 멈추고, 고립장벽을 철폐할 것을 호소하는 국제적 캠페인과 팔레스타인에서의 비폭력 직접 행동을 계속해오고 있습니다.
그들은 총에 맞거나 다친 이들이 앰블런스에 실려갈 때 그 차에 동행합니다. 종종 체크포인트에서의 오랜 검문을 기다리다가 엠블런스에서 죽어가는 이들이 많기 때문입니다. 그들은 밤이면 자살 폭탄테러로 죽은 이의 집에서 잠을 자기도 합니다. 한밤중에 이스라엘군의 불도우저가 그 집에 들이닥쳐 3분 내에 집에서 나오지 않으면 집과 함께 밀어버리겠다고 위협하고, 또 그 말대로 실행하는 것을 알기 때문입니다.

그런 밤이면 그들은 용기를 내어 메가폰을 잡고 집과 불도우저 사이에 서서 말합니다. "이스라엘군이 지금하고 있는 이 행위는 국제법과 유엔결의안에 위배되는 위법적인 행위다."라고. 그리고 그들은 그 일을 목격하고 기록하는 증인이 됩니다. 그러나 무엇보다 그들의 존재는 팔레스타인 사람들에게 위로와 희망이 됩니다. 언론에 의해, 장벽에 의해 고립된 채 고사되어가는 그 삶의 벽을 넘어들어와 주는 세계 각국의 젊은이들, 시민들, 그들의 연대가 그들이 거기에 그들과 함께 먹고 마시고 잠을 잔다는 것은 팔레스타인의 비명에 누군가가 귀 기울이고 있다는 것을, 이스라엘의 범죄를 세계가 지켜보고 있다는 것을 말해 주기 때문입니다.
ISM은 하나의 단일한 조직이 아닙니다. 그러나 팔레스타인의 평화를 원하는 모든 개인과 조직들이 함께 참여하고 있는 평화운동입니다. 그들은 어떤 정부나 기업, 기관으로부터도 돈을 받지 않습니다. 그들은 활동을 위해 개인적 지원을 받을 뿐입니다. ISM은 팔레스타인에 본부를 두고 있으며 그들의 원칙에 동의하는 개인이나 그룹은 누구든 참여할 수 있습니다. 그들의 두 가지 원칙은 이것입니다.

1. 우리는 유엔의 결의안과 국제법에 근거해 팔레스타인 사람들에게 평화가 있어야 한다는 것을 믿는다.
2. 우리는 우리의 목적을 위해 오직 비폭력 직접 행동, 비폭력적 방법과 전략들만을 사용할 것을 원칙으로 한다.

이 원칙에 동의할 수 있나요? 그렇다면 당신은 ISM의 활동에 참여할 준비가 된 것입니다.
ISM은 전 세계를 향해 팔레스타인의 평화를 함께 만들어 갈 여행자를 초청하고 있습니다. 그들은 말합니다. "당신이 팔레스타인의 평화를 위해 무언가 하고 싶다면 팔레스타인으로 여행을 오세요. 당신의 여행은, 혹은 우리의 활동은 팔레스타인사람들에게 강제된 고립을 깨고, 희망을 건네는 일이 될 것입니다."
그들이 팔레스타인 사람들에게 그들의 여행을 통해, 머무름을 통해, 동행을 통해 전하는 한 문장은 이것입니다.
"We see, we hear and we are with you."

정토회 www.jungto.org

정토회는 일과 수행이 하나가 된 삶을 추구하며 '행복한 인생, 평화로운 사회, 아름다운 자연 만들기'를 위해 여러 가지 실천 프로그램을 만들어가는 NGO입니다. JTS(Join Together Society)를 설립하고 인도 켈커타 빈민지역의 메디칼 캠프를 시작으로 제3세계를 지원하는 다양한 활동을 펴고 있습니다.
1994년 JTS의 한국본부 및 미국 지사가 창립된 이후 인도 비하르주 보드가야 근교 둥게스와리에 거주하는 불가촉 천민들을 위한 수자타아카데미 초등학교와 수자타기술학교, 지바카병원, 마을유치원 들을 설립해 교육과 의료, 마을개발을 위해 일해왔습니다.
1997년부터는 북한 식량 지원과 파키스탄, 필리핀, 스리랑카, 아프가니스탄, 이라크 등 자연재해나 전쟁으로 무너진 지역을 재건하는 일도 지속하고 있습니다.

1. 선재수련

가난한 이웃들과 노동하며 자기 내면을 성찰하는 불교수련 프로그램인 선재수련은 이 세상 모든 것을 스승으로 삼아 떠나는 여행입니다. 지금까지와는 다른 삶, 경쟁 없는 삶, 행복한 평화를 찾는 길이 될 것입니다. 서로 다르다는 것을 인정하고 상대를 존중하면서 서로가 하나임을 자각할 때 가장 위대한 평화, 가장 아름다운 평화가 이루어지는 거니까요.

- **활동지역** : 인도 보드가야 둥게스와리 / 필리핀 민다나오지역(종교분쟁지역) / 몽골-중국
- **활동내용** : 마을 사람들과 땀 흘려 일하는 워크 캠프
- **활동기간** : 방학 기간으로 1개월 이내
- **활동조건** : 항공료, 체류비는 본인 부담(100만 원 정도)
- **모집인원** : 100여 명
- **지원자격** : 해외 빈민지역 자원봉사활동에 관심있는 젊은 청년, 대학생들
- **참가방법** : 매년 5월, 11월 중에 홈페이지와 포스터를 통해 모집
  - 1차 서류심사. 2차 면접 및 사전교육
- **문의** : www.jungto20.org 대학생정토회 02-587-8911 university@jungto.org

2. 장기 프로그램

- **활동지역** : 인도 보드가야 둥게스와리(수자타아카데미)
- **활동내용** : 의료 – 의료 조사 및 치료, 간호, 간병활동, 위생교육, 결핵퇴치프로그램

  교육 – 유치원어린이들을 위한 교육프로그램 개발, 한국어, 영어, 태권도, 기술교육(컴퓨터, 건축, 타자, 재봉등)

  건설 – 현지 학교 및 주변 마을 시설물 공사

  농업 – 야채재배, 나무심기, 조경 등

  마을개발 – 어머니 문자교실, 축구대회, 인구조사, 핸드펌프 개발 사업 등
- **활동기간** : 2년 이상
- **활동조건** : 현지숙식비는 JTS 부담

  항공료, 비자비, 현지교통비, 보험료 등은 모두 본인 부담
- **지원자격** : 건강하고, 필요한 일은 무엇이든지 함께 해 갈 수 있는 사람

  각 분야에 전문 지식을 가진 사람

  영어로 의사소통이 가능한 사람

  제이티에스의 이념과 취지에 동의하는 사람

  육체적 노동을 즐겁게 할 수 있는 사람

  일련의 교육과정을 이수할 사람(인도JTS에 파견되기 전에 한국JTS에서 실시하는 약 100일간의 교육과정을 이수해야 함)
- **참가방법** : 이력서, 자기소개서, 신청서를 다운 받아 작성 후 메일로 보냄

  서류접수 후 1차 면담후 JTS에서 실시하는 일정기간의 교육을 마친 후 최종 선발.
- **문의** : www.jts.or.kr 02–587–8756 jts@jts.or.kr

개척자들 www.thefrontiers.org

'사단법인 개척자들' 은 분쟁지역에서의 교육과 훈련, 비디오 저널리즘을 통한 평화 활동을 위해 설립된 NGO입니다. 국제적, 독립적인 기독교 단체로 분쟁, 재난, 기아에 놓여진 사람들을 위해 평화활동을 펼치고 있습니다.

현재 동티모르, 인도네시아, 아프가니스탄에서 수년째 평화건설, 지역발전 프로그램을 진행하고 있으며 스리랑카, 동남아 지역의 긴급구호, 이라크 및 분쟁지역들에서의 전후 조사 작업을 담당해 왔습니다.

1. 평화캠프

2000년부터 시작된 평화캠프는 오랜 전쟁과 분열로 파괴된 땅에 가해국을 비롯한 세계 각국의 청년들이 참가하여 그 땅의 재건을 도우며 평화와 화해를 가르치는 활동 속에서 사랑과 인류애를 경험하는 시간입니다.
매년 여름마다 동티모르, 아프가니스탄 등에서 열리며 7개국 젊은이들이 참가하고 있습니다.

- **활동내용** : 현지사람들과 함께 생활하며 어린이와 청년들을 위한 평화학교를 진행하고 평화축제를 준비합니다.
- **활동기간** : 7월, 8월(약 1개월 동안, 해마다 두 차례 진행)
- **문의** : 02-744-5072 www.thefrontiers.org

2. 장기 해외봉사 활동

활동지역 및 활동내용

아프가니스탄

바미얀 지역은 유네스코가 지정한 세계적 불교유적지가 자리한 지역으로 반다미르 호수와 간다라 미술의 본고장으로 알려진 아름다운 지역입니다. 이곳에는 아프가니스탄의 종족 갈등 속에서 많은 고통을 겪은 하자라(소수민족)부족 난민들이 살고 있습니다. 특히 탈레반이 편억압책으로 많은 이들이 죽고, 강제 이주되어 인구가 상당수 줄어들었습니다.
- 바미얀 평화학교 교사
- 카불 현지 사무실 지원팀(일반 행정, 국제부 사무보조, 지역조사, 프로그램 개발 보조)

파키스탄

2005년 10월 8일 파키스탄, 인도 국경부근 카슈미르 일대에서 발생한 진도 7.6의 강진은 많은 희생자를 낳았습니다. 당시, 다가올 겨울을 나기 위해 개척자들은 겨울나기 긴급 지원활동을 펼쳤습니다. 텐트, 난로 등 긴급지원을 통해 알라이 지역 4개 산간마을은 무사히 겨울을 보냈습니다. 1947년 서구열강으로부터 독립하는 과정에서부터 시작된 골 깊은 카슈미르 분쟁은 지금까지 계속되고 있습니다.

- 지진피해지역 재건지원활동
- 평화교육 교사

동티모르

오랜 기간 무력 침공을 받아 피폐해진 지역사회를 재건하고 가해국인 인도네시아와의 화해를 통해 마음의 치유를 돕는 일이 필요한 곳입니다. 2000년부터 동티모르의 군소 도시에서 농업수업, 컴퓨터수업, 영어클래스를 진행하며 현지 청년들을 만나 평화교육을 하고 있습니다.

- 국제평화캠프 행정 보조
- 평화교육 교사

인도네시아

2005년부터 본격적으로 시작되었으며, 아체, 파푸아, 포소, 암본 등을 탐방하며 지역조사, 평화공동체 설립 등의 활동을 펴고 있습니다.

- 루모무파캇 공동체 사무보조(주로 아이들을 돌보거나 농작물을 가꾸고 요리를 하게 됩니다.)
- 평화학교 교사

- **활동기간** : 1년(3주간 본부 훈련, 1개월간 현지 적응-수습기간, 9개월 현장활동, 1개월 본부 복귀, 정리와 보고)
- **활동조건** : 활동비, 숙식, 월급 제공, 교통비 본인 부담
- **지원자격** : 만 18세 이상, 영어 사용자 우대
- **참여방법** : 온라인 지원 korea@thefrontiers.org
  이력서, 지원 동기 포함한 자기소개서, 지원 지역 명시
- **문의** : 02-744-5072 www.thefrontiers.org

국제워크캠프기구 www.1.or.kr

평화와 연대를 위한 국제워크캠프기구(IWO : International Workcamp Organization)는 워크캠프를 통한 국제교류 NGO입니다. 각국의 워크캠프 전문단체 및 자원봉사 단체들과 함께 세계의 젊은이들이 봉사를 통해 서로 이해하고 교류하며 협력할 수 있는 장을 열어 왔습니다. 전 세계 54개국 85개 국제 NGO단체들과 협력을 맺고 워크캠프 자원봉사자들을 파견하고 있습니다.
워크캠프는 서로 다른 인종과 사상과 국적을 가진 사람들이 지역 스폰서에 의해 짧게는 2~3주, 길게는 2달~1년으로 기획되는 프로젝트를 함께 수행하며 일하는 것입니다.
마을의 우물을 파고 함께 농사짓는 일에서부터 파리에 있는 어린이센터에서, 콜로라도에 있는 환경 프로젝트에서 또는 스리랑카에 있는 전문적인 기술을 위한 워크숍 등 수많은 프로젝트 가운데 원하는 일을 지원해 참여합니다.

- **활동지역** : 전 세계에서 해마다 수백 개의 워크캠프가 열림
- **활동내용** : 환경, 농업, 건설, 사회사업, 문화, 예술, 교육 등 여러 분야 가운데 선택
- **활동기간** : 단기 프로그램(2~4주), 중장기 프로그램(2달~1년)
- **활동조건** : 단기 – 참가비 7만원 ~ 30만원 (나라에 따라 다름) (첫 참가시 등록비 10만원 별도)
  중장기 – 참가비 1달에 약 20만원 (첫 참가시 등록비 10~20만원 별도)

※ 워크캠프 기간 중 숙박과 식사 제공. 항공권, 여권, 비자, 여행자 보험 등은 참가자 개인이 각자 준비하고 부담

- **지원자격** : 만 19~35세의 신체적, 정신적으로 건강한 젊은이
  해외파견에 결격사유가 없는 사람
  영어 회화 및 독해 가능자
  각종 특기 보유자 우대 (음악, 악기, 스포츠, 춤 등)
  기타 언어 가능자 우대 (예: 해당지역 언어 구사자)
- **참여방법** : 영문 참가지원서, 국문/영문 지원동기서, 증명사진 파일 mtv@1.or.kr로 제출
  (중장기 프로그램 참가자는 사무국 면담)
  매년 봄, 가을에 새로운 프로그램 리스트 발표. 선착순으로 확정 심사.
- **문의** : 02-568-5858 fromkorea@1.or.kr

헌책으로 만드는 평화 도서관

72%의 아프가니스탄 아이들이
가족이나 친척의 죽음을 직접 목격했다 합니다.
그 아이들을 절반은 폭격으로 사람이 죽는 것을 직접 보았다 합니다.
90%의 아이들이 자신들이 전쟁으로 죽을 것이라고 생각한다 대답했습니다.
90%의 이라크 아이들이 전쟁을 영상으로 사진처럼 기억하고
반복되는 꿈을 꾸며 고통받고 있다 했습니다.
84%의 아이들이 자신이 어른이 될 때까지 살 수 있을까 걱정을 한다고 합니다.

평화를 원한다면 아이들에게 평화를 가르쳐야 합니다.
평화를 원한다면 아이들과 평화를 노래해야 합니다.
오늘 우리가 평화를 가르치지 않는다면
평화로운 미래는 영원히 오지 않기 때문입니다.

어른이 될 때까지 살 수 없을 거란 생각으로 하루하루를 살아가는 아이들에게
어른이 되면 누군가에게 복수하는 것을
유일한 희망과 목표로 살아가고 있을지 모를 아이들에게
총 대신 평화의 책을 보내주려 합니다.
작은 평화도서관이 아이들이 몸 속 가득한 죽음의 기억을 치유하고
희망을 일구어 나가는 평화의 공간이 되길 소망하며….

평화도서관 만들기 프로젝트

- **평화도서관 만들기 워킹그룹** : 어디에 왜 평화도서관이 필요한지 누군가 제안하면 동의하는 사람들로 워킹그룹이 만들어지고 평화도서관 만들기 프로젝트가 진행됩니다.
- **평화수업** : 교사와 평화활동가가 함께 만드는 평화수업
- **함께하는 평화행동** : 헌책으로 만드는 평화도서관 – 장터 또는 참여마당을 만들어주세요.
- **평화의 관계** : 참여한 평화도서관 지역 친구들과 편지 주고받기

생의 감사

제 삶의 바구니를 뒤적일 때면 늘 만져지는 것은 노력과 성취의 열매가 아니라 은혜의 열매들인 듯합니다.
그 은혜의 나무 아래 서서 제 삶에 깃들었던 수많은 만남과 가르침, 이해와 사랑, 도움과 신뢰….
그 아름다운 채무의 목록을 헤아려봅니다.

삶으로, 말씀으로, 평화를 가르쳐 주신 신영복 선생님
부족한 이에게 늘 큰 운동이 무엇인지, 삶이 무엇인지 가르쳐 주신 성공회 대학의
조희연, 한홍구, 조효제, 박경태, 김동춘 교수님 그리고 평화를 가르쳐 주신 박성준, 이대훈 선생님
운동으로, 학문으로, 삶으로 평화의 길 가르쳐 주시는 평화박물관 한홍구 선생님과 동료들
가난한 주머니 열어 평화의 길 내어주신 성공회 대학원 NGO 학과 동기들과 선후배들
가까이서든 멀리서든 늘 함께 해 주신 두레 연구원 동문들과 황보영조 간사님, 김회권 목사님
부족한 사람을 오래 참고 품어주셨던 아름다운 재단 박원순 변호사님과 동료들
올곧은 눈빛으로 지켜보아 주시는 조용환 변호사님,
아시아를 가르쳐 주신 박경서 선생님, 숲처럼 늘 묵묵히 도와주시는 문국현 사장님
하루도 쉬지 않는 고단한 장사로 번 돈을 내어주시던 문인근 선생님
한결같이 어디서든 섬겨주신 달개비 함순효 선생님, 마음으로 기도로 평화의 길 놓아주신 최성현, 강춘식 님
사무실을 내어주시며 늘 함께 해 주시던 초록정치 서형원 선배와 사무국 가족들
늘 한 걸음 앞에서 길라잡이가 되어주신 양영미, 이태호 선배, 평화군축센터 가족들
가난한 주머니 열어 여비를 보태던 참여연대 활동가들과 자원봉사자 선생님들
푸른 눈빛 잃지 않으시는 녹색연합 김제남 처장님과 활동가들, 작아 식구들
여성의 눈으로 평화를 일구라며 늘 따스한 시선 얹어주시는 평화를 만드는 여성회 김숙임 선생님
수아드와 저를 한없이 따스히 맞아주시던 여성의 전화 박인혜 대표님과 간사님들
평화의 길 위에서 늘 동행해 주신 간디학교의 양희창 선생님과 간디의 모든 식구들
뜻과 삶으로 함께 해 주신 풀무학교, 녹색대학, 녹색평론의 귀한 님들
나이와 국적을 넘어 소중한 영혼의 벗이 되어 준 캐나다 친구 미셸 밀러, 인도사람 로렌스 수란드라
늘 아버지처럼 믿음으로 지켜봐 주시는 대동 복지관 권술룡 관장님
평화를 위한 일이라면 늘 기쁨으로 와 주신 방송인 김미화 선생님
거리의 공연마다 함께 해 준 바닥소리와 최용석, 조수아 부부, 평화의 노랫길로 함께 해 주시는 홍순관 님과 문화쉼터 가족들
늘 멀리 일본에서 평화의 동행이 되어 주시는 김응교 선배, 유학을 앞두고 귀한 시간 비워 평화의 증언에 동행한 지혜
변함없는 신뢰를 부어주시던 녹색세상 장원 선생님과 가족들, 늘 아름다운 웹을 만들어 준 종진
그리고 무엇보다 이라크에서 부족한 저를 견뎌주신 한국 이라크반전평화팀의 모든 분들
평화를 여행하는 법을 배울 기회를 열어주신 깊은자유 강제숙 선생님
배를 내어주고 평화의 물길을 열어준 피스보트, 한국과 일본의 가교가, 일본을 보는 창이 되어주시는 손명수, 금명아 선배
함께 여행하는 동안 많이 가르쳐주고 배려해 주신 독립 언론인 강경란 피디, 한겨레의 이정용, 황상철 기자
한국에서, 또 이라크에서 머무는 동안 한국이라크 평화팀 사무국장으로 이라크평화네트워크 사무국장으로 섬겨준 염창근
평화의 행동이 필요할 때마다 거리에 서 준 채리, 지영, 선용, 보경, 우마왕, 현주, 주희, 창림, 선미, 카알, 상혁, 마웅저….
수아드와 함께 한 평화의 증인, 그 귀한 여행에 동행이 되어 주셨던 지리산 평화결사와 김경일님
제주 참여환경연대의 이지훈 대표와 간사님들, 일산 두레 교회 김회권 목사님과 교우들
새길 교회 권진관 목사님과 교우들, 향린교회 목사님과 교우들, YMCA 남부원 간사님

독일 그 먼 여정에 초대해 주신 독일코윙의 강정숙 박사님, 김진향 선생님, 최영숙 선생님과 여러 선생님들
그 깊은 환대에 늦었으나 아직도 살아있는 깊은 고마움 전합니다.
그리고 이 책을 함께 빚어 주신 소나무 식구들과 김장환 님, 묵은 기억들을 이끌어 내 아름답게 빚어 준 오랜 벗 혜영과 완철
아름다운 시선을 더해 주신 임종진 선배, 부족한 책의 표지로 귀한 사진 내어주신 조성수 기자
사진과 자료 나누어 준 태식님께 깊은 고마움 전합니다.
거칠고 푸릇한 저희들, 품어주고 가르쳐 주신 안산동산교회 김인중 목사님과 이재순 사모님께 특별한 감사를 드립니다.
사랑과 신뢰로 함께 해 주신 동료 교역자들과, 사모님들, 그리고 교우들께도 깊은 감사 전합니다.
수많은 감사의 말들이 있으나 마지막 말은 제 가장 가까운 곳, 그늘의 수고를 묵묵히 감당해 준 가족들에게 드리고 싶습니다.
언니의 자유를 위해 어린 날부터 독립적 삶을 일구어 온 소중한 동행 윤신, 그리고 그의 귀한 반려 현중
부족한 며느리에게 자유의 유산을 물려주신 시어머님, 그리고 한없이 자애로우신 아버님
명절마저 지키지 않는 시누이에게 싫은 소리 한 번 없이 늘 믿음으로 지켜봐 주신 진아, 윤아, 지현 아가씨
늘 저희대신 장남이 맏며느리가 되어 준 하림 가족
시간의 유산을 물려주신다며 십 년의 세월, 저와 가족들을 먹이고 입히고 돌보아 주신 어머니
이라크 먼 곳에 있으나 늘 마음으로 기억하는 평화의 어머니 수아드
그리고 마지막으로 가장 어린, 그러나 가장 큰 힘이 되어 준 어린 동행들에게 고마움을 표합니다.
엄마를 이라크에 보내며 참 많이 울었던 그러면서도 늘 길을 막지 않아 주었던 늘봄
때로 우는 오빠를 달래 주며 눈물을 닦아 주었다던 시원
베이루트에서 유럽까지 힘든 여행을 견디고도 튼튼하게 태어나 아름답게 자라 준 소중한 아가 슬빛
그 아이들의 아버지가, 제 영혼의 치유자가 되어 준 사람, 이도영 목사에게 감사의 화관을 드리고 싶습니다.
이제는 이름조차 다 헤아릴 수 없는 은혜의 벗들에게
그리고, 헤아릴 수 없는 은혜로 저와 동행해주시는 그 분께
이 책을, 생의 감사를 바칩니다.

세 차례의 이라크 평화여행을 함께 해 주신 분들

이용권, 최남수, 곽상배, 전혜숙, 김건호, 녹색평론사, 정유정, 임마누엘, 김현정, 조정림, 평화꽃을, 황보영조, 신강협, 김현진, 김두식, 박정이, 박종서, 윤미경, 사은기, 서영석, NO WAR, 강혜연, 최윤옥, 채명길, 고성윤, 천동락, 김영근, 김제남, 유윤종, 가은경, 심광진, 두레 5기, 6기 연구원들, 성공회대 조효제 교수, 조희연 교수, 유병희, 안영민, 이동하, 조한소, 조대현 신부, 양영인 교무, 김선용, 김정명신, 김성훈, 안진걸, 최원석, 최현주, 이해숙, 김태식, 이귀보, 참여연대 회원 모임, 평간사회, 녹색엽합 김제남, 정명희, 신근정님, 수원환경운동 센터 염태영님, 최은정 간사와 회원들, 대동복지관 권술룡, 김현채, 생명사랑연대, 일산두레 교우들, 김회권 목사, 신혜영, 양동춘, 유영길, 강진, 김선옥, 강대근, 조연서, 김순남, 박숙희, 김병해, 김명신, 정수희, 김은미, 이혜숙, 진위향, 정태황, 최미숙, 김건호, 김현미, 방진욱, 주미혜, 박종현, 한희성, 이진숙, 장지혜, 서은기, 녹색세상 장원, 이옥주, 푸른구름, 은별 가족, 권수정, 작지만 힘이 되길, 조용환 변호사, 김백수, 송정숙, 이택규, 제일선교교회, 이정미, 전종천, 오창률, 이수정, 장병수, 녹색평론사, 간디학교, 박경현, 김선용, 임옥택, 노경문, 풀무학교, 이영세, 고일주, 박정수, 최인옥, 유정인, 양희창, 다음카페 알, 하성애, 허애령, 서판임, 햇살마루, 이은향, 양숙, 하성현, 김태옥, 이정순, 정은영, 오승렬, 이철민, 이승렬, 한솔교육 홍보팀, 박총, 주정호, 함순효, 평화를 만드는 여성회 김숙임, 여성의 전화 박인혜, 전 여민회 대표 윤정숙, 여성단체 연합 정현백, 박성준 선생님, 평화박물관과 한홍구 선생님, 새길교회 무명의 교우, 인도로 가는 길 정무진 선생님….

그리고 평화도서관을 위해 씨앗을 모아주신 향린교회, 새민족교회, 안산지역평화단체, 안산YMCA어린이스포츠단, 실상사 작은학교, 전남한빛고, 일산두레교회, 동광교회, 분당두레교회, 지리산생명평화결사, 기독인연대. 모든 분들께 깊은 감사와 평화를 전합니다.

처음 펴낸 날 2006년 9월 21일
다섯 번째 펴낸 날 2017년 8월 10일

지은이 임영신
사진 임종진 이정용
펴낸곳 소나무
펴낸이 유재현
편집한 이 이혜영
꼴을 꾸민 이 조완철
알리는 이 유현조
인쇄 · 제본 영신사

등록일 1987년 12월 12일 제2013-000063호
주소 10540경기도 고양시 덕양구 대덕로 86번길 85(현천동 121-6)
전화 02-375-5784
팩스 02-375-5789
이메일 sonamoopub@empas.com
전자집 blog.naver.com/sonamoopub1

값 10,000원
ISBN 89-7139-813-2 03810